LE GUERRE D'ALGÉRIE

VUE PAR FRANCIS DE TARR,

DIPLOMATE AMÉRICAIN

(1960, 1961-1962)

© L'Harmattan, 2003
ISBN : 2-7475-4126-6

David Raphael ZIVIE

LE GUERRE D'ALGÉRIE
VUE PAR FRANCIS DE TARR,
DIPLOMATE AMÉRICAIN

(1960, 1961-1962)

Préface de
Claude NICOLET

L'Harmattan
5-7, rue de l'École-Polytechnique
75005 Paris
FRANCE

L'Harmattan Hongrie
Hargita u. 3
1026 Budapest
HONGRIE

L'Harmattan Italia
Via Bava, 37
10214 Torino
ITALIE

Histoire et Perspectives Méditerranéennes
dirigée par Jean-Paul Chagnollaud

Dans le cadre de cette collection, créée en 1985, les éditions L'Harmattan se proposent de publier un ensemble de travaux concernant le monde méditerranéen des origines à nos jours.

Dernières parutions

Abderrahim LAMCHICHI, *Géopolitique de l'islamisme*, 2001.
Julie COMBE, *La condition de la femme marocaine*, 2001.
Jean MORIZOT, *Les Kabyles : propos d'un témoin*, 2001.
Abdallah MAKREROUGRASS, *L'extrémisme pluriel : le cas de l'Algérie*, 2001.
Hamadi REDISSI, *L'exception islamique*, 2001.
Ahmed MOATASSIME, *Francophonie–Monde Arabe : un dialogue est-il possible ?*, 2001.
Mohamed-Habib DAGHARI-OUNISSI, *Tunisie, Habiter sa différence-le bâti traditionnel du sud-est tunisien*, 2002.
David MENDELSON (coord.), *La culture francophone en Israël, tome 1 et II*, 2002.
Chantal MOLINES, *Algérie : les dérapages du journal télévisé en France (1988-1995)*, 2002.
Samya El MECHA, *Le nationalisme tunisien scission et conflits 1934-1944*, 2002.
Farid KHIARI, *Vivre et mourir en Alger*, 2002.
Houria ALAMI M'CHICHI, *Genre et politique au Maroc*, 2002.
Yasmine BOUDJENAH, *Algérie – décomposition d'une industrie*, 2002.
Mohamed BOUDIBA, *L'Ouarsenis, la guerre au pays des cèdres*, 2002.
Patrick KESSEL, *Guerre d'Algérie, écrits censurés, saisis, refusés (1956-1960-1961)*, 2002.
Philippe CARDELLA, *Notes de voyage à Chypre –Opuscule*, 2003.
Cécile MERCIER, *Les pieds-noirs et l'exode de 1962 à travers la presse française*, 2003.
Faïza JIBLINE, *Proverbes et locutions proverbiales en usage à Marrakech*, arabe-français, 2003.
Abderahmen MOUMEN, *Les français musulmans en Vaucluse*, 2003.

A la mémoire d'Eric Duhamel,
maître de conférence à l'Université de Paris X – Nanterre

C'est à lui, ainsi qu'à Gilles Le Béguec, professeur à l'Université de Paris X – Nanterre, que revient la paternité du travail universitaire qui est à l'origine de ce livre.

Ils l'ont rendu possible en orientant le jeune chercheur vers un sujet original, en l'inspirant, le soutenant et le présentant à Francis De Tarr, véritable auteur de cet ouvrage, dont il a fourni la matière et qu'il a accompagné en voulant bien commenter aujourd'hui ses propres écrits d'hier.

PREFACE

M. David Zivie a eu, pour ce travail universitaire, une chance rare, mais qu'il prouve avoir bien mérité. Il a disposé d'un assez grand nombre de documents inédits, hautement précieux pour un historien : le texte intégral des dépêches de toutes catégories envoyées au Département d'Etat, entre 1960 et 1962, par un jeune diplomate américain, chargé, à divers titres, d'ausculter en quelque sorte l'opinion des cercles politiques français pendant que se jouait le dernier acte du drame algérien. Mais la chance se renforce : quarante ans après, le jeune diplomate d'alors, arrivé à l'âge des bilans, a relu ses propres textes avec la délectation critique qui est un de ses charmes. Il a reçu et conseillé son jeune chroniqueur, qui a donc l'avantage rare d'avoir en quelque sorte entendu deux fois son témoin, objet de ses réflexions. Il en a fort bien profité, et il a donc fourni, en introduction et en commentaires, tous les éclaircissements nécessaires. Qu'il en soit loué et remercié.

En me demandant quelques mots en guise de préface, les deux auteurs (si j'ose dire) me tendent un piège amical, et m'offrent aussi une occasion inespérée pour un historien nostalgique de la politique. Car je n'ai pas seulement le plaisir de retrouver en Francis De Tarr un très vieil ami et comme un complice avec qui j'ai en parti vécu les événements, les réflexions ou les discussions dont il devait rendre compte (et ses amis ne l'ignoraient en rien, naturellement) à son gouvernement. Mais son exactitude pointilleuse ainsi que son intelligence aiguë des choses de la France, et de ses partis politiques, me restituent, après tant d'années, tous les détails, toutes les déchirures quotidiennes des vicissitudes politiques que traversait alors notre malheureux pays, avec une acuité qui rend la relecture de ces pages peut-être salutaire, mais bien souvent cruelle.

Francis De Tarr avait débuté, avant d'entrer dans la Carrière, comme politologue et historien, à l'école des meilleurs spécialistes anglais et américains. Le hasard, ou peut-être d'obscures affinités, lui avait assigné pour champ d'études le Parti Radical. C'était, vers 1954-55, pendant la tentative de Mendès France et ses amis pour « rajeunir, rénover, utiliser » le plus ancien parti de France (il est né en 1901, mais avec une longue préhistoire) comme base pour une reconquête légale du

9

pouvoir afin de rénover la France. C'est là que je le rencontrai : simple militant, mais heureux de travailler, à ma modeste place, universitaire comme lui, pour une cause que je n'étais pas seul à juger nécessaire et exaltante. Son métier de diplomate devait bien entendu orienter Francis De Tarr vers l'actualité plus immédiate. C'est une perte pour l'histoire, peut-être, à en juger en tout cas par les deux livres tous deux incontournables qu'il lui aura consacrés : au début, son livre excellent sur *Le Parti Radical, d'Herriot à Mendès France*, qui, par la minutie des analyses, la finesse des jugements, demeure, pour une période sans archives, la meilleure mémoire. Et, tout récemment, la monumentale monographie qu'il a consacrée à *Henri Queuille en son temps*, qui contribuerait, s'il était nécessaire, à la réhabilitation du genre biographique, et d'une figure courageuse, estimable, et typique, d'un radicalisme provincial qui sut se trouver du bon côté, à Alger, président par intérim du Gouvernement Provisoire de la République Française avant de gouverner longuement la France. Sans oublier la brève série de « *témoignages* » qu'il a choisi de publier récemment sur *Mendès France* lui-même, qui fut naturellement, jusqu'à sa mort, un de ses interlocuteurs de choix ; plaquette émouvante, dans laquelle il a su restituer avec une vérité poignante les propos de son héros : on croit l'entendre.

J'en viens à l'essentiel : la guerre d'Algérie, telle qu'elle se présentait aux Français dans les années où elle semblait interminable et alors qu'on semblait en ignorer l'issue. Les textes de De Tarr rendent parfaitement cette atmosphère d'angoisse, d'espoirs (bien entendu contradictoires) qui divisaient tragiquement l'opinion française sous le Principat de Charles de Gaulle. La première chose que me frappe, à cette relecture, c'est de constater combien nous étions tous mal informés. C'est là qu'on touche à la réalité profonde du régime nouveau installé par de Gaulle depuis 1958, et qu'il allait encore renforcer par les réformes essentielles de 1962 et de 1964 (qu'on oublie) : monarchie élective, comme le dit si bien J.-L. Crémieux Brilhac, avec toutes les apparences de la liberté – en particulier de la presse écrite, et des partis politiques, mais non de la télévision -, qui ne laissait aux hommes politiques, de la majorité comme de l'opposition, que les ressources bien trompeuses de l'enquête de type journalistique, ou de la divination : que veut de Gaulle ? Que veulent les Algériens ? Les Français d'Algérie ? Que veut l'armée ? Le débat ne pouvait être nourri faute d'informations précises. Bien sûr, on était alors plongé dans une sorte de double guerre civile, donc secrète ; pas étonnant que les spectateurs, même engagés, que nous étions, le nez sur un quotidien trompeur, se soient si souvent trompés. Je note cependant, plus de quarante après, que les témoignages et documents qui, entre temps, se sont accumulés montrent que ceux qui étaient alors du côté du pouvoir, voire au gouvernement, n'étaient guère mieux éclairés. De Gaulle avait un dessein, des ambitions politiques, diplomatiques et militaires pour la France. Mais pour des raisons qu'il faudrait analyser de près, et sans doute contraignantes et estimables, il pensait toujours nécessaire de s'entourer de glace et de mystère. C'était bien, au delà des critiques au jour le jour forcément un peu courtes, le reproche fondamental que faisait alors Mendès à la Cinquième République : l'absence de vrai débat, que ne remplaçaient qu'à demi les appels répétés à la « confiance » de l'opinion librement exprimée, que l'on éclairait au compte gouttes sur les intentions immédiates du pouvoir. Il est vrai que nous étions en guerre, et que les enjeux pouvaient à bon droit passer pour la suite du terrible conflit où de Gaulle avait soutenu le rôle de la France avec à peu près les mêmes méthodes. Mais les temps justement n'avaient-ils pas changé ?

Francis De Tarr, « young boy diplomat », et fin lettré dans trois ou quatre langues, se compare quelque part, plongé dans les marécages délicieux de la politique française, à Fabrice à Waterloo : a-t-il vraiment assisté à quelque chose ? Ce sont là de nobles scrupules : il n'est pas le seul à les ressentir, rétrospectivement. Mais pour son malheur, un citoyen français doit avoir une opinion et l'exprimer, par obligation civique, périodiquement. Après quatre décennies, le départ et la mort de l'archégète, les successeurs dévoyés, l'apparent changement de l'alternance en 1981, le cohabitations dures ou douces, l'affolement du suffrage universel, on peut se demander si le régime créé par un homme exceptionnel pour des orages peut-être désirés a réellement changé. Le secret qui nous assiège n'est plus le grand secret du Roi, pour un grand jeu

11

planétaire. Mais les multiples et dérisoires petites combines d'une nouvelle oligarchie socialo-libérale. Y avons-nous gagné ?

Claude Nicolet, de l'Institut

PRESENTATION

La guerre d'Algérie a ses témoins ; une multitude. Elle a aussi ses acteurs ; moins nombreux. Francis De Tarr, diplomate américain, en voyage à Alger puis en poste à Paris est de ceux qui combinent les deux fonctions. Représentant d'un pays étranger dans un pays troublé, il se borne à observer et apprendre. Historien, introduit dans la politique française, et diplomate, il est davantage qu'un témoin : proche de certains acteurs, il en devient quasiment un lui-même. Et il n'est qu'à lire les documents diplomatiques qui suivent pour découvrir une véritable personnalité plongée dans son temps, et qui le juge.

Francis De Tarr, diplomate en poste au service politique de l'ambassade des Etats-Unis à Paris durant les années 1961 et 1962, est l'auteur de dépêches et télégrammes qui traitent tous, de près ou de loin, de la guerre d'Algérie. La fin du conflit, le temps de la liquidation, apparaît sous l'angle de ses répercussions en métropole et dans le monde politique, première préoccupation du diplomate. Un seul aspect de la vision américaine du conflit et de la vie politique française est ici visible, ces documents ayant été rédigés par une seule et même personne. Francis De Tarr a pu en obtenir une copie, et c'est lui qui a bien voulu en rendre l'étude possible. Ils sont donc inédits, puisque accessibles depuis peu ; ils éclairent de façon originale un aspect peu connu de la diplomatie : les grandes tendances de la politique américaine n'apparaissent pas ici, de même qu'il ne s'agit pas d'analyser les décisions importantes prises par le Département d'Etat. L'étude de ces documents permet bien plutôt de dégager un regard particulier et personnel, celui d'un jeune diplomate de l'ambassade américaine, d'un jeune Américain à Paris, qui a la possibilité de s'exprimer librement sur ce qu'il observe autour de lui.

FRANCIS DE TARR

Francis De Tarr n'est pas un diplomate comme les autres, et lorsqu'il arrive à Paris au service politique de l'ambassade, chargé d'étudier la vie politique intérieure, il n'est pas simplement un homme du Département d'Etat venant faire son travail ; c'est également un historien, précisément un spécialiste de la vie politique française, et tout particulièrement de l'un de ses acteurs principaux, qui, s'il n'occupe plus en 1961 le centre de la scène, en a pourtant été, dans un passé proche, un élément fondamental et incontournable, le parti radical.

Un parcours

Francis De Tarr est né en 1926 à Berkeley, en Californie. Au cours de ses études accomplies à l'université de Yale, il eut l'occasion de venir en France en 1948. Etudiant à la Sorbonne, auditeur à l'Institut d'Etudes Politiques, il s'est d'abord orienté vers des études de lettres, avant de se consacrer à l'histoire, histoire très contemporaine, puisque sa thèse (PhD - *Doctor of philosophy* - obtenu à Yale en 1958) portait sur le parti radical français depuis la Libération. Ses études étaient alors fort éloignées de la diplomatie.

Pour mener à bien cette thèse, Francis De Tarr a passé l'hiver de l'année 1955-1956 à étudier les archives du parti radical, place de Valois, à Paris. C'est ainsi qu'il a rencontré de nombreux hommes politiques et diverses personnalités, à un moment où le parti radical vivait une époque agitée : Pierre Mendès France a pris le parti en main en mai 1955, et tente de le rénover et de le moderniser pendant les deux ans qu'il passe à sa vice-présidence. L'actualité du parti est plus que brûlante, le vice-président et son entourage se heurtant à bien des résistances ; les amitiés seront donc avant tout mendésistes. Le jeune étudiant historien est présenté à Mendès France - qui écrit la préface de sa thèse - et noue des liens importants avec les radicaux mendésistes, Charles Hernu, Pierre Avril, Claude Nicolet, Paul Martinet... Des hommes politiques devenus des amis, des amis devenus des personnalités en vue : de retour à Paris en qualité de diplomate, Francis De Tarr retrouvera son cercle précieux de connaissances.

Le jeune chercheur étudie le parti radical depuis la Libération à travers ses hommes et ses grands courants. Sa thèse, *The French Radical Party, from Herriot to Mendès France, with a foreword by Pierre Mendès France*, publiée par Oxford University Press en 1961, examine les tendances qui se sont succédé au sein du parti depuis 1944 : radicaux classiques, Herriot (une tendance à lui seul), radicaux de gauche, néo-radicaux, radicaux gaullistes, radicaux « de gestion » (vus à travers les personnalités d'Henri Queuille et d'Edgar Faure) et radicaux mendésistes, dernier courant qu'il connaît particulièrement bien, qu'il a vu à l'œuvre et qui recueille sa sympathie.

En 1957, l'historien et spécialiste en science politique entre au Département d'Etat et devient ainsi *Foreign Service Officer*, ce qu'il restera jusqu'en 1983. En décembre de cette année 1957, il part rejoindre son premier poste, à Florence, comme vice-consul. Le jeune diplomate se distingue donc de ses collègues par sa formation, même si la diplomatie a toujours abrité en son sein des hommes venus de divers horizons ; et l'histoire contemporaine et la science politique ne sont pas trop éloignées des préoccupations du Département d'Etat.

En voyage en Algérie

A ce profil original, il faut ajouter un peu de chance. Francis De Tarr apprend, vers la fin de l'année 1959, qu'il va être nommé à un nouveau poste : le suivi des affaires françaises au Département d'Etat à Washington. Avant de quitter définitivement l'Italie, il se propose de voyager en Afrique du Nord - en Tunisie et, surtout, en Algérie - pour se faire une idée un peu plus précise de ces régions et des problèmes auxquels il va bientôt devoir se consacrer. Le projet est personnel, Francis De Tarr n'est pas réellement en mission officielle ; il n'aura qu'à faire, s'il le juge utile, un compte rendu de son voyage. Il part le 16 janvier 1960, et après un passage par Tunis pour obtenir un visa pour l'Algérie, arrive à Alger le 20 janvier. Le dimanche 24 janvier 1960 commence la

Semaine des barricades. S'agit-il de chance ? En tout cas, le hasard se montre favorable au diplomate de passage ; venu simplement pour voir, il se retrouve spectateur d'une représentation exceptionnelle. De plus, pendant neuf jours, il s'est trouvé aux premières loges de ce spectacle particulier : il résidait en effet à l'hôtel Albert Ier, sur le boulevard Laferrière, face à la barricade principale et au quartier général d'Ortiz, dominant la place - le Plateau des Glières - où se réunissaient les manifestants : un balcon au-dessus de la scène. Et le spectateur pouvait ainsi, en quelque sorte, se faire acteur : Francis De Tarr a en effet passé la semaine à aller et venir autour des barricades, rencontrant des insurgés et des parachutistes, discutant avec des passants favorables ou opposés à l'insurrection. Plusieurs fois par jour, au téléphone, le diplomate-spectateur rend compte du spectacle à ses collègues du consulat général. Ses rapports, soigneusement pris en note, firent l'objet d'une dépêche de retour à Florence. C'est le premier document présenté ici, un document original, à considérer séparément du reste des télégrammes et dépêches. Le diplomate qui s'est trouvé être là au bon moment apporte un regard nouveau, rapportant des événements connus, mais faisant part également de propos ou de petits détails, certes plus anodins, mais qu'il est le seul à connaître et qui sont tout aussi caractéristiques.

Après une année et demie passée à Washington, Francis De Tarr est de retour à Paris le 22 août 1961. Il revient en terrain connu, chargé d'observer un domaine dans lequel il est expert ; mais cette fois-ci, c'est à l'ambassade des Etats-Unis qu'il se rend. Il est nommé au service politique de l'ambassade, au rang de deuxième secrétaire.

Un diplomate atypique ?

C'est ici que l'originalité de Francis De Tarr se fait jour. En arrivant à Paris, chargé de suivre attentivement les affaires politiques françaises et d'en informer Washington lorsqu'elles pourraient prêter à conséquence, l'historien du parti radical se retrouve plongé dans son domaine de prédilection, élargi à l'ensemble de la vie politique. Les liens d'amitié noués cinq ou six ans plus tôt vont prendre désormais toute leur importance.

Pour qui s'était mêlé d'étudier le parti radical dans le détail de ses tendances, de ses mouvances et de ses personnalités, le jeu politique français paraissait relativement clair. Certes, en 1961, la vie politique a bien changé. Francis De Tarr avait étudié le parti radical à la fin de la Quatrième République ; avec l'échec de Mendès France à la tête du parti, et plus encore avec l'effondrement du régime, le parti radical a connu un grand éclatement. A une échelle plus large, c'est tout le système qui s'est modifié ; le président de la République dirige désormais lui-même le pays, le Parlement est quelque peu délaissé, et toute la vie politique est placée sous le signe de la guerre d'Algérie. Cependant, le personnel politique est en partie le même ; les amis de Francis De Tarr, les anciens radicaux mendésistes, sont toujours présents, aux côtés de leur maître qui mène une vigoureuse opposition contre le président de la République et le régime, scrutant déjà tous l'après-de Gaulle. Les radicaux des années 1955-1957 sont toujours là, qu'ils appartiennent au parti ou qu'ils n'en soient plus. Si les institutions ont changé, la politique française a gardé beaucoup de ses caractéristiques. Le diplomate peut ainsi - et il est l'un des seuls à l'ambassade américaine - très bien naviguer au sein des divers courants du Parti socialiste unifié (PSU), qui n'existait pas lors de son premier séjour, mais auquel appartiennent plusieurs de ses connaissances. Les partis, les tendances et les hommes politiques n'ont pas de secrets pour lui, et le nouvel arrivant dispose de nombreux contacts qui vont lui permettre d'entrer rapidement dans le vif du sujet.

Le diplomate est également connaisseur, expert. Il reste bien entendu neutre, un observateur extérieur, chargé de mettre en valeur tout mouvement, tout acte, susceptible d'avoir une quelconque importance, mais ce spectateur est souvent proche des acteurs qu'il observe ; il les connaît ; et s'il n'est pas partie prenante, il n'est pas étranger à son domaine d'étude, à son champ d'observation.

L'AMBASSADE DES ETATS-UNIS A PARIS

Les documents ici présentés ont été rédigés par Francis De Tarr, pendant la première année de son séjour à Paris, entre août 1961 et juillet 1962, dernière année de la guerre d'Algérie. Le diplomate n'était pas directement chargé de suivre les affaires algériennes, mais étudiant les affaires politiques intérieures, il était bien évidemment amené à en parler. Ces documents ont été classés, aux Etats-Unis. Francis De Tarr a pu, en tant qu'ancien membre du Département d'Etat, et en vertu de la loi du libre accès à l'information (*Freedom of Information Act*), demander en 1988 une copie des documents dont il était l'auteur.

L'ambassade

Francis De Tarr travaillait au service politique de l'ambassade des Etats-Unis. Il était « numéro deux » - avec le titre de deuxième secrétaire - du service chargé des affaires politiques intérieures, l'*Internal political unit*, dirigé par Wells Stabler, premier secrétaire, et composante de la *Political section*, présidée par Randolph A. Kidder, *Counselor of Embassy* - conseiller -, secondé par John A. Bovey, Jr., premier secrétaire. Durant cette première année du séjour de Francis De Tarr, l'ambassadeur des Etats-Unis était James M. Gavin, ancien général, héros de la Seconde Guerre mondiale, commandant de la 82e division aéroportée, qui avait sauté sur la France en juin 1944. Le « numéro deux » de l'ambassade était Cecil B. Lyon, qui avait le titre de ministre conseiller, ou bien de chargé d'affaires lorsque l'ambassadeur était absent.

Les diplomates américains rédigeaient alors, par ordre d'importance décroissant, des télégrammes, des airgrammes (*airgram*) et des dépêches. Les télégrammes sont parfois brefs, une à trois pages, donnant les informations essentielles concernant un événement important ; ils sont suivis du nom de l'ambassadeur lui-même ou, s'il est absent, par celui par du chargé d'affaires de l'ambassade, montrant par là que cette dernière assume pleinement le contenu du message. Cette

20

signature n'est que formelle : le nom de l'ambassadeur figure au bas du télégramme, mais ce dernier n'a, bien souvent, pas lu le document ; il peut en revanche arriver qu'il le lise après qu'il a été envoyé. C'est en fait le chef de la section politique, Kidder, ou son second, Bovey, qui le plus souvent contrôle le document et le place sous l'autorité de l'ambassadeur en signant à sa place. Les télégrammes sont, comme leur nom l'indique, télégraphiés au Département d'Etat. Ils peuvent être suivis d'airgrammes ou de dépêches, qui entrent davantage dans les détails et sont envoyés par la valise diplomatique.

Les airgrammes étaient une particularité de l'époque ; proches des dépêches, ils devaient s'en distinguer par une écriture plus rapide et plus dense. Ils avaient été créés pour inciter les diplomates à « faire court ». Il sont également « signés » par l'ambassadeur ou par le ministre conseiller, selon le même procédé, mais il est ajouté : *drafted by* (rédigé par) Francis De Tarr et *authenticated by* (approuvé par) Randolph A. Kidder ou John A. Bovey, Jr.

Les dépêches laissent davantage de liberté à leur auteur ; souvent longues d'une dizaine de pages, elles étudient en profondeur un événement, analysent en détail une situation après un tournant important, examinent la personnalité d'un acteur politique au centre de l'actualité. Elles sont signées du chef de la section politique ou de son second, après la mention *for the Ambassador* (pour l'ambassadeur). Enfin, quatrième type de document, le mémorandum de conversation est un simple compte rendu des propos échangés par un diplomate. Seul son nom et celui de son interlocuteur apparaissent.

Plus on descend dans la hiérarchie des documents envoyés par l'ambassade, moins la responsabilité de celle-ci est grande. Cependant, aucun de ces documents n'est jamais signé par Francis De Tarr lui-même ; mais le terme de signature n'a pas grand sens, puisqu'il s'agit seulement de garantir que le texte a été contrôlé et accepté. Le nom ou les initiales de Francis De Tarr apparaissent toutefois pour identifier l'auteur véritable, excepté pour les télégrammes.

Il est à noter, selon Francis De Tarr, que si la hiérarchie et les titres et rangs des diplomates étaient clairs et bien définis, ils n'avaient cependant pas une très grande importance dans les relations de travail de ces derniers. Le chef de la section politique contrôle certes les dépêches qui lui passent entre les mains, mais sur un mode amical. Et s'il souhaite apporter une modification, il la propose à l'auteur, qui donne son accord.

De Paris à Washington

Francis De Tarr disposait d'une grande liberté dans le choix de ses sujets. Il recevait peu de consignes ; certes, lorsqu'il fallait rendre compte du congrès du parti radical, c'était bien évidemment lui qui s'en chargeait, l'un de ses collègues allant plutôt assister, par exemple, au congrès de l'Union pour la nouvelle République (UNR). Mais pour le reste, il n'avait pas de thème imposé.

Les documents de cette première année ne constituent donc pas un ensemble homogène. Ils peuvent être regroupés selon trois thèmes : la guerre d'Algérie en tant que telle, en Algérie ou en métropole ; les répercussions du conflit sur la vie politique française, le sort du régime et celui du président de la République ; enfin, les rencontres officielles ou privées de Francis De Tarr, tantôt diplomate, tantôt ami, avec des hommes politiques.

Le diplomate pouvait travailler comme il l'entendait, dans le cadre de la vie politique française. De même qu'il y avait peu d'instructions, il recevait peu de réponses ou de commentaires. Il faut précisément s'interroger sur le sort réservé à ces documents une fois parvenus au Département d'Etat : comment étaient-ils reçus, qu'en pensait-on, quelle importance leur accordait-on ? La diversité des sujets abordés dans ces rapports, leur gravité et leur intérêt inégaux - non pas du point de vue historique mais aux yeux des Américains et de leur diplomatie - rendent la question nécessaire. L'analyse de la situation au lendemain de la conférence de presse de de Gaulle du 5 septembre 1961 et de l'annonce des concessions françaises sur la question du Sahara n'est pas du même ordre qu'un entretien avec l'un des secrétaires généraux du parti radical. Il serait également intéressant de savoir si les dépêches du diplomate ont eu quelque conséquence sur les positions adoptées par ses collègues aux Etats-Unis. C'est une question qui doit cependant rester sans réponse, car il n'existe quasiment pas de document faisant part d'un quelconque avis ou commentaire sur les informations envoyées par Francis De Tarr. La vision des événements de cette année 1961-1962 sera donc unilatérale. Francis De Tarr a précisé que son travail ainsi que celui de ses collègues se déroulait dans une bonne et agréable atmosphère ; les diplomates qui le lisaient à Washington, des amis souvent, le connaissaient et savaient que penser de ses rapports. Les seules réactions dont on peut trouver trace sont des passages soulignés dans les documents originaux, ainsi que le rajout à la main du mot *«outstanding !»* (remarquable !) en marge de la dépêche sur le procès Salan. Ces réactions sont celles de diplomates de Washington, et Francis De Tarr n'en a pris connaissance que près de trente ans plus tard, lorsqu'il a obtenu les copies des documents. Il faut y ajouter les deux *commendations*, ou lettres de félicitation, qu'il a reçues pour les dépêches portant sur la classe politique à l'automne 1961 et sur le procès Salan. Enfin, mais il s'agit là d'un document émanant de l'ambassade américaine à Paris, une dépêche a été envoyée à Washington pour insister sur l'intérêt, et recommander la lecture, de l'analyse de la guerre d'Algérie à l'hiver 1962.

LE DIPLOMATE A L'ŒUVRE

Un diplomate américain voit la guerre d'Algérie à travers la politique française. Mais il existe d'autres documents dus à Francis De Tarr. Ces télégrammes et dépêches ne sont en effet pas les seuls qu'il ait écrits durant ses onze premiers mois passés à Paris. Le diplomate ne se consacrait pas seulement à la guerre d'Algérie, même si l'actualité politique était en très grande partie soumise au problème algérien. Les hommes politiques qu'il rencontre s'expriment d'ailleurs autant ou davantage sur des questions plus purement politiques. Ce n'est donc pas la totalité du travail de Francis De Tarr qui est ici rendue visible. Aussi ne peut-on juger de la place de l'Algérie dans les rapports établis par le diplomate ; il ne faudrait pas en conclure trop vite à l'omniprésence du conflit dans les dépêches. Celles-ci ont été choisies précisément car elles abordaient le problème. Mais il en reste beaucoup d'autres. L'Algérie n'est pas toujours centrale, même si elle imprime sa marque sur l'actualité entière. Les conclusions que l'on pourra tirer de la lecture des rapports de Francis De Tarr seront donc fondées sur une partie seulement de son travail ; aussi n'est-ce qu'avec prudence, et toujours une certaine réserve, qu'elles seront généralisables à l'ensemble de ses travaux.

Point de vue : narrateur ou personnage principal ?

Cet Américain à Paris prend tout d'abord les traits d'un observateur extérieur. Il scrute la vie politique française - il a d'autant plus de facilité à le faire qu'il la connaît bien - et suit les développements de la guerre d'Algérie. C'est donc une certaine atmosphère que renvoient ces documents, possible pendant contemporain de l'observation de la France par Usbek et Rica, les deux voyageurs des *Lettres persanes* de Montesquieu, à la différence que Francis De Tarr n'en est pas à sa première découverte. Entretiens, événements marquants, débats politiques, partis frondeurs, opposants, intellectuels et journalistes parisiens, autant de sujets qui reflètent l'atmosphère d'une année incertaine, une année sanglante, mais une année qui verra, chacun en est de plus en plus persuadé, s'achever la guerre d'Algérie ; une année où tout semble dominé, de près ou de loin, directement ou indirectement, par le conflit en Algérie.

Tout intéresse Francis De Tarr, et s'il répond aux questions que se pose le Département d'Etat - avenir de de Gaulle et du régime, guerre civile, nouveau putsch militaire -, il élargit également son champ d'observation pour porter son attention sur les débats internes de la vie politique. Ainsi traite-t-il d'événements connus, analysés par ailleurs, sur lesquels il fait part de sa propre vision d'observateur attentif et averti ; quant à ses rencontres avec des hommes politiques, parfois dans le cadre de relations privées, elles sont par définition inédites et permettent d'entendre des personnalités s'exprimer librement. Francis De Tarr offre ainsi trois approches de la même période : au regard extérieur se mêlent une analyse de la classe politique par un diplomate américain très au fait de la question, ainsi que l'atmosphère des milieux parisiens intellectuels, politiques et journalistiques, de gauche principalement, dans lesquels on tente de préparer un avenir sur lequel on ne cesse de s'interroger. Les grandes questions internationales, les préoccupations américaines laissent souvent la place au point de vue d'un homme seul. Francis De Tarr, dans les conférences qu'il a données, ainsi qu'au fil des conversations, aime à esquisser des comparaisons littéraires. Il déclarait ainsi en octobre 1996, dans une conférence à l'Institut d'histoire du temps présent (IHTP) : « J'y suis allé un peu comme Candide. (...) J'étais aux premières loges. Un peu comme Fabrice à Waterloo... Mais j'ai fait le travail d'un diplomate sur place... » Et à Oxford, dix ans plus tôt : « Je suis arrivé à Alger à 18h le 20 janvier, un peu comme Candide. (...) Je suis revenu à pied à l'hôtel. Je me suis retrouvé au milieu d'un véritable chaos. Depuis que j'étais parti, 170 personnes environ avaient été blessées ou tuées. Je me suis mis au travail. J'ai fait quatre rapports par téléphone au consulat général ce soir là, et trente-six en tout au cours des huit jours suivants. Mais pendant la plus grande partie de cette journée du dimanche, j'avais davantage ressemblé à Fabrice à Waterloo qu'à Candide... » Fabrice s'était retrouvé sur le champ de bataille de Waterloo, parmi les soldats et les généraux, mais sans jamais comprendre où il se trouvait, ne voyant pas l'Empereur passer près de lui, et se demandant encore plusieurs jours plus tard s'il avait vraiment participé à une bataille. Tel Fabrice, Francis De Tarr passe la journée du 24 janvier 1960 à Alger sans remarquer le drame qui s'y joue, sans rien voir de la scène principale. Il saisit cependant l'importance de l'événement plus vite que Fabrice, et le voilà rapidement sur le théâtre de l'action. Mais une fois arrivé sur les lieux, c'est plutôt Candide dit-il ; aussi ouvre-t-il les yeux, et s'étonne, questionne et rend compte à ses compatriotes du consulat général. Il ressemble peut-être davantage au Frédéric Moreau de *L'Education sentimentale*, qui parcourt les rues parisiennes agitées de février 1848 ; les barricades d'Alger n'en sont pas très différentes, et le jeune Américain fait montre d'une grande curiosité pour le tumulte algérois.

Poursuivant cette analogie littéraire, Francis De Tarr est à Paris, surplombant la politique et les événements marquants, tel le narrateur dans son roman : il observe, raconte, décrit, introduit ses personnages grâce à l'omniscience de sa fonction. Le narrateur n'hésite certes pas à se glisser lui aussi sur la scène et à côtoyer ses personnages ; mais le point de vue, la focalisation, demeure externe. Il prend part à l'action, ne serait-ce que pour entendre ses interlocuteurs, mais il n'est pas partie prenante. Candide à Paris donc, plongé dans une ambiance d'inquiétude et d'expectative, se portant au devant de tout ce qui suscite son intérêt, entre « nuit bleue », conférence de presse du général de Gaulle et rassemblement mendésiste.

Les rapports de Francis De Tarr ne constituent donc pas seulement un recueil de documents diplomatiques ; d'ailleurs, on y apprendra peu sur la position et l'opinion américaines à l'égard de de Gaulle ou de l'Algérie. S'il ne faut certes pas oublier que l'auteur est un diplomate qui destine ses écrits au Département d'Etat, c'est sans doute avant tout comme la relation, par un connaisseur qui est plus qu'un spectateur, d'une année fort tourmentée qu'il faut lire ces documents.

Regard

Objectivité et ironie

Francis De Tarr se préoccupe toutefois en premier lieu de décrire et d'analyser les situations qui s'offrent à lui. Certaines dépêches l'annoncent d'ailleurs dès le titre : « La France, l'Algérie et l'Ouest, un tournant. Analyse du problème algérien à la suite de la conférence de presse de de Gaulle du 5 septembre 1961 », « Le "tracassin" politique et de Gaulle : analyse de la scène politique française, automne 1961 », « Le conflit algérien : en marche vers le dernier acte ? (Analyse du problème algérien à l'hiver 1962, avec un accent particulier mis sur l'OAS, l'armée française et le FLN) ». Il s'agit alors de brosser un large tableau de la scène. Le diplomate ne se contente pas de décrire et de rapporter des propos ; il expose les diverses positions, explique les mobiles des acteurs du conflit, dresse des rappels historiques, évoque les évolutions passées, dans le but d'éclaircir la situation et d'en démêler les causes. Replacer les événements dans leur contexte, analyser, avancer des hypothèses : un souci d'objectivité anime Francis De Tarr, un souci de clarté également, de pédagogie même, qui se fait jour à travers la diversité des points de vue. Les déclarations du général de Gaulle, les positions du maréchal Juin, les objectifs de l'OAS : autant d'explications destinées à rendre l'actualité politique française moins obscure aux yeux de ses collègues en poste à Washington.

Les rapports de Francis De Tarr expriment toujours une position juste envers ces acteurs des scènes politique et algérienne : il n'entend pas justifier quiconque, donner tort ou raison, mais rendre à chacun justice, mettre en valeur sa bonne foi ou ses aspirations légitimes. Les mots « ce qui est bien compréhensible » accompagnent parfois le compte rendu des actes ou des positions des militaires ou des pieds-noirs. Aussi le diplomate insiste-t-il à maintes reprises sur l'originalité de la guerre d'Algérie, un conflit qui ne peut être comparé à aucun autre et qui n'est pas une simple guerre de décolonisation comme en Indochine. Il met en garde contre les simplifications rapides et abusives, propres aux « esprits fougueux ». La guerre d'Algérie oppose « deux communautés profondément enracinées, vivant ensemble sur le même sol », répète-t-il plusieurs fois[1], faisant montre sinon de compréhension pour les acteurs de ce conflit, du moins de subtilité et de finesse dans l'analyse. Il rappelle ainsi la position difficile des pieds-noirs qui partagent la même terre que les Algériens (les « musulmans »), et qui se sentent français à part entière.

Cette neutralité et ce souci de pédagogie laissent le diplomate d'autant plus libre de faire parfois entendre sa voix et ses commentaires quelque peu sarcastiques, toujours discrets et laconiques. Ses jugements ne sont pas nécessairement regroupés dans les paragraphes intitulés « Commentaire ». C'est dans le simple choix de termes mordants et incisifs, nets et sans appel, dans la volonté de produire un bon mot, de faire montre d'esprit, que Francis De Tarr se distingue. Il écrit avec un franc-parler qui confère à ses rapports leur saveur et leur originalité ;

certaines de ses phrases frappent en effet par la liberté de leur ton, comme lorsqu'il écrit à propos de Guy Mollet et des socialistes, en novembre 1961, que « la girouette tourne », pour illustrer le changement d'attitude du secrétaire général de la SFIO à l'égard de de Gaulle[2], ou bien lorsqu'il juge la tournure que prennent les événements à l'automne 1961, et notamment le dialogue et la polémique entre Hubert Beuve-Méry et Raoul Salan dans les colonnes du *Monde*, « digne d'*Alice au pays des Merveilles* », si ce n'est même « Alice-au-pays-des-merveillesque »[3]. Il peut donc se montrer sévère avec les acteurs de la vie politique ou de la guerre d'Algérie, mais sans jamais s'étendre outre mesure ; la pointe le caractérise. C'est aussi à l'emploi de ce ton vif, légèrement railleur, que l'on reconnaît l'observateur détaché, le point de vue externe du narrateur, du conteur même, un conteur qui n'hésite pas à juger ses personnages, de même que Fabrice, pour revenir à lui, est jugé, dans le roman, par son créateur-narrateur. Cette distance protège le diplomate et lui offre une plus grande liberté.

Incertitude et pessimisme

L'ironie, le caractère parfois plaisant du ton ne dissimulent cependant pas une vision générale sombre et pessimiste. L'état de la société française inquiète Francis De Tarr. Les succès - certes encore modérés - remportés par la police dans la lutte contre l'OAS, plutôt que de le rassurer, l'effrayent, car ils révèlent l'ampleur de la pénétration de l'organisation terroriste en France. Le pays, ainsi partagé, voire même déchiré, paraît au diplomate fortement fragilisé. Aussi, au moment du procès Salan, la division des Français lui apparaît-elle particulièrement flagrante et dangereuse. « Le procès Salan a été, avant tout, une affaire entre Français » et « a eu lieu dans une atmosphère de guerre civile », écrit-il. A ce sujet, il tente de se montrer optimiste, mais d'un optimisme très modéré, en concluant : « une guerre civile qui, espérons-le, va vers sa

---

[1] Cf. p. 75, dépêche du 19 septembre 1961, et p. 140, dépêche du 9 janvier 1962.
[2] Cf. p. 94, dépêche du 2 novembre 1961.

fin, et qui, espérons-le, sera suivie, en partie du moins, par la réconciliation générale »[4].

Il est vrai que rien ne poussait alors à l'optimisme, et le chaos que Francis De Tarr disait « prévisible » a bel et bien suivi les accords de paix. Mais ce dernier semble plus inquiet que certains de ses interlocuteurs, des hommes politiques français tels que Charles Hernu ou Gilles Martinet qui affichent une certaine tranquillité quant à l'issue de la guerre. Martinet déclare ainsi en novembre 1961 qu'il y a « une chance sur deux pour que de Gaulle mette un terme à la guerre dans les deux mois »[5]. Certes, au fur et à mesure que passe l'année 1961, et plus encore au début de 1962, on sait que les négociations aboutiront bientôt, de même que l'on sait, de façon plus certaine encore, que l'Algérie sera indépendante ; tout le monde le répète, le général de Gaulle le premier. Mais le diplomate est rarement aussi confiant que ses interlocuteurs. Pour lui, l'avenir, c'est l'Algérie ; du moins, c'est l'Algérie qui le fera. Pour les hommes politiques en revanche, l'avenir les préoccupe, mais un avenir débarrassé de l'Algérie ; ce n'est plus qu'une question de temps. Il s'agit donc désormais de préparer la suite.

Lors de sa conférence à l'IHTP en 1996, Francis De Tarr évoquait ainsi les questions auxquelles il tentait de répondre alors : « Qu'est-ce qui allait se passer ? Que voulait de Gaulle ? Est-ce qu'il allait pouvoir réussir ? Et même - question nouvelle - est-ce qu'il allait survivre ? » Et voici les réponses qu'il apportait en septembre 1961 après le revirement de de Gaulle, désormais prêt à négocier sur le Sahara : « Bien qu'elle soit possible, une solution négociée n'est cependant rien moins que probable. (...) Cette politique ne marchera probablement pas ». Il concluait en affirmant que les grands tournants menant à la paix « ne sont pas en vue »[6]. En janvier 1962, il dit du président de la

---

3. Cf. p. 78, dépêche du 22 septembre 1961.
4. Cf. p. 187, dépêche du 8 juin 1962.
5. Cf. p. 116, dépêche du 27 novembre 1961.
6. Cf. p. 77, dépêche du 19 septembre 1961.

République que « l'ampleur de sa tâche demeure formidable »[7]. Le diplomate laisse même parfois libre cours à des considérations pour le moins alarmantes : il rappelle en effet en septembre 1961 que la Quatrième République s'est effondrée quarante-trois mois après le début du conflit algérien ; il annonce alors que « la Cinquième République aura achevé le quarante-troisième mois de son cauchemar algérien en janvier 1962 »[8]. Cette remarque cède à une exagération facile et n'est donc peut-être pas des plus caractéristiques ; mais elle traduit néanmoins le sentiment dominant du diplomate.

« Pour l'Algérie, l'horizon demeure donc nuageux et incertain. »[9] Il faut insister sur cette incertitude. La mission essentielle du diplomate américain consiste à se faire une opinion sur la stabilité du régime, véritable question fondamentale du point de vue américain. Le rôle que peuvent par exemple jouer les communistes dans la vie politique n'est que peu important en soi ; l'essentiel est de savoir si les manifestations de février 1962 qu'ils organisent peuvent ébranler le pouvoir. L'intérêt d'un événement réside dans les conséquences qu'il a, ou pourrait, avoir sur le pays. Aussi, outre la clarté, la précision et la justesse nécessaires au diplomate, il lui faut également, pour être efficace, pouvoir établir des prévisions certaines, ou du moins vraisemblables, quant au déroulement futur des événements. Or, rien n'était alors plus hasardeux et difficile. Le président de la République avait échappé à un attentat le 8 septembre 1961, sur la route de Colombey, à Pont-sur-Seine ; l'OAS était puissante, l'armée indécise. Quarante ans plus tard, alors que l'on n'ignore pas que de Gaulle est resté presque huit ans encore à la tête de l'Etat, la question de savoir s'il allait « tenir » paraît surprenante. Mais Francis De Tarr rappelle que l'incertitude était le maître mot du moment. Dans sa conférence à Oxford en 1986, il déclarait : « Les prévisions n'étaient pas faciles ni évidentes pendant cette période » et citait également l'historien anglais Alistair Horne : « Il faut se souvenir qu'en

---

[7] Cf. p. 141, dépêche du 9 janvier 1962.
[8] Cf. p. 75, dépêche du 19 septembre 1961.
[9] Cf. p. 140, dépêche du 9 janvier 1962.

novembre 1961, l'OAS semblait bien près de gagner la bataille, un accord de paix entre de Gaulle et le FLN plus éloigné que jamais et la vie du général un assez mauvais risque pour les assurances ».

Quoi qu'il en soit, Francis De Tarr attend avec une certaine inquiétude ce qu'il appelle le *showdown*, c'est-à-dire la confrontation finale ou le grand déballage final, qui risque selon lui d'éclater bientôt. Cette explosion ultime aura nécessairement lieu, car c'est elle qui marquera la fin du conflit. La paix est proche, semble dire le diplomate, mais quel en sera le prix ?

Au milieu du désarroi et de l'inquiétude, une figure surnage et domine, celle du général de Gaulle. Le président de la République conduit la politique algérienne : les conférences de presse ou les attaques de l'OAS font donc l'objet de toute l'attention du diplomate. De plus, il est au cœur du discours de nombre d'hommes politiques, qu'il s'agisse de le soutenir, ou plus souvent de le critiquer, de s'opposer à lui et de travailler - et de rêver - à sa succession. Enfin, de Gaulle demeure l'espoir ; aussi Francis De Tarr, comme la plupart des Français, mais contre beaucoup d'hommes politiques, s'en remet-il à lui pour régler le conflit algérien. Les analyses du diplomate américain se concluent ainsi à plusieurs reprises par une confiance renouvelée en de Gaulle.

Rencontres : sympathies mendésistes

Nombre de dépêches et télégrammes, lorsqu'ils sont consacrés exclusivement à la politique, abordent les problèmes de la gauche non-communiste. Mis à part deux dépêches consacrées l'une à Jacques Chaban-Delmas et l'autre à l'opposition parlementaire, les hommes politiques dont parle Francis De Tarr sont avant tout des socialistes - du parti socialiste SFIO ou du PSU - et bien souvent des mendésistes.

Guy Mollet, Pierre Mendès France, son proche entourage, Charles Hernu, Gilles Martinet : on peut s'interroger sur cette (quasi-) surreprésentation, notamment de la gauche mendésiste. Si l'importance de la personnalité de Mendès France ne se discute pas, et s'il est bien l'un des principaux opposants à de Gaulle, l'un des plus intransigeants, si même le groupe - peu organisé - des mendésistes jouit d'une certaine assise et d'une audience indéniable, la préoccupation de l'année 1961-1962 n'est pas là. Si leur présence est grande, elle n'est pas centrale. Même les amis de Mendès France se montrent assez dubitatifs quant à son idée d'un gouvernement de transition, et davantage encore quant à ses chances d'être élu à l'Assemblée nationale ou de revenir au pouvoir. Aussi paraît-il étonnant que le sort des mendésistes captive à ce point le Département d'Etat. Mendès France jouissait certes depuis 1954 d'une très grande estime aux Etats-Unis et était écouté avec attention. Une conférence de presse de l'ancien président du Conseil, marquant son retour au devant de la scène politique, est un événement de poids. Mais le récit d'une « soirée mendésiste » regroupant Charles Hernu, Claude Nicolet, et Paul Martinet, où les bons mots et plaisanteries ne sont pas oubliés, ne revêt pas la même importance. De même, les nombreuses informations fort précises concernant Charles Hernu sont-elles capitales pour la diplomatie américaine ?

L'apparition répétée des mendésistes sous la plume de Francis De Tarr doit-elle conduire à réviser ce que l'on pensait savoir du regard américain sur cette tendance politique française ? Mendès France et les mendésistes auraient pu être de ceux qui seraient parvenus au pouvoir après un éventuel retrait - ou une disparition - de de Gaulle ; aussi pouvaient-ils susciter l'attention. L'on sait que tel ne fut pas le cas, que Mendès France ne revint plus aux affaires, et que ce n'est que bien plus tard que certains mendésistes, tel Charles Hernu, parvinrent au premier plan, dans le sillage de François Mitterrand. Mais on pouvait à l'époque voir en eux des futurs hommes de premier plan. Dans ce cas, il aurait en effet sans doute été utile pour les Américains de bien les connaître.

Le Département d'Etat voulait être informé sur la stabilité du régime français, sur de Gaulle et ses chances de réussite ; la place donnée à certains acteurs, semble-t-il secondaires, de la vie politique, et peu influents sur le cours des événements marquants, ne peut donc qu'étonner. Cette surprise n'appelle pas de véritable réponse. Peut-être Le diplomate parle-t-il beaucoup - et plus - des mendésistes pour la simple raison qu'il les connaît bien. Il les fréquente régulièrement et éprouve de la sympathie pour leurs idées ; il les côtoie d'autant plus qu'il était arrivé à Paris depuis peu. Francis de Tarr, interrogé sur ce point, a souligné ce fait qu'il s'agissait alors des premiers temps de son séjour ; il a d'ailleurs rencontré plus tard des hommes politiques de divers horizons et compté parmi ses amis des gaullistes, des membres du Mouvement républicain populaire (MRP) et des journalistes de tous bords. Enfin, et c'est sans doute là le plus important - Francis De Tarr y insiste en tout cas beaucoup -, il travaillait dans la plus grande liberté ; il pouvait porter son regard dans toutes les directions, et donc également davantage vers ce qui lui tenait à cœur.

Si le sentiment des diplomates de Washington à la lecture de ces dépêches doit demeurer inconnu, ce sont en revanche ces comptes rendus de conversations et ces rapports détaillés qui, parmi tous les documents ici disponibles, fourniront la meilleure évocation de l'atmosphère de l'époque. C'est dans ces pages, souvent plaisantes, que se donnent le mieux à voir la vie politique et ses acteurs.

« Young boy diplomat »

La personnalité de ce jeune diplomate qu'était alors Francis De Tarr mérite de s'y attarder. Sa formation et son parcours antérieur faisaient de cet Américain à Paris un diplomate atypique. Son travail lui-même reflète son originalité. La lecture de ses télégrammes et dépêches rappelle et souligne sa jeunesse et son enthousiasme.

Francis De Tarr a souhaité bien faire comprendre la caractère particulier de son ton et de sa démarche. Il s'est défini à plusieurs reprises comme étant alors un « young boy diplomat », faisant ainsi le portrait du diplomate en jeune homme. Son attitude était celle d'un jeune homme doué, nouveau venu en diplomatie, désireux de briller, de s'imposer - et peut-être d'en imposer -, de se faire un style et, selon ses propres termes, de « pontifier » sur tout : singer les tics de ses aînés depuis longtemps dans le métier. Cette liberté de ton est caractéristique de son entrain d'alors. Arrivé à Paris depuis peu, il veut s'exprimer comme il le souhaite, légèrement s'il le faut, ou, au contraire, gravement.

Avant Paris, il y eut Alger. La dépêche qui réunit les notes prises par Francis De Tarr au moment où il téléphonait au consulat général américain constitue un cas totalement particulier. N'étant pas en mission officielle, c'est simplement avec quelques dollars que le jeune vice-consul à Florence est parti en Afrique du Nord, « pour voir ». Il arrive à Alger et Alger s'insurge ; il est là, il observera donc. Et puisque - pour reprendre la métaphore théâtrale - du haut de ce premier balcon, d'où il peut descendre à l'orchestre, il est bien placé, il rendra compte de ses observations à ses collègues restés non loin de là, au consulat. Il se mêle à la troupe, écoute et fait parler, interroge les acteurs, les machinistes, les ouvreurs, les veilleurs de service et le public - les insurgés, les hommes des barricades, les parachutistes, les forces de l'ordre et les Algérois dans leur ensemble. Et voilà un jeune Américain, jeune diplomate, parfaitement francophone, qui circule et écoute, parfait anonyme, et qui n'est pas démasqué, mais au contraire très bien accepté. La situation est fort originale et la dépêche qui en résultera, une fois le diplomate américain rentré à Florence, ne le sera pas moins.

Un an et demi plus tard, à Paris, Francis De Tarr, plongé dans son domaine de prédilection, la politique française, peut laisser libre cours à son mordant et son enthousiasme. Il agrémente de temps à autre ses dépêches de mots d'esprit, de petites libertés qui ne lui sont d'ailleurs pas toujours passées. Il rapporte les plaisanteries - qui ne sont certes pas les siennes - de Charles Hernu et de ses amis, ainsi même que leurs canulars téléphoniques : il introduit un paragraphe par l'expression - en français dans le texte – « Les carottes sont cuites », pour raconter comment Hernu a annoncé la fausse nouvelle d'un putsch à Alger à l'un de ses amis journaliste, en pleine nuit, au téléphone[10]. Le diplomate ne manque pas non plus de se faire railleur, surtout à propos de la classe politique : les parlementaires, et parmi eux les « joyeux et débridés » socialistes, ont cru que le président de la République écouterait leurs revendications et

---

[10] Cf. p. 151, dépêche du 19 février 1962.

répondrait à leurs doléances ; mais « de Gaulle sera toujours de Gaulle »[11].

C'est en songeant à plusieurs épisodes de sa première année parisienne que Francis De Tarr se revoit en *young boy diplomat* « pontifiant » : dans la dépêche qui suivit la conférence de presse de de Gaulle du 5 septembre 1961, la dernière partie de son rapport est intitulée : « Conséquences pour les Etats-Unis de la nouvelle politique algérienne de de Gaulle ».

Le diplomate avance quelques conseils destinés à son pays : la meilleure solution du point de vue américain serait une solution négociée ; les alliés de la France doivent partager ses difficultés ; les Etats-Unis auront un rôle à jouer et devront s'impliquer davantage, mais en préparant avec soin cet engagement...[12] Sans doute la diplomatie américaine n'a-t-elle pas été bouleversée par les propositions d'un homme jeune, désireux de s'impliquer, adressées à qui voudrait bien les entendre ; mais c'est tout de même là l'une des seules fois que, dans l'ensemble de ces documents, apparaissent les grandes lignes de la politique extérieure des Etats-Unis, ou du moins une ébauche ou une suggestion de celles-ci.

Francis De Tarr se distingue également par son parcours antérieur à la diplomatie - l'histoire et la science politique - ainsi que par sa culture et son élégance. Le 17 février 1962, il relate les scènes de violence qu'a vécues Paris qui, ajoute-t-il, « rappellent février 1934 »[13]. Il n'est pas certain que tous ses collègues eussent fait cette comparaison, caractéristique de l'historien que dissimule le diplomate. Par ailleurs, le rapprochement de la controverse entre Hubert Beuve-Méry et Raoul Salan avec *Alice au pays des Merveilles* fait preuve d'une grande finesse d'esprit. Les différentes parties de la dépêche sont introduites par les titres de chapitre du roman : voilà donc un regard distancié et distingué, un diplomate dont les formules valent bien des analyses.

---

[11] Cf. p. 102, dépêche du 2 novembre 1961.
[12] Cf. p. 75, dépêche du 19 septembre 1961.
[13] Cf. p. 145, télégramme du 17 février 1962.

Francis De Tarr évoque ainsi la littérature, se réfère à des héros de roman, esquisse des comparaisons ; il cite même, dans la dépêche consacrée à la « soirée mendésiste », un vers de T. S. Eliot,

In the room the women come and go talking of Michelangelo

sans en donner l'auteur, ni l'ouvrage, ni même le poème dont il est tiré[14]. Le diplomate tient à rapporter le principal sujet de conversation de cette soirée, qui, bien plutôt que de peinture, tourne autour de l'Algérie et des risques de putsch. Il n'est pas sûr que tous les lecteurs de Francis De Tarr auront reconnu le poème et le poète ; élégance, raffinement et distinction du diplomate.

Enfin, quoi de plus caractéristique de sa fougue que le petit voyage qu'il entreprit en Franche-Comté, en juin 1962, au volant de sa voiture (sans plaques diplomatiques), empruntant le même trajet que celui du président de la République alors en déplacement dans la région ? Se donnant, a-t-il raconté lors de sa conférence à l'IHTP, une mine suspecte et patibulaire, il essayait de se faire remarquer des gendarmes en les interrogeant sur le parcours du président. Il voulait se rendre compte par lui-même des dispositifs mis en place pour la protection du général de Gaulle. Au vu de la tranquillité d'esprit des gendarmes qui ne se sont pas méfié de lui et qui ont au contraire été fort aimables, le diplomate en a conclu que la sécurité était plutôt défaillante, et que nul n'aurait de mal à s'attaquer à de Gaulle, voire à le tuer, à condition d'être prêt à y laisser sa propre vie.

Ces neuf premiers mois du séjour parisien de Francis De Tarr sont donc placés sous le signe de la guerre d'Algérie, de même que la vie politique française, objet de toute son attention, est dépendante de ce conflit qui menace de se transformer en véritable guerre civile. Le diplomate évolue au sein de cette atmosphère pesante, à la fois observateur et participant, alternant analyses et descriptions. Il consacre la plupart de ses rapports à l'Algérie et à ses conséquences en métropole, faisant part à ses lecteurs et collègues de l'époque d'une incertitude teintée d'un fort pessimisme, et rappelant à ses lecteurs d'aujourd'hui le sombre climat d'alors, un climat qui rendait difficiles les prévisions, et qui, en tout cas, autorisait une légitime inquiétude.

---

[14] Cf. p. 151, dépêche du 19 février 1962.

DOCUMENTS DIPLOMATIQUES

Ces documents diplomatiques sont traduits de l'anglais.

Toutes les notes sont dues au traducteur, sauf les notes marquées par un astérisque (*).

DEPECHE n° 67. 16 février 1960 (Florence).

Sujet

Rapports faits par un observateur sur les troubles récents en Algérie, 24 janvier – 1ᵉʳ février 1960.

Après avoir reçu le WIROM[15] du Département mentionné ci-dessus, le vice-consul Francis De Tarr a entrepris un voyage en Tunisie et en Algérie du 16 janvier au 6 février 1960. Il s'est trouvé à Alger du 20 janvier au 3 février. Pendant les neuf jours qui ont suivi l'insurrection du 24 janvier, M. De Tarr a soumis de nombreux rapports aux membres qualifiés du consulat général américain à Alger. Ces rapports ont été faits depuis l'Hôtel Albert Ier, qui est situé, de l'autre côté du carrefour - sur la même place - où les insurgés ont construit leur principale barricade (cf. plan). M. De Tarr a soigneusement conservé une trace écrite de ces rapports, en prenant des notes au moment où il les transmettait aux membres du consulat général.

J'ai encouragé M. De Tarr à reproduire ses notes et je les joins en annexe à cette dépêche. Je suis convaincu que ces rapports, qui n'ont pas été modifiés au vu des événements qui ont suivi, auront leur utilité en tant que compte rendu chronologique des événements, tels que les a vus quelqu'un qui avait l'avantage de se trouver près du théâtre de l'action. Je pense également qu'ils auront de l'intérêt en tant que description de l'évolution de l'opinion et de l'attitude des groupes insurgés, telle qu'elle a été observée par une personne qui, grâce à son excellent français, était apparemment accueillie comme un compatriote par la plupart de ceux dont l'opinion est décrite.

Merritt N. Cootes
Consul Général des Etats-Unis

Annexes :
    1. Plan
    2. Notes.

---

[15] *Wire Operations Memorandum* : message administratif télégraphié.

DEPECHE n° 67. 16 février 1960 (Florence).

Dimanche 24 janvier 1960

20h00 (M. Johnson)[*][16]

La fusillade a commencé vers 18h00[17]. Vu ce que quelqu'un a décrit comme le sang d'un homme de dix-huit ans, sur le boulevard Laferrière, juste après la rue Charles Péguy. Trois policiers (gendarmes mobiles) ont été tués sur les marches de la poste. Selon la foule, les policiers ont commencé à tirer les premiers. Unanimité de plusieurs témoins sur un point : quinze personnes environ ont été tuées, et beaucoup ont été blessées[18]. Les barricades s'élèvent dans les rues autour de la rue Michelet et à l'entrée de la rue Charles Péguy. Les parachutistes montent la garde. Du gaz lacrymogène flotte encore dans l'air.

21h15 (M. Johnson)

Compte rendu de conversations. Un groupe de 25-30 personnes (dont des parachutistes, un capitaine de l'armée et plusieurs « activistes » portant des brassards) discute de la situation à l'angle de la rue, en bas de l'hôtel. Le capitaine, qui revient à peine de l'hôpital Maillot, a déclaré qu'il y avait dix morts (tous des policiers) et soixante blessés, et que ce sont les chiffres qui seront publiés dans les journaux de demain. Le capitaine a également dit qu'une mitrailleuse tirait depuis le balcon de l'immeuble d'en face (le quartier général d'Ortiz[19])[20]. Plusieurs personnes ont réaffirmé que trois policiers avaient été tués sur les marches de la poste. Un passant a déclaré que les policiers avaient ouvert le feu

---

[*] Le nom de la personne du consulat général d'Alger à qui chaque rapport a été fait figure entre parenthèses, à la suite de l'heure du rapport (note de F. De Tarr).

[16] Richard G. Johnson, "numéro deux" du consulat, *political officer*.

[17] Entre 18h10 et 18h15, selon les ouvrages.

[18] 14 morts, 123 ou 125 blessés parmi les gendarmes ; 6 morts, 24 ou 26 blessés parmi les manifestants.

[19] Joseph (« Jo ») Ortiz, patron du café « Le Forum », président du Front national français (FNF), est l'un des principaux meneurs de l'insurrection.

[20] Deux fusils-mitrailleurs permettaient de tirer en feu croisé depuis le troisième étage du "PC Ortiz" (immeuble de la Compagnie Algérienne, et siège de l'interfédération des UT, les Unités territoriales). Un troisième était placé sur l'immeuble d'Air Algérie, de l'autre côté de la rue Charles Péguy.

42

avenue Pasteur en direction de la rue d'Isly et atteint trois personnes. Une rumeur : Susini[21] aurait été arrêté. Une certitude : l'hôtel Albert Ier a été touché par vingt-cinq balles environ. La fenêtre de la porte principale a été brisée ; il y a une tache de sang sur le tapis. Deux policiers ont trouvé refuge au premier étage ; des policiers blessés étaient étendus dans la salle de télévision après la fusillade.

22h20 (M. King[22])

Compte rendu de conversation avec un homme du premier régiment étranger de parachutistes[23], un Anglais, et un géophysicien américain (ancien *Marine*). Ce dernier se trouvait au cinquième étage de l'hôtel quand la fusillade a commencé et il a vu la police descendre les marches du Forum et déboucher sur la place en utilisant du gaz lacrymogène et des « grenades »[24]. Alors que la police avait commencé à disperser la foule qui se trouvait sur la place, quelqu'un s'est mis à tirer. Il n'a pas vu la police répliquer. Trois personnes ont été tuées avenue Pasteur et plusieurs autres sur la place. Le parachutiste anglais (originaire de Grimsby, dans le Nord de l'Angleterre) a dit que son régiment (avec un effectif incomplet d'environ 1 000 hommes) avait quitté la Kabylie à 2h30 du matin lorsqu'ils ont été appelés à Alger en urgence.

22h30 (M. Johnson)

Rapport sur les victimes. De retour de l'hôpital, le médecin-officier du régiment de la Légion Etrangère actuellement assigné à cette zone, a déclaré que quinze personnes avaient été tuées et qu'il y avait 120 blessés.

---

[21] Jean-Jacques Susini, président du Mouvement national étudiant d'Alger, est l'un des organisateurs de l'insurrection avec Ortiz et Lagaillarde.

[22] Bayard King, *political officer*.

[23] 1er REP : l'une des trois unités conduites à Alger, avec les 1er et 3e RCP (chasseurs parachutistes), commandée par le colonel Dufour, proche des "activistes". Premier arrivé sur les lieux de la fusillade.

[24] « *Noise bombs"* » en anglais. Les guillemets sont de Francis De Tarr qui rapporte les mots qu'il a entendus.

Lundi 25 janvier 1960

9h30 (M. King)

Compte rendu de la situation.

1. Le premier régiment étranger de parachutistes est encore en place ; plusieurs parachutistes ont dormi sur les marches du Forum ou à proximité.

2. Visité une barricade (la principale barricade est située à l'entrée de la rue Charles Péguy, au pied du quartier général d'Ortiz). Une seule personne, du groupe qui m'accompagnait, un musulman, a été autorisée à aller sur la barricade et dans la « redoute ». Mais quand j'ai commencé à partir, un territorial[25] m'a dit que les légionnaires ne me laisseraient pas quitter l'endroit et que « la seule façon de sortir », c'était de passer par la barricade. Décliné discrètement la proposition.

3. Remarqué un groupe de gens descendant la rue d'Isly - ils brandissaient un drapeau et chantaient *« La Marseillaise »*. Ils ont sans doute été obligés de faire demi-tour (ils n'ont pas franchi l'avenue Pasteur).

4. La délégation générale a téléphoné à Tizi-Ouzou et annulé mon rendez-vous avec le général Faure[26] (prévu pour 10h00).

5. Les barricades sont maintenant occupées par des territoriaux en uniforme.

16h15 (appel de M. King)

Rapporté les trois points établis par Ortiz dans son discours tenu du balcon à 15h30. Ortiz a déclaré que la victoire dépendait de trois conditions : (1) que nous restions ici ; (2) que la population soit avec nous ; (3) que l'armée soit avec nous. Cette déclaration a été accueillie par des acclamations et des cris réclamant Massu. La foule est excitée ; cris « Au-po-teau de-Gaulle » (même nombre de syllabes que « Al-gé-rie fran-çaise »). On chante à de nombreuses reprises *« C'est nous les Africains »* et *« La Marseillaise »*.

---

[25] Les Unités territoriales (UT), sorte de garde nationale, regroupaient « les pieds-noirs acquis à l'activisme » en une formation paramilitaire (Bernard Droz et Evelyne Lever, *Histoire de la guerre d'Algérie*, p. 153).

[26] Général Jacques Faure, commandant de la 27ᵉ division d'infanterie de la zone Est-Algérois, proche des "activistes".

18h10 (M. Quin[27])

Un homme a annoncé depuis le balcon du quartier général des insurgés que la grève générale continuerait demain[28]. L'annonce a été accueillie par des acclamations.

21h00 (M. King ; M. Johnson)

Compte rendu de la situation : impression que la situation « chauffe ».

1. Ortiz a fait une déclaration ambiguë à 19h50. Après avoir déclaré : « nous sommes ici depuis quarante-huit heures et nous sommes tous fatigués », et avoir dit que ses hommes étaient là, il a ajouté que les « civils » pouvaient rentrer chez eux pour la nuit. Comment faut-il l'interpréter ? Les civils encombrent-ils le terrain ? Geste de modération pour éloigner les non-combattants du secteur et laisser les professionnels se charger de l'affaire ?

2. Participé à une discussion devant la barricade principale entre deux parachutistes français et un territorial. Les parachutistes ont quitté Blida hier à 3h00 du matin et sont maintenant cantonnés à Bab el-Oued. Ils ont déclaré qu'ils n'attendaient qu'un seul mot ; si on leur donne l'ordre d'attaquer ce soir, ils fraterniseront avec les insurgés. Ils ont également dit que leurs officiers leur avaient donné des ordres à cet effet[29]. Ils n'étaient pas armés.

3. Une rumeur : un policier (gendarme mobile) aurait été capturé dimanche et serait retenu prisonnier dans la zone des barricades. Plein de provocation, il aurait dit à ses ravisseurs qu'ils seront tous pris (« On vous aura tous »).

4. Autre rumeur : Debré arrivera ce soir à Alger[30].

5. Encore une autre rumeur : les barricades seront prises d'assaut ce soir.

6. A 20h50, sept camions de parachutistes français bloquaient la place en face de la barricade principale. Pour la première fois, été empêché d'aller vers les barricades.

---

[27] Frederick S. Quin, vice-consul.

[28] Elle avait été ordonnée la veille, dimanche.

[29] Des hommes du 1er REP, comme le capitaine Pierre Sergent, ont en effet fraternisé avec les insurgés, dès le dimanche soir.

[30] Debré passera en effet quelques heures à Alger, dans la nuit du lundi au mardi, afin de rencontrer Delouvrier, Challe et de nombreux militaires.

Mardi 26 janvier 1960

9h00 (M. King)
Compte rendu de la situation. Sept camions sont toujours garés en face de la barricade principale, mais les paras français ont maintenant été remplacés par des parachutistes de la Légion Etrangère. Des territoriaux et des légionnaires retiennent la foule à l'entrée de la place. Beaucoup de femmes s'y trouvent. Avertissement d'un territorial adressé à deux femmes au premier rang : « On va peut-être se battre ; vous ne devriez par être là ». Quelques paras français se trouvent dans un immeuble vide de l'avenue Pasteur (où ils ont passé la nuit en dormant par terre).

19h00 (M. King)
Annonce depuis le balcon que les insurgés commenceront à émettre sur 30 m. de longueur d'onde, à partir de 15h30 demain[31].

21h00 (M. Johnson)
Compte rendu de la situation.
1. Le premier régiment étranger de parachutistes ne se trouve plus dans le secteur ; les légionnaires ont été remplacés par des paras français[32]. Certains, parmi ces derniers, ont été acclamés par la foule quand ils sont arrivés. Presque toute la foule a quitté les lieux - les "équipes de nuit" (professionnels) sont en place. La barricade principale a été considérablement complétée et améliorée. L'un des côtés atteint environ trois mètres cinquante (3,50 m) de hauteur - avec des créneaux pour l'observation (ou pour tirer).
2. A 19h05, le discours de Debré (communiqué de France-Presse à 14h00)[33] a été lu sur le balcon. La foule a sifflé et hué le nom de de Gaulle. Après ce *« canard »*[34] (pour citer l'orateur), Lagaillarde[35] a

---

[31] Les hommes de Lagaillarde se sont emparé d'un poste émetteur, qui diffuse ainsi la radio pirate « Radio Lagaillarde » depuis les facultés.

[32] S'agit-il de la 25e division parachutiste (DP) du colonel Ducournau, appelée pour relever progressivement la 10e DP, trop favorable aux émeutiers ?

[33] Allocution prononcée par le Premier ministre pour rassurer les pieds-noirs.

[34] En français dans le texte.

[35] Avocat, député d'Alger depuis 1958, il avait été l'un des meneurs du 13 mai 1958 ; il est l'un des organisateurs de l'insurrection, mais n'est pas en très bons termes avec Ortiz. Avec ses troupes lourdement armées, il a formé un camp retranché à l'intérieur des facultés.

rapidement affirmé qu'il était d'accord avec ce qu'Ortiz allait dire. A l'écouter, Lagaillarde semblait fatigué. Ortiz a alors parlé : « M. Debré n'a pas compris » ; chaque mention de Gaulle a une nouvelle fois été accueillie bruyamment.

23h50 (M. King)

Compte rendu d'une discussion avec trois parachutistes français, puis avec un policier musulman et deux Français d'Algérie favorables aux insurgés.

1. Le secteur est maintenant tenu par le premier régiment de chasseurs parachutistes, une unité disciplinaire qui n'a pas le droit d'aller en France (interdiction de séjour en France) (pour protester contre ce qu'ils considèrent être des méthodes disciplinaires excessivement strictes, ils ont pendu leur capitaine, a déclaré l'un des parachutistes, un caporal). Ils ont quitté la Kabylie à 4h00 dimanche matin et se trouvaient en bas de la place pendant la fusillade. Presque tous les parachutistes de l'unité sont des appelés.

2. Leurs officiers leur ont dit qu'ils ne devaient en aucun cas faire feu ; si les autres commencent à s'agiter, les officiers s'avanceront eux-mêmes pour négocier.

3. Mais si un para est tué, les parachutistes insistent sur le fait qu'ils répliqueront et l'emporteront.

4. Détails sur la manière dont ils s'y prendront : ils neutraliseront d'abord la mitrailleuse qui se trouve sur le balcon avec un bazooka - cela peut se faire en dix minutes (un légionnaire allemand m'a déclaré : « On pourrait le faire en cinq minutes »).

5. Les parachutistes ont plaisanté à propos de l'information diffusée dimanche par la radio selon laquelle leur unité était passée du côté des insurgés. L'un d'entre eux a déclaré : « Nous obéirons aux ordres ». Un autre a rappelé le cri de la foule, « les paras avec nous », et ajouté un « hum... » fort dubitatif.

6. Par ailleurs, les parachutistes n'étaient pas certains du nom de leurs officiers supérieurs. L'un a déclaré qu'ils n'avaient plus de chefs maintenant que Massu était parti. Un autre que leur chef était désormais le général Crépin; un autre encore, le général Gracieux. Le policier musulman et moi-même leur avons dit que Gracieux avait été nommé commandant[36].

---

[36] Le général Jean Crépin avait remplacé le général Massu dans ses fonctions de commandant du corps d'armée d'Alger, destitué de ses fonctions après son interview au *Suddeutsche Zeitung*. Le général Jean Gracieux, commandant la 10ᵉ

7. Commentaire d'un civil : le secteur des barricades ressemble plus à une « usine » qu'à une barricade. « Ils mangent mieux que chez eux. »

Mercredi 27 janvier 1960

22h30 (M. King)

Compte rendu de conversations avec M. Guy Verdeil, M. Jacques Toutain, M. Bertrand de Labrusse et plusieurs autres jeunes membres de l'Inspection des Finances actuellement en poste à la délégation générale en Algérie. (Pendant ses années d'études à l'Ecole Normale Supérieure, Verdeil était le camarade et l'ami d'un de mes amis[37] ; Labrusse a servi dans l'armée avec ce même ami.) Ces conversations ont eu lieu dans la salle 396 de la délégation générale à Alger, et lors d'un dîner chez Verdeil.

1. La totalité de la trentaine de membres d'un groupe de jeunes Inspecteurs des Finances actuellement en poste à la délégation générale (après leur sortie de l'Ecole Nationale d'Administration) soutient fermement de Gaulle et le gouvernement central, et s'oppose ardemment aux insurgés.

2. Le groupe a rédigé et signé une pétition de soutien et d'encouragement qui va être envoyée aussi rapidement que possible à de Gaulle. (Lors d'une réunion d'une partie du groupe, j'ai été abordé par l'un des signataires, Jacques Toutain, qui m'a demandé si j'avais un "ami" qui partait pour Paris demain ; en apprenant qu'ils pouvaient trouver quelqu'un pour demain soir, j'ai répondu que je ne connaissais personne partant le matin ; la demande n'a pas été réitérée.)

3. Selon Verdeil, Delouvrier est l'otage des colons, au moins depuis le 13 mai 1959, quand il a laissé Massu parler après lui lors de la cérémonie commémorant le premier anniversaire du 13 mai 1958. Selon lui (et selon ses amis), Delouvrier est un « mou ».

4. Delouvrier et le général Challe[38] sont retournés à la délégation générale ce soir (ils l'avaient quittée dimanche matin). Selon Verdeil, cela

---

division parachutiste (DP) dont dépend le 1er REP, remplace le colonel Fonde, responsable de l'ordre dans Alger, à la tête de la région militaire Alger-Sahel.

[37] Claude Nicolet, historien, proche collaborateur de Pierre Mendès France.

[38] Paul Delouvrier, haut fonctionnaire, est délégué général. Le général Maurice Challe est commandant en chef des forces militaires en Algérie. Ils ont remplacé

pourrait signifier qu'ils sont venus négocier une sorte d'accord avec les insurgés.

    5. L'armée projette de faire venir demain des musulmans sur les barricades - pour accentuer la pression sur Paris[39].

    6. On discute d'un possible référendum pour dimanche.

    7. Pour résumer, les membres du personnel civil de la délégation générale, du moins les plus jeunes, sont fortement favorables à l'usage de méthodes vigoureuses pour renverser les insurgés. Ils pensent que l'armée devrait recevoir l'ordre de prendre toutes les mesures nécessaires pour isoler les insurgés du reste du monde, leur couper l'alimentation en eau par exemple. Interrogé sur ce point, Verdeil a répondu que quelques unités au moins de l'armée étaient prêtes à entreprendre une action forte contre les insurgés. Parmi celles-ci, il a mentionné un groupe de soldats du contingent, actuellement à l'entraînement à Hussein Dey.

Jeudi 28 janvier 1960

16h15 (appel de M. King)

    1. Visite dans l'après-midi à une famille prospère, favorable aux colons. Ils pensent que de Gaulle n'a plus qu'une seule carte à jouer : le général Juin.

    2. Quelques musulmans commencent à pénétrer dans la zone de la barricade principale.

23h15 (M. King)

    Compte rendu de discussions autour de la barricade principale.

    1. Deux conseillers municipaux (Gauthier et Baudet ?[40]) encourageaient les territoriaux des barricades et insistaient sur la nécessité de « tenir ». Ni l'un ni l'autre n'ont été impressionnés par le discours de Delouvrier de ce soir[41] ; ils ont fait de mauvaises plaisanteries à l'idée de

---

le général Salan, dont les fonctions civiles et militaires ont été dissociées, en décembre 1958.

[39] Il s'agit de l'« opération Casbah » qu'organisent les officiers activistes. Ce sera un échec.

[40] Francis De Tarr n'est pas certain de leurs noms.

[41] Long discours lyrique et pathétique du délégué général, enregistré quelques heures plus tôt, avant de quitter Alger, avec le général Challe et l'état-major, pour la base aérienne de la Reghaïa, à une trentaine de kilomètres à l'est d'Alger. Il annonce qu'il ne faut pas attendre de de Gaulle qu'il cède.

la scène au monument aux morts[42]. Baudet nous a dit qu'il avait vu récemment le général Challe ; il a trouvé étrange que Challe n'ait pas lu sa propre déclaration à la radio ce soir.

2. Résumé d'une longue série de déclarations faites par un parachutiste de la Légion Etrangère (un sergent-chef), en faction à proximité des barricades, à cinq territoriaux et deux civils (dont moi-même). Il a d'abord dit que nous devions nous répartir par groupes de trois (l'état de siège[43] interdit les rassemblements de plus de trois personnes), pas plus et pas moins, et a réorganisé notre disposition en plaisantant. Dans la suite de la conversation, il a déclaré qu'il avait passé neuf ans dans la Légion et qu'il se sentait appartenir à deux patries, la sienne (l'Allemagne semble-t-il) et l'Algérie - et non pas, non pas, a-t-il répété, la France. C'est Sidi-Bel-Abbes, non pas la France, qui l'a accueilli dans la Légion. Il y a d'anciens légionnaires derrière les barricades, a-t-il dit, et si la Légion devait élever une barricade, elle la bâtirait sur le port et contre la France. Il a souligné que son régiment (1er régiment étranger de parachutistes) avait été félicité pour sa conduite près des barricades et qu'avant de revenir aujourd'hui, on leur avait dit de ne pas « fraterniser ». L'officier qui leur a donné cet ordre a pourtant été la première personne à fraterniser. Pour conclure, il a exhorté ceux qui étaient là à "tenir bon" et à ne pas abandonner («Tenez bon, tenez le coup ! »). Mot qu'il emploie à propos de de Gaulle : « Charlot ».

3. Commentaire d'un passant : les autorités montrent des photographies des gendarmes mobiles tués dimanche aux troupes sénégalaises qui sont arrivées à Alger il y a quatre jours.

Vendredi 29 janvier 1960

23h20 (M. Johnson)
Compte rendu d'une conversation avec quatre paras français en faction à l'angle du boulevard Laferrière et de l'avenue Pasteur, après le discours de de Gaulle[44]. Il n'y avait personne d'autre. Changement

---

[42] Delouvrier a en effet déclaré : « Nous irons tous ensemble au monument aux morts prier et pleurer les morts de dimanche, morts de la loi pour que l'Algérie reste française et pour que l'Algérie obéisse à de Gaulle ».

[43] Proclamé par Challe le dimanche soir.

[44] Discours très ferme de de Gaulle, apparu en uniforme, condamnant les opposants des deux bords, appelant à la fidélité de l'armée et annonçant son inflexibilité. Il a été décisif dans la chute de l'insurrection.

d'attitude significatif par rapport aux autres conversations. Il s'agit de trois Français de métropole et, chose plus étonnante, d'un sergent-chef d'Algérie.

1. Tous affirment avec fermeté qu'ils obéiront à tout ordre qui leur sera donné. Ils obéiront à leurs officiers et ces derniers obéiront à leurs supérieurs - au sommet de la hiérarchie. La France, a dit l'un d'entre eux, n'est pas un « jouet » (« jouet », mot utilisé plus tôt dans la soirée par de Gaulle[45]).

2. Tous avaient visiblement le cœur brisé. Ils ont fait une description éloquente de la guerre contre les fellaghas (leur régiment a perdu quatre hommes dans les deux jours précédant leur arrivée à Alger). Mais il est bien pire que des Français tuent des Français.

3. Tous ont exprimé du mépris pour les insurgés et dit qu'ils devraient se battre contre les fellaghas. Ils les ont qualifiés de « baroudeurs » ; avec leurs revolvers, ils ressemblent à de mauvais acteurs. Ils ont déclaré que les insurgés seraient effrayés à la simple idée d'aller monter la garde contre les fellaghas.

4. Ils s'attendent à ce que demain soit le jour-clé. Ils ne voient que deux solutions : les barricades tomberont d'elles-mêmes ; les barricades seront abattues par la force.

5. Comment faire usage de la force. Quatre régiments parachutistes dans le secteur ; attaqueraient par la place Laferrière, qui est le terrain le plus dégagé. Ils ont évoqué la question des tanks et de leur l'utilisation, l'un des parachutistes faisant référence à Budapest. Selon le sergent-chef, des tanks spéciaux ont été équipés pour percer les barricades ; ils ne seraient pas très loin. Ils ont déclaré que les insurgés s'enfuiraient dès qu'ils seraient attaqués et ont dit en plaisantant qu'ils avaient oublié d'aménager des sorties dans leurs redoutes ; ils ne pourront pas s'échapper par les toits comme ils auraient pu le faire à Marseille.

6. Ils pensent qu'ils pourraient recevoir l'ordre d'attaquer tôt le matin, et ils ont recommandé de s'allonger sur le sol si les opérations commençaient.

---

[45] De Gaulle a dit que s'il cédait, « la France ne serait plus qu'un pauvre jouet disloqué sur l'océan des aventures ».

Samedi 30 janvier 1960

9h20 (M. Johnson)

Compte rendu de la situation. Pas de changement majeur. *« Marseillaise »* et lever des couleurs près de la barricade principale à 8h30, comme d'habitude. Légionnaires en faction en bas de la place ; paras français sur la place. Cent cinquante civils environ sont groupés en bas de la place, entre la poste et la barricade principale. Un important groupe de journalistes et de photographes s'est installé dans la chambre voisine de la mienne, à l'hôtel, la nuit dernière. Remarqué un officier rendre son salut à un territorial tandis qu'il passait devant la barricade principale. La pluie d'hier[46] a fait disparaître le sang qui tachait le drapeau de la barricade principale[47]. Le sang des trois policiers tués sur les marches de la poste a également disparu avec la pluie.

12h00 (M. Johnson)

Annonce, depuis le balcon des insurgés (quartier général d'Ortiz), que la grève générale serait levée lundi prochain.

14h45 (M. Long[48], M. King)

Les parachutistes français empêchent désormais les gens d'emprunter toutes les voies d'accès à la place. Il n'y a pas un seul civil en bas de la place ou sur les marches de la poste. C'est la première fois que les civils sont complètement absents de la place et de la zone qui se trouve en face de la barricade principale. Les insurgés ne diffusent plus de musique depuis leur balcon.

15h30 ; 16h00 ; 16h30 (M. King, M. Lyon[49])

Comptes rendus de la situation : identique. Les parachutistes continuent de barrer l'accès du secteur à la foule. Il est évident que l'armée a pris une décision. La presse et les photographes sont nombreux dans la chambre voisine ; ils se servent d'amplificateurs pour enregistrer

---

[46] L'orage n'avait fait qu'accroître la consternation des insurgés après le discours de de Gaulle.

[47] Il s'agissait du sang de Roger Hernandez, UT de 34 ans, tué le dimanche dans la fusillade ; il avait donné son nom à la barricade principale, dite « barricade Hernandez ».

[48] Richard G. Long, *economic officer*.

[49] Frederick B. Lyon, consul général.

l'ambiance. Des territoriaux armés marchent sur le toit de l'immeuble d'en face. La foule essaie de forcer le cordon de parachutistes.

17h30 (appel de M. King)
Pas de changement significatif de la situation.

18h03 (M. Quin)
La foule a brisé le cordon de parachutistes dans la partie basse de la place à 17h40. La place est maintenant envahie par des hommes et des femmes fort joyeux. Sonnerie de clairon ; *« Marseillaise »* ; hourras. Un hélicoptère de l'armée (un « mouchard ») a survolé brièvement la place après que la foule eut rompu le cordon.

18h05 (appel de M. King)
Répété le message précédent.

18h30 (appel de M. Johnson)
Répété le message précédent.

19h20 (M. King)
Explications sur la manière dont la percée s'est déroulée ; compte rendu de la situation.
1. Selon un policier en faction près de la poste, des membres du régiment étranger de parachutistes en faction en bas de la place ont laissé la foule passer. Le policier affirme que le « scénario » était arrangé : les officiers de la Légion ont donné des ordres par avance. Il savait aujourd'hui qu'on laisserait faire une percée, tard dans l'après-midi. Il était en faction sur les marches de la poste quand elle a eu lieu - seules quelques personnes ont pénétré sur la place depuis la rue d'Isly qui est gardée par les paras français ; la plupart ont fait le tour et sont entrées par le bas de la place.
2. Selon plusieurs paras français qui formaient le cordon près de la rue d'Isly, la percée est due à un mouvement de foule en bas de la place.
3. Une grande foule se trouve encore sur la place et devant la barricade principale. Sur le balcon, un homme a demandé aux gens de rentrer chez eux et de revenir demain avec leurs amis.

19h55 (M. King)
Compte rendu de la situation ; compte rendu d'une visite à la barricade principale.

1. Il est maintenant possible de se rendre à la barricade principale, en passant par le bas de la place.
2. La foule est enflammée.
3. Un homme a déclaré du haut du balcon : « c'est l'heure décisive » ; il a demandé à la foule de rester (changement par rapport au dernier compte rendu). La foule a répondu avec enthousiasme. L'homme est revenu dire qu'il y a deux heures, la presse et la radio annonçaient dans le monde entier que les Algérois avaient perdu courage ; mais dans la dernière demi-heure, les rapports ont été différents.
4. Un musulman, qui a été présenté à la foule comme un ami du député Mourad Kaouah[50], a également parlé du haut du balcon. Sujet de son discours : Dieu est grand et Dieu est avec nous.
5. On a annoncé que la foule se posterait derrière les barricades demain à 8h30.
6. Une annonce typique. L'orateur : « Mademoiselle X. ne retrouve pas sa mère ». Quelques personnes dans la foule : « Elle est rentrée chez elle ». L'orateur : « Merci ».

20h30 (appel de M. King)
Il reste peut-être 1 000 à 1 500 personnes sur la place et près de la barricade principale. Le chiffre aurait sans doute pu être plus important ; mais, après tout, on a dit tout à l'heure aux gens qu'il fallait qu'ils partent ; de plus, c'est l'heure du dîner. Il me semble très clair que cet après-midi, quelques éléments au moins de l'armée n'ont pas obéi et, malgré le discours de de Gaulle, se sont « associés à l'insurrection »[51].

20h50 (M. Johnson)
Compte rendu de la situation ; commentaires divers.
1. A 20h40, le même homme que tout à l'heure a dit aux gens qu'ils devraient rentrer chez eux. Il a remercié ceux qui étaient là, déclaré que leur présence avait été utile, mais il a ajouté que maintenant, afin de ne pas compliquer la tâche de ceux qui sont chargés de faire respecter le couvre-feu, ils devraient rentrer chez eux et revenir à 8h00.
2. Grande excitation à l'idée qu'au moins une partie de l'armée n'a pas obéi aux ordres et sentiment que malgré son manque d'expérience, l'armée française est sans doute capable de tenir une foule si elle le souhaite vraiment.

---

[50] Député d'Alger-ville.

[51] De Gaulle avait dit : « Aucun soldat ne doit, sous peine de faute grave, s'associer à aucun moment, même passivement, à l'insurrection ».

3. Autre interprétation avancée de la percée : la « théorie du baroud d'honneur » : l'armée ne pouvait pas laisser aux insurgés la possibilité de « sauver la face » grâce à une petite escarmouche, et leur a donc ménagé une dernière bouffée d'émotion avant la confrontation finale.

21h20-22h00 (Discussion sous la pluie ; compte rendu fait le 31 janvier, au consulat général)
Pendant un moment, se trouvaient là onze paras français, plusieurs territoriaux, deux policiers et une douzaine de civils. La scène : l'angle du boulevard Laferrière et de l'avenue Pasteur. Le sujet principal : les paras sont fermement derrière de Gaulle et l'Etat, et obéiront aux ordres. L'interlocuteur le plus en verve, un lieutenant parachutiste - qui est en Algérie depuis onze ans et qui est marié à une Algéroise - a prévenu ses interlocuteurs que les communistes constituaient la seule alternative à de Gaulle, et que la plus grande partie des métropolitains lui étaient fidèles. Il a déclaré que si lui et ses hommes recevaient l'ordre d'avancer contre les barricades, ils le feraient (acquiescement des autres paras). Commentant l'isolement des Français d'Algérie, il a raconté que lorsqu'il avait été pour la dernière fois en France, blessé et en uniforme de parachutiste, on lui avait craché dessus (comme il avait le bras dans le plâtre, il ne pouvait pas se battre) ; les paras, a-t-il souligné, reçoivent le conseil de ne pas porter leur uniforme dans certaines régions de France. Les insurgés devraient venir dans les montagnes pour combattre les fellaghas plutôt que d'immobiliser les meilleurs régiments de France. L'un de ses sous-officiers a été tué pendant une opération dimanche dernier et les funérailles étaient prévues pour lundi ; le régiment a été appelé à Alger dimanche et il n'a même pas pu aller à l'enterrement. Comme le lieutenant défendait la conduite des policiers pendant la fusillade de dimanche, un homme qui se trouvait là a dit que de Gaulle avait eu tort de n'avoir parlé dans son discours que des morts du côté des soldats (c'est-à-dire de la police) et pas du côté des manifestants[52]. Quelqu'un d'autre a dit qu'en prononçant ce discours, de Gaulle avait « signé son arrêt de mort ». Le « débat » a pris fin quand un vieil homme, blême de colère, a déclaré qu'il avait combattu pour la France dans les tranchées en 1914-1918 ; mais désormais il n'est plus français : il lui faut maintenant voter pour rester français. A ce moment, le lieutenant a saisi un autre para par le bras, et ils sont partis.

---

[52] « ...certains, à Alger, sont entrés en insurrection, (...) ont tiré sur le service d'ordre et tué de bons soldats. »

Dimanche 31 janvier 1960

8h23 (M. Long)

A 8h20, 150 personnes environ ont pénétré sur la place par la partie basse ; les nouveaux arrivants ont serré la main des insurgés au-dessus de la barricade principale. Ils n'ont manifestement pas été arrêtés par les « forces de l'ordre ». Les autres entrées du secteur sont cependant bloquées. L'armée (des bérets noirs - les chasseurs alpins) est maintenant en faction sur la place.

9h00 (M. Long)

Ces troupes ont remplacé les paras dans la plupart des secteurs - la foule est désormais strictement contrôlée. Un homme a annoncé depuis le balcon des insurgés que l'armée avait remplacé les paras - mais quelques groupes de paras se trouvent encore dans le secteur, dont quelques-uns qui empêchent efficacement la foule de pénétrer sur la place par l'avenue Pasteur[53].

11h07 (M. Johnson, M. King)

Rapport concernant l'explosion d'une bombe à 11h00. Fenêtres brisées ; nuage de fumée au-dessus du haut de l'avenue Pasteur, à mi-chemin entre l'hôtel et le tunnel des facultés. Du haut du balcon des insurgés, l'homme a déclaré qu'on ne connaissait pas la cause de l'explosion et qu'il fallait rester calme. Plus tôt : deux petites percées de la foule ; mais les paras et les soldats en faction déploient de plus grands efforts pour la contenir.

11h25 (M. Johnson)

Grosse explosion. Le porte-parole des insurgés a déclaré que deux personnes avaient été tuées et plusieurs blessées (un commentaire à la radio : quatre tués). Les victimes ont été emmenées par plusieurs ambulances.

---

[53] Le général Crépin a reçu l'ordre d'opérer un bouclage strict.

11h47 (M. Johnson)

Le porte-parole des insurgés a déclaré que l'explosion était due à un canon de 105 porté par un fellagha déguisé en para, qui a été tué sur le coup[54].

12h25 (M. King à M. Johnson)

Le porte-parole des insurgés : rien n'autorise à parler de défaite ; nous avons des contacts avec l'armée ; rien n'a changé entre l'armée et nous ; nous tiendrons bon ; votre place est avec nous, devant les barricades - c'est ici que nous avons besoin de vous.

18h00 (M. Lyon)

Compte rendu de la situation. A 16h00, la foule a pénétré en bas de la place. A 16h07, « radio Lagaillarde » a annoncé que la grève générale était prolongée indéfiniment. A 17h00, la foule a abattu la grille qui se trouve en bas des marches, en bas de la place, et des centaines de personnes se sont avancées avec un grand enthousiasme. Sous le poids du nombre, les soldats en faction ont été repoussés ; l'un deux a commencé à donner des coups de crosse mais un officier l'a arrêté.

19h05 (M. Lyon)

A 18h40, le porte-parole des insurgés a déclaré que la nuit allait être décisive et a demandé à la foule de rester toute la nuit. Il a dit que tout le monde avait été courageux et a ajouté : « Nous sommes tous prêts à mourir ici ». Message de Lagaillarde : « Il y a des provocateurs dans la foule ; nous devons être calmes et garder notre sang-froid ».

19h20 (M. Johnson)

Le porte-parole des insurgés a annoncé que la foule (« les civils ») était autorisée à entrer dans la zone des barricades. L'armée a maintenant installé un haut-parleur en face du balcon des insurgés - il a complètement submergé le haut-parleur des insurgés : signe clair d'une attitude plus énergique.

---

[54] Seul le porteur de la bombe, un homme du FLN, est mort. On avait craint quelques instants que Lagaillarde n'ait exécuté sa promesse de ne pas se rendre et de faire sauter son réduit des facultés.

22h00 (appel de M. King)

Ce sont les parachutistes de la Légion Etrangère qui forment la plupart des cordons du côté du port ; des paras français sont encore là. Atmosphère générale : les insurgés en sont à un stade désespéré.

Lundi 1ᵉʳ février 1960

8h25 (M. Quin)

Un bon présage pour commencer la journée : la foule ne pourra pas faire beaucoup de percées aujourd'hui. De très gros rouleaux de fils de fer barbelés ont été placés systématiquement entre les cordons et la foule. Les troupes formant les cordons sont joyeuses et plaisantent. La journée a commencé avec « *La Marseillaise* » à 7h30 et le lever des couleurs à 8h15.

9h28 (M. Johnson)

Bruit assez sûr selon lequel les insurgés se rendraient à 11h00. Il a été convenu qu'ils s'en iraient en passant par la barricade principale, par groupes de quatre et avec leurs armes ; et qu'ils iraient dans les montagnes (djebel) pour combattre les fellaghas[55]. Quoi qu'il en soit, d'importants groupes de territoriaux ont quitté les « redoutes » la nuit dernière (vu un groupe d'environ cinquante personnes s'en aller).

11h47 (M. Johnson à M. Lyon)

A 11h45, deux territoriaux ont commencé à retirer quelques éléments de la barricade principale. De nombreux parachutistes (des Français et des légionnaires) sont alignés sur une seule file, face à la barricade. (**12h00** : un groupe de territoriaux et d'autres personnes qui se trouvaient encore derrière les barricades ont commencé à sortir un à un et à se diriger vers les camions qui les attendent[56]).

---

[55] Ils vont se diriger vers le camp du 1ᵉʳ REP, où ils formeront pendant quelques temps le « commando Alcazar ». Lagaillarde est arrêté et conduit à Paris, à la prison de la Santé.

[56] Il a été convenu que les insurgés sortiraient en défilant devant les parachutistes.

TELEGRAMME n° 1083. 28 août 1961.

L'annonce, dimanche, du remaniement du cabinet du GPRA[57], avec la nomination d'une figure d'extrême-gauche, Ben Khedda, comme successeur d'Abbas[58], a suscité l'intérêt de la France, éclipsant la crise de Berlin et dépassant l'intérêt très relatif porté dans les semaines précédentes au remaniement plus restreint du gouvernement français[59]. La presse parle de ces changements comme d'une victoire des jeunes révolutionnaires sur les présumés modérés, et considère que le problème algérien entre dans une nouvelle phase[60]. Le quotidien de droite *L'Aurore* souligne la dérive du GPRA vers le bloc communiste et qualifie ce remaniement de défaite politique pour de Gaulle, défaite qui met fin aux projets de mise en œuvre des négociations. La déclaration du nouveau ministre des Affaires étrangères du GPRA, Dahlab[61], au Caire, selon laquelle le GPRA ne fait pas d'objections à la reprise des négociations, a été citée avec intérêt par certains observateurs ; mais d'autres commentateurs ont souligné le fait que la remarque de Dahlab concernant l'intégrité territoriale de l'Algérie (y compris le Sahara) revenait à fixer des conditions inacceptables pour la France. Mais Serge Bromberger, dans *Le Figaro*, minimise l'importance de la présidence du GPRA dans ce système collégial, et interprète le remaniement comme une

---

[57] Le Gouvernement provisoire de la République algérienne (GPRA) est remanié le dimanche 27 août, au cours de la réunion du Conseil national de la Révolution algérienne (CNRA), instance politique suprême, dépositaire de la souveraineté nationale, qui a lieu à Tripoli, en Libye, du 9 au 27 août 1961.

[58] Ben Youssef Ben Khedda remplace Ferhat Abbas à la présidence du GPRA, résultat de graves tensions à l'intérieur du CNRA : c'est l'échec de la ligne jugée trop modérée d'Abbas, partisan d'une tentative d'entente avec la France, d'Ahmed Boumendjel et d'Ahmed Francis.

[59] Le cabinet Debré a été remanié le 24 août 1961, afin d'accroître l'autorité personnelle du Premier ministre. (Cf. Pierre Viansson-Ponté, *Histoire de la République gaullienne*, t. I, pp. 422-423).

[60] Il s'agit de la victoire de la tendance dure des « centralistes » sur les modérés, simplifiée un peu trop vite en victoire des gauchistes sur les « bourgeois ».

[61] Krim Belkacem, prestigieux maquisard et négociateur déterminant, perd le ministère des Affaires étrangères au profit de Saad Dahlab, proche de Ben Khedda, et lui aussi figure importante des négociateurs.

amélioration de la position de Krim qui est favorable aux négociations[62].
Cependant, la nouvelle orientation gauchisante du FLN a généralement
été soulignée, *Le Monde* notant que Ben Khedda faisait partie de ceux qui
projettent des réformes sociales et économiques profondes dans une
Algérie indépendante[63]. *Combat* a déclaré avec esprit que la nomination
de Ben Khedda signifiait que le FLN avait sauté sa période Kerensky.
Selon certaines spéculations de la presse, le nouveau groupe pourrait
accroître ses activités militaires et terroristes.

Il est clair que la nomination de Ben Khedda fournit un argument
supplémentaire aux Français qui se sont farouchement opposés aux
tentatives de de Gaulle de négocier une conclusion pacifique avec le FLN,
et qui ont déclaré que l'Algérie FLN tomberait inévitablement dans les
mains des communistes. Le gouvernement français n'a bien sûr fait aucun
commentaire au sujet d'une organisation qu'il refuse de reconnaître ; mais
de Gaulle pourrait tirer ses propres conclusions dans sa prochaine
conférence de presse, le 5 septembre.

GAVIN

---

[62] C'est bien la voie de la négociation qui va être choisie, Krim Belkacem - qui
voulait succéder à Abbas - restant d'ailleurs au gouvernement, en tant que vice-
président et ministre de l'Intérieur.

[63] Ben Khedda est le leader de l'aile gauche du FLN, et ses tendances marxistes
en font un partisan convaincu d'une révolution sociale. Mais celui qui est qualifié
de « prochinois » ne durcit pas la politique engagée avec la France.

DEPECHE n° 234. 31 août 1961.

Sujet

A propos d'un article qui rapporte que l'armée française a accepté comme militairement réalisable la décision de de Gaulle de retirer deux divisions d'Algérie, et qui présente une image optimiste de la situation militaire française en Algérie : un membre de l'état-major français le considère globalement exact.

Commentaires sur la position du FLN en Algérie et sur la possibilité d'une révolte future de l'armée française.

Résumé

La récente décision prise par de Gaulle d'évacuer certaines unités militaires d'Algérie vers la France a suscité la préoccupation des dirigeants militaires français et a accru l'important ressentiment de l'armée à l'égard de de Gaulle et sa politique algérienne. Cependant, Serge Bromberger, spécialiste de longue date des questions algériennes au quotidien parisien *Le Figaro*, dans son analyse, dans un article publié le 29 août, des facteurs militaires pris en compte dans la décision de de Gaulle de retirer la 11ᵉ division légère d'intervention, et de l'annonce du prochain retrait de la 7ᵉ division blindée légère, a conclu en écrivant que ces retraits n'auraient pas de mauvais effets sur la situation militaire en Algérie, qu'il décrit comme très favorable du point de vue français. Bromberger a également souligné que le commandement supérieur français, qui « passait pour s'être d'abord beaucoup ému de ces perspectives imposées par l'Elysée », se montre « aujourd'hui, études faites, (...) beaucoup moins alarmé ». Un membre de l'état-major français, interrogé sur l'exactitude du rapport de Bromberger, a répondu qu'il était juste pour l'essentiel, mais qu'il aurait été plus exact de dire que l'armée était, non pas « beaucoup moins alarmée », mais simplement « moins alarmée ». Dans son article, Bromberger montre clairement que si l'armée accepte les retraits de troupes, cela est dû à leur nature limitée et à la situation excellente de l'armée française en Algérie ; il est probable que l'ordre de mettre en œuvre un retrait plus important, et particulièrement tout ordre de retrait du très efficace et très élaboré barrage tunisien[64], serait accueilli par des réactions vigoureuses, et peut-être même par une nouvelle révolte de l'armée. La victoire de l'armée française sur le champ de bataille, telle que la décrit Bromberger, rend la perspective d'une défaite politique de la France et d'un abandon de l'Algérie particulièrement désagréable et vexante pour cette fière armée, engagée dans des batailles désastreuses, sur de très larges fronts, depuis plus de vingt ans. D'un autre côté, malgré les nombreuses défaites imposées par l'armée française sur le champ de bataille, les forces du FLN en Algérie restent capables d'accomplir d'importants actes terroristes. Elles n'ont pas besoin de victoires militaires ; par leur simple survie, elles symbolisent la rébellion et l'aident à remplir ses objectifs.

Les faibles conséquences militaires du retrait de troupes sont maintenant admises

Après avoir souligné le caractère démoralisant de l'atmosphère actuelle à Alger, ainsi que l'inquiétude de l'armée suscitée par « la perspective du départ d'une nouvelle division, la 7ᵉ division légère blindée », Bromberger affirme que les autorités militaires « redoutent que le vide ainsi créé dans la zone sud du barrage tunisien et la nécessité de reconstituer un corps de réserve générale amputé de la 11ᵉ division légère d'intervention et des régiments dissous à la suite des événements du 22 avril[65] n'amènent à les priver d'effectifs indispensables ». Comme on a parlé des retraits sans indiquer comment on les pallierait, « le malaise se nourrit de l'incertitude ». De nouvelles considérations semblent cependant « avoir ramené un certain optimisme qui n'existait pas il y a quinze jours ». « Le commandement supérieur passait pour s'être d'abord beaucoup ému de ces perspectives imposées par l'Elysée. Aujourd'hui, études faites, il se montre beaucoup moins alarmé. »

« Le départ de la 7ᵉ division légère blindée, explique Bromberger, ne videra pas brutalement son aire de stationnement qui est le front sud du barrage tunisien. Deux régiments seulement sont en cours de déménagement, le 2ᵉ dragons et le 8ᵉ hussards, encore celui-ci n'était-il

---

[64] Barrage établi par l'armée française à la frontière algéro-tunisienne, destiné à empêcher les contacts entre les deux pays, et le ravitaillement et la relève des combattants du FLN.

[65] Il s'agit notamment du 1ᵉʳ REP, avec le commandant Elie Denoix de Saint-Marc, qui a investi Alger au début du putsch des généraux.

là qu'en pointillé, puisqu'il est en fait à Bizerte[66]. L'artillerie et le génie de la division, bien rodés aux problèmes du barrage, resteront en place. Et c'est sur l'intérieur que l'on récupérera les éléments de ces armes pour compléter la 7ᵉ division légère blindée pour l'Europe. Le problème immédiat est donc de trouver l'effectif de deux régiments de cavalerie, soit deux mille hommes, pour combler le trou dans le Sud-Est constantinois. Ce n'est pas un drame, estime-t-on.»

Description de l'excellente situation de l'armée française en Algérie et du manque d'efficacité au combat de ce qui reste des forces miliaires rebelles

Après avoir souligné que malgré le caractère limité de la ponction locale, le départ des troupes de l'intérieur de l'Algérie vers la France aura pour conséquence une réduction des effectifs globaux de l'armée en Algérie, Bromberger entreprend de développer le thème selon lequel la position de l'armée française s'est tellement améliorée ces dernières années qu'une réduction des forces françaises est maintenant devenue possible, « sans qu'un seul Européen soit obligé de déménager de ce fait ».

La tactique de l'armée française de lutte contre les rebelles - le quadrillage du pays -, remarque Bromberger, « a été conçue au cours des années 1956 et 1957, à l'époque où les grandes bandes étaient solidement implantées dans tous les massifs montagneux[67]. Aujourd'hui, plus qu'à aucune autre période, il existe un grand nombre de jeunes appelés qui, après avoir pris garnison pendant vingt-sept mois dans un poste, regagnent la métropole sans avoir entendu tirer d'autres coups de feu que ceux de l'exercice.»

La situation militaire en Algérie, poursuit Bromberger, a considérablement évolué depuis 1957. « Les grandes bandes rebelles ont disparu. Quand on trace encore sur les cartes d'état-major un cercle pour indiquer une katiba (compagnie rebelle), cela veut seulement dire qu'il existe dans cette zone un chef de katiba qui pourrait réunir une

---

[66] Bizerte, en Tunisie, où se trouve encore une base militaire française, théâtre de très violents affrontements, en juillet 1961, entre parachutistes français et militaires tunisiens qui voulaient récupérer la base.

[67] Le quadrillage consiste en la « défense statique des villages et des voies de communication » (Bernard Droz et Evelyne Lever, *op. cit.*, p. 125).

soixantaine d'hommes armés, mais il se garde bien de les réunir». Les rebelles vivent « en groupes dispersés de six à dix hommes. Avec la trêve, ils n'ont pas, comme on l'a dit, émigré dans les centres, ils s'en sont rapprochés, aux aguets de l'imprudence d'une voiture militaire isolée ou de la possibilité d'un raid de commando. (...) Leur présence aux abords des petites et moyennes cités a fait renaître l'organisation politico-militaire urbaine qui avait périclité. La reprise des offensives de ces derniers temps[68], souligne Bromberger, traduit assez bien cette nouvelle forme de l'activité rebelle. On a mis hors de combat, dans la journée d'hier, une soixantaine de fellaghas, mais ce total n'est constitué que par de toutes petites opérations dont aucune n'a entraîné plus de cinq tués à la fois. Ce sont bien ces groupes de six ou huit dont une partie réussit à s'enfuir et les combats se situent dans les vergers et les campagnes au voisinage des agglomérations. Le vrai bled et les massifs montagneux sont à peu près vides de fellaghas. On le constate, écrit Bromberger, au fait que 80% des exactions ont un caractère urbain ou périphérique.»

Bromberger continue ensuite en rapportant les estimations actuelles de la taille des forces du FLN en Algérie ainsi que le nombre d'armes à leurs disposition. « La totalité de l'appareil FLN est limité à 16 000 ou 17 000 personnes pour l'ensemble de l'Algérie, sur lesquelles il n'y a plus que 6 000 fellaghas avec des armes de guerre. A cela s'ajoutent encore 6 000 à 7 000 armes de complément, estime-t-on, qui vont du pistolet de la cellule terroriste urbaine au fusil de chasse placé dans une cache mais qui en sort éventuellement.»

Pour conclure, Bromberger écrit qu'en raison de la grande amélioration de la situation de l'armée française en Algérie, il est maintenant possible d'entreprendre une révision de la tactique de lutte contre les rebelles. L'armée, avance-t-il, pourrait renforcer le quadrillage « à proximité des zones où le fellagha se manifeste, (...) le rétracter là où son utilité est discutable. On supprimera par exemple tous les postes à l'effectif inférieur à une section. Il en existait d'un groupe. (...) Le chef de poste ne pouvait pas sans danger sortir en laissant six hommes sur place et en emmenant les six autres. Ces postes ne signifiaient pas grand-chose.»

---

[68] Les activités terroristes ont notamment connu un grand développement au printemps, au même moment que les attentats de l'OAS.

Commentaire

Interrogé sur la justesse de l'analyse de Bromberger, un chef de la section attachée du Deuxième Bureau du commandement de l'armée française a déclaré à l'attaché militaire américain à Paris que l'analyse était pour l'essentiel exacte, mais qu'au lieu d'écrire (au sujet de la décision de de Gaulle de retirer deux divisions) que le commandement supérieur français, qui « passait pour s'être d'abord beaucoup ému de ces perspectives imposées par l'Elysée », était désormais, après avoir étudié la situation, « beaucoup moins alarmé », il aurait été plus exact de simplement écrire « moins alarmé ».

Quant à la description très favorable de la situation militaire de l'armée française en Algérie faite par Bromberger, il ne fait en effet pas de doute que cette situation s'est considérablement améliorée depuis 1957, et particulièrement depuis l'achèvement en 1959 de la très efficace ligne de défense fortifiée des frontières tunisiennes et marocaines. Il ne fait pas non plus de doute que les forces rebelles ont subi de lourdes pertes sur le champ de bataille. Le FLN, cependant, a montré sa capacité à remporter des victoires politiques en Algérie et des victoires diplomatiques à l'étranger. Malgré ses défaites militaires en Algérie, il demeure toujours capable de mener une guérilla à petite échelle, et étant donné la nature du mouvement nationaliste et la détermination de ses membres, il restera capable d'accomplir d'importants actes terroristes. Dans les conditions actuelles, les forces du FLN de l'intérieur n'ont pas besoin de victoires militaires. Par leur simple survie, elles symbolisent la rébellion et l'aident à remplir ses objectifs.

Dans son article, Bromberger montre clairement que si l'armée accepte le retrait actuel des troupes, cela est dû à leur nature limitée et à l'excellente situation de l'armée française en Algérie ; il est cependant probable que l'ordre de mettre en œuvre un retrait plus important, et particulièrement tout ordre de retrait du très efficace et très élaboré barrage tunisien, serait accueilli par des réactions vigoureuses, et peut-être même par une nouvelle révolte de l'armée. La victoire de l'armée française sur le champ de bataille, telle que la décrit Bromberger, rend la perspective d'une défaite politique de la France et d'un abandon de l'Algérie particulièrement désagréable et vexante pour cette fière armée, engagée dans des batailles désastreuses, sur de très larges fronts, depuis plus de vingt ans[69].

(Accord de l'attaché militaire).

Pour l'Ambassadeur :
Randolph A. Kidder
Conseiller

---

[69] Cf. p. 132, dépêche du 9 janvier 1962 : « ...la fière armée française souffre d'un malaise. Après avoir mené des guerres désastreuses sur de très larges fronts pendant plus de vingt ans... ».

TELEGRAMME n° 1285. 8 septembre 1961.

La conférence de presse de de Gaulle du 5 septembre, en partie consacrée à l'Algérie, a fourni aux étudiants en théologie gaullienne son habituel lot de problèmes et d'obscurités. Il est évident, toutefois, que de Gaulle est plus déterminé que jamais à mettre en œuvre le « dégagement » de la France du chaudron algérien, et qu'il a fait une fois de plus des concessions au FLN. Il a ouvert la porte à de nouvelles négociations en déclarant avec réalisme être prêt à concéder la souveraineté sur le Sahara au nouvel Etat algérien ; mais il a accompagné son offre d'une condition : que le nouvel Etat permette à la France de sauvegarder ses intérêts économiques et militaires. Il a ajouté qu'au cas où cette sauvegarde ne serait pas garantie, la France se mettrait en devoir de conserver le Sahara, tant que ce sera dans son intérêt[70]. Il a également, et pour la première fois, envisagé une possible internationalisation du conflit, faisant usage du terme de « coopération »[71], plutôt que de celui d'« association », qui correspond à un objectif plus spécifique ; et il a carrément affirmé que le référendum conduirait à un Etat algérien indépendant[72].

Cependant, malgré ces nouvelles concessions, le FLN pourrait préférer sans doute attendre une victoire totale, et ce d'autant plus que de Gaulle se montre prêt à recourir éventuellement à un dégagement total.

Les remarques de de Gaulle sur le regroupement[73] soulignent l'impossibilité de la mise en œuvre de la politique d'autodétermination

---

[70] Le général de Gaulle a déclaré : « La question de la souveraineté du Sahara n'a pas à être considérée, tout au moins elle ne l'est pas par la France. (...) Mais, ce qui nous intéresse, c'est qu'il sorte de cet accord (...) une association qui sauvegarde nos intérêts. Si la sauvegarde ni l'association ne sont possibles, du côté algérien, il nous faudra [du Sahara] faire quelque chose de particulier aussi longtemps et pour autant que, pour nous, l'inconvénient ne sera pas supérieur à l'avantage. »

[71] « Nous n'excluons pas que [le] dégagement aboutisse à une coopération [à laquelle nous ne] tenons que dans la mesure où elle comporterait échange et compréhension. »

[72] L'« autodétermination veut dire un référendum qui instituera l'Etat algérien ».

[73] Dans le cas où il ne pourrait y avoir d'exécutif algérien capable de conduire le pays au référendum, les Français seraient « amenés à regrouper dans une région

par l'Exécutif provisoire qui a été envisagé[74]. On peut s'attendre à ce que le FLN refuse de participer ou de coopérer à une telle organisation. Tout musulman qui cultive encore l'attitude du "attendons et voyons" (*"wait and see"*) a maintenant sans doute compris que l'avenir se trouvait du côté d'un nouvel Etat algérien dominé par le FLN ; il suivra les consignes du FLN.

Sa large perspective historique, ainsi que la nécessité de se consacrer aux problèmes européens, ont convaincu de Gaulle qu'il était temps désormais que la France se dégage de l'Algérie. Il apparaît également qu'il est maintenant persuadé qu'après presque sept ans d'âpres combats, l'objectif d'un Etat algérien indépendant étroitement lié à la France n'est plus réalisable. En effet, à la lumière des déclarations et des objectifs du FLN, on peut avancer que l'« association » entre la France et une Algérie FLN va au devant des plus grandes difficultés.

A cette occasion, comme dans d'autres, de Gaulle a fait de gros efforts pour former l'opinion publique française aux "choses de la vie", telles qu'il les entend. Malheureusement, la classe comporte des éléments récalcitrants[75] qui proclament tout haut leur détermination à bouleverser ses plans, et peut-être même le régime. Dans sa conférence de presse, de Gaulle n'a pas répondu à une question concernant l'état d'esprit de l'armée, mais la question reste posée de savoir si l'armée acceptera le dégagement de la France d'Algérie. Le désespoir d'une minorité européenne effrayée et au sang fougueux est de plus en plus évident ; associé aux complots des activistes, il pourrait être le déclencheur de troubles sérieux. Tant que le conflit algérien continue, le régime demeure fragile ; mais il est certain que les meilleurs espoirs de solution restent liés au président français, attaqué de toutes parts, mais résolu.

LYON

---

déterminée les Algériens de souche européenne et ceux des musulmans qui voudraient rester avec la France ».

[74] L'Exécutif provisoire, composé principalement d'Algériens, sera chargé d'assurer la transition entre le cessez-le-feu et le référendum d'autodétermination qu'il organisera.

[75] Cf. p. 129, dépêche du 9 janvier 1962 : « Des acteurs récalcitrants ».

Sujet

La France, l'Algérie et l'Ouest, un tournant. Analyse du problème algérien à la suite de la conférence de presse de de Gaulle du 5 septembre 1961.

Introduction

Les diverses franges de l'opinion à travers le monde ont pu trouver beaucoup de choses à accueillir avec satisfaction, parmi les déclarations que de Gaulle a faites dans sa conférence de presse du 5 septembre consacrée aux développements actuels de sa politique algérienne. Les leaders du FLN et leurs nombreux partisans et amis ont pu tirer une satisfaction particulière de la volonté de de Gaulle de mettre en œuvre le dégagement de l'Algérie, de sa décision d'accepter sans ménagement la thèse du FLN établie de longue date, selon laquelle un référendum en Algérie conduirait à un Etat algérien indépendant, et de son adhésion aux "réalités" du Sahara, y compris à une éventuelle acceptation de la souveraineté algérienne sur le Sahara. A l'Ouest, les observateurs ont pu exprimer leur approbation quant à la détermination de de Gaulle à ne pas ménager ses efforts pour trouver une solution rapide à un problème qui empoisonne depuis longtemps les relations entre les démocraties occidentales et les nations récentes et émergentes d'Afrique et d'Asie. A l'Est, les dirigeants des pays du bloc ont pu entrevoir une nouvelle étape dans la marche inéluctable de l'histoire, et ont pu savourer la perspective d'une réalisation rapide de la prédiction gaullienne, faite au moment de son offre originale de l'autodétermination algérienne le 19[76] septembre 1959, selon laquelle la « sécession, où certains croient trouver l'indépendance » apporterait avec elle « une misère épouvantable, un affreux chaos politique, l'égorgement généralisé et, bientôt, la dictature belliqueuse des communistes ».

Cependant, il règne en France une grande préoccupation ainsi qu'un fort mécontentement en raison de la raideur de la nouvelle politique algérienne de de Gaulle ; selon des prédictions de mauvais augure, toute

---

[76] Le texte indique 19 au lieu du 16 septembre 1959.

tentative de la mettre en œuvre conduirait à la chute du régime. Le 8 septembre, un détonateur défectueux a sauvé de peu de Gaulle d'une tentative d'assassinat, et la France d'un plongeon dans l'abîme[77]. On peut s'attendre à d'autres tentatives d'éloigner de Gaulle de la scène et d'inverser sa politique. Il est clair que, malgré le désir de de Gaulle de tourner une page d'histoire et de dégager le France de ce chaudron algérien nuisible et néfaste, l'avenir de la France reste lourdement hypothéqué par sa présence de plus de 130 ans en Algérie.

Il est également clair que le conflit algérien, surtout depuis que de Gaulle a maintenant, et pour la première fois, franchement envisagé sa possible internationalisation prochaine, suscite désormais dans le monde une préoccupation plus grande encore que par le passé, non seulement chez les ennemis de la France à l'Est, mais également chez ses amis à l'Ouest. Quelles sont les conséquences de ce nouvel état de fait ?

Evolution de la politique algérienne de de Gaulle

Le retour de de Gaulle au pouvoir en 1958 a été rendu possible grâce à l'action des partisans de l'Algérie française ; de Gaulle a cependant rapidement fait comprendre qu'il ne considérait pas l'intégration de l'Algérie à la France comme un objectif réalisable. En annonçant son offre de l'autodétermination le 16 septembre 1959, de Gaulle a confirmé ce qui était déjà devenu évident : l'objectif principal de sa politique algérienne est la marche vers la création d'une Algérie nouvelle et prospère qui choisirait, d'elle-même et pour son profit, de demeurer associée étroitement à une France généreuse et compréhensive. En s'engageant à effectuer la transformation sociale et économique de l'Algérie, en élargissant la participation politique des neuf dixièmes musulmans de la population et en intensifiant les activités militaires et sociales de l'armée française dans le but d'accentuer l'isolement des rebelles par rapport à la masse de la population musulmane, de Gaulle a laborieusement tenté de faire naître une nouvelle « troisième force » de musulmans représentatifs, mais non rebelles, avec qui il puisse remplir ses objectifs[78]. Soulagés de voir la destinée de la France placée dans les

---

[77] Le 8 septembre 1961, sur la route de Colombey, à Pont-sur-Seine, une bombe explose un instant avant le passage de la voiture du général, sans que ce dernier soit touché.

[78] Il s'agissait d'augmenter le nombre de cadres musulmans, dans l'administration ou dans la gestion des affaires locales par exemple.

mains d'un dirigeant si résolu, respecté et généreux, et reconnaissant les problèmes particuliers attachés à une région où se trouve une population européenne profondément enracinée, de plus d'un million de personnes[79], les alliés de la France ont apporté à de Gaulle leur soutien diplomatique et leurs encouragements pour son effort ambitieux.

Les difficultés inhérentes à l'objectif de de Gaulle de bâtir une Algérie nouvelle associée à la France devaient devenir de plus en plus évidentes pendant les mois - et les années - qui ont suivi son retour au pouvoir. La « troisième force » musulmane longuement attendue n'est pas apparue ; quand elles ont spectaculairement brisé leur long silence en décembre 1960, les masses musulmanes sont descendues dans la rue en réclamant une Algérie FLN[80]. Dans le même temps, des membres de la minorité européenne, échauffés et effrayés - encouragés par leurs sympathisants au sein de l'armée française -, ont exprimé leur désespoir et leur détermination à imposer un changement de la politique algérienne de de Gaulle, en conduisant l'insurrection des "barricades" de janvier 1960. A ce moment, commençant par les pourparlers de Melun en juin 1960, et ce malgré sa détermination passée à ce que la France n'accepte pas l'ouverture de négociations avec les représentants du FLN avant la conclusion d'un cessez-le-feu, de Gaulle a tenté de négocier directement un accord avec le FLN. Malgré cela, tous ces efforts pour parvenir à un accord bilatéral ont échoué. Attendant une victoire totale, le FLN refusait avec intransigeance la thèse française selon laquelle le Sahara ne ferait pas partie de l'Algérie, et refusait d'accéder aux demandes françaises - conservation de bases militaires et garanties spéciales pour les Européens d'Algérie. Aucune des deux parties n'était prête à céder sur ce qu'elle considérait comme des questions vitales[81].

---

[79] Cf. p. 138, dépêche du 9 janvier 1962 : « une communauté profondément enracinée de plus d'un million de personnes ».

[80] Du 11 au 13 décembre 1960, alors que le général de Gaulle se trouve en Algérie, des milliers d'Algériens manifestent, drapeau FLN en tête, à Alger et dans les grandes villes. Les affrontements avec les Européens et avec l'armée sont violents, causant de nombreuses victimes parmi les manifestants.

[81] En juin 1960, à Melun, les pourparlers en vue des négociations achoppent sur la question du cessez-le-feu, préalable indispensable pour la France, élément de la négociation pour le FLN. En février et mars 1961 ont lieu des rencontres entre Georges Pompidou et Ahmed Boumendjel, et des négociations ont failli avoir lieu à Evian en avril 1961, avant d'être annulées.

Depuis avril 1961, la politique algérienne de de Gaulle a évolué à une vitesse accélérée. Dans une conférence de presse, le 11 avril 1961, il a franchement déclaré que la France n'avait « aucun intérêt à maintenir sous sa loi et sous sa dépendance une Algérie qui choisirait un autre destin », et après avoir remarqué que « l'Algérie nous coûte, c'est le moins qu'on puisse dire, plus cher qu'elle nous rapporte », il a de nouveau choqué beaucoup de ses compatriotes en disant que « la France considérerait avec le plus grand sang-froid une solution telle que l'Algérie cessât d'appartenir à son domaine », une solution, a-t-il répété, qu'il considère « actuellement d'un cœur parfaitement tranquille ». Ces affirmations devaient être citées avec une particulière amertume par des Français moins calmes, qui exprimèrent leur opposition à l'abandon de l'Algérie en organisant et menant la révolte manquée de l'armée du 22 avril.

Dans sa conférence de presse du 11 avril, de Gaulle a également envisagé l'éventualité dans laquelle la France devrait opérer un « regroupement » des personnes qui ne voudraient pas prendre le risque de vivre dans un nouvel Etat algérien qui aurait refusé d'être associé à la France[82]. Il a de nouveau souligné cette éventualité dans un discours solennel radiodiffusé et télévisé, le 12 juillet : si l'on ne pouvait bâtir une association permettant la coopération organique des communautés en Algérie et garantissant les intérêts de la France, il faudrait à cette dernière « regrouper, dans telle ou telle zone, afin de les protéger, ceux des habitants qui se refuseraient à faire partie d'un Etat voué au chaos ». Le 5 septembre, de Gaulle n'a pas seulement avancé d'un air sombre le regroupement comme une alternative de plus en plus vraisemblable à l'association, mais il a également élargi son vocabulaire algérien en esquissant l'alternative encore moins encourageante entre un « dégagement » suivi du chaos, et une « coopération », moins ambitieuse et moins rassurante que l'« association ».

Le 5 septembre, de Gaulle a également, contre toute attente, de nouveau ouvert la porte à de nouvelles tentatives de reprise des négociations, en annonçant que la France était prête à concéder éventuellement la souveraineté du Sahara à un Etat algérien nouveau. Aussi longtemps que les deux parties demeurèrent fermes dans leur refus

---

[82] Le général de Gaulle a déclaré : « Ces populations-là [« certaines populations » qui auront « très probablement » exprimé « la volonté d'appartenir à la France »], nous aurions donc d'abord à les regrouper en assurant leur protection ».

de céder sur ce qu'elles considéraient toutes les deux comme leurs intérêts vitaux, toutes les tentatives pour conclure un accord de paix négocié furent vouées à l'échec. Désormais, de Gaulle ayant fait des concessions significatives sur toutes les questions majeures en jeu, et ayant déclaré que la France était prête à un « dégagement » si les désavantages dépassaient les avantages, un retrait négocié d'Algérie appartient au champ des possibles.

Bien qu'elle soit possible, une solution négociée n'est cependant rien moins que probable. Les tentatives précédentes de négociations ont constamment été marquées par une recrudescence de la mauvaise volonté française à faire les concessions souhaitées par le FLN[83] ; de plus, il demeure encore de nombreuses pierres d'achoppement potentielles. Les affirmations de de Gaulle du 5 septembre au sujet du Sahara étaient prudemment limitées[84] ; il pourrait peut-être bien souhaiter la prochaine fois mettre davantage l'accent sur la minorité européenne ; il est certainement probable que Mers el-Kébir[85] est aussi important pour lui que Bizerte Il faut également remarquer que de Gaulle, qui par le passé a toujours semblé préférer les concessions unilatérales aux négociations bilatérales, a été étonnamment pessimiste quant à la perspective de négociations, dans sa conférence de presse du 5 septembre[86]. Et malgré la position conciliante nouvelle de de Gaulle sur le Sahara, il est également probable que le FLN, confiant dans son avenir, préférera attendre une victoire totale, tout particulièrement s'il sait que de Gaulle est prêt à recourir à un dégagement total. Au même moment, les sombres évocations de « regroupement » et de « dégagement » faites par de Gaulle soulignent son incapacité de fait à mettre en œuvre sa politique d'autodétermination par l'établissement d'un Exécutif provisoire. On peut s'attendre à un refus du FLN de participer ou de coopérer à une telle organisation. Il est probable que tout musulman qui cultive encore l'attitude du "attendons et voyons" (*"wait and see"*) a maintenant sans

---

[83] C'est principalement l'intransigeance française sur la question du Sahara qui a fait échouer les rencontres d'Evian en juin, et de Lugrin en juillet 1961.

[84] De Gaulle a fortement insisté sur la sauvegarde nécessaire des intérêts français au Sahara en cas d'abandon par la France de la souveraineté sur le Sahara.

[85] Base navale près d'Oran.

[86] Du moins a-t-il clairement envisagé le cas où les négociations échoueraient, conduisant à un regroupement des « Algériens de souche européenne ».

doute compris que l'avenir se trouvait du côté d'un nouvel Etat algérien dominé par le FLN ; il suivra donc les consignes allant dans ce sens.

Durant les derniers mois, la politique algérienne de de Gaulle est donc passée d'une défense de plus en plus faible de la position de la France en Algérie, à un mouvement vers une tentative de « dégagement » français se développant semble-t-il rapidement, dégagement qui s'accompagnerait - et serait suivi - d'un "chaos" facilement prévisible.

Conséquences pour la France de la nouvelle politique algérienne de de Gaulle

La première et la plus évidente des conclusions que l'on puisse tirer de l'analyse de la nouvelle politique algérienne de de Gaulle, est la triste prévision que cette politique ne marchera probablement pas. Même dans le cas peu vraisemblable où le gouvernement français et le FLN accepteraient de négocier un accord satisfaisant, il y a fort à parier que l'OAS (Organisation Armée Secrète, devenue aujourd'hui, avec le FLN, l'une des deux plus puissantes forces politiques d'Algérie) pourrait, avec le soutien actif de presque toute la minorité européenne et le soutien actif ou passif de la plus grande partie de l'armée, empêcher la mise en œuvre d'un accord remettant l'Algérie dans les mains du FLN.

Si - c'est plus probable -, de Gaulle, estimant que la « coopération » est un objectif aussi inaccessible que l'« association » (alors que même la simple coexistence devient chaque jour plus problématique), décide d'effectuer le « dégagement », on peut s'attendre à ce que l'armée française, soutenue et secondée par une minorité européenne effrayée et déterminée qui suit les directives de l'OAS, refuse de remplir une mission qui irait à l'encontre de tout ce pour quoi tant de ses membres ont travaillé, combattu et péri.

Il est difficile d'imaginer l'armée française se retirer de ses lignes de défense fort efficaces et élaborées des frontières tunisiennes et marocaines ; il est impossible d'imaginer l'armée française escortant Ben Khedda à Rocher-Noir[87], et encore moins à Alger. Pour beaucoup des militaires dotés d'une conscience politique, ce serait quasiment la même chose. Même si le « regroupement », selon le mot de de Gaulle, était mis en œuvre, les regroupés se consacreraient alors sans aucun doute à la

---

[87] Aéroport d'Alger.

transformation du regroupement en une partition *de facto* de l'Algérie, processus qu'aucun nouvel Etat révolutionnaire algérien ne pourrait tolérer. Une partition de l'Algérie, probablement la plus mauvaise de toutes les "solutions", conduirait sans aucun doute à l'intensification des combats, accompagnée d'une internationalisation militaire du conflit.

En outre, si de Gaulle essaie de mettre en œuvre l'un ou l'autre des termes de l'alternative qu'il a esquissée - un règlement négocié fondé pour l'essentiel sur les positions du FLN, ou un dégagement accompagné d'un regroupement -, il est probable que l'OAS fera tout ce qui est en son considérable pouvoir pour faire très largement éclater la violence, à une échelle telle qu'elle conduirait probablement à une intervention de l'armée française pour imposer, sinon un renversement du régime en France, du moins un retournement de la politique de de Gaulle en Algérie.

Beaucoup d'hommes capables et déterminés - accompagnés d'autres individus plus extravagants mais néanmoins déterminés - ont consacré leur vie, leur situation et leur honneur à provoquer un tel retournement. Depuis le début de son existence, la simple survie de la Cinquième République a été liée à sa capacité à trouver une solution au conflit algérien. Confrontée aux mêmes problèmes, à un stade antérieur de leur développement, la Quatrième République s'est effondrée quarante-trois mois après le début du conflit algérien. La Cinquième République aura achevé le quarante-troisième mois de son cauchemar algérien en janvier 1962.

Conséquences pour les Etats-Unis de la nouvelle politique algérienne de de Gaulle

La politique algérienne de de Gaulle de 1958 à 1961 était l'une de celle qui pouvait être soutenue de tout cœur par les hommes de bonne volonté, partout dans le monde. Elle avait reçue le chaleureux soutien de ceux qui ont compris que le problème algérien n'est pas un simple problème de "décolonisation", mais le problème de deux communautés profondément enracinées et vivant ensemble sur le même sol[88]. La politique de de Gaulle antérieure à avril 1961 a cependant échoué. Etant donné l'immensité des problèmes que pose l'Algérie, la longue histoire

---

[88] Cf. p. 140, dépêche du 9 janvier 1962 : « Le problème algérien n'est pas un problème typique de "décolonisation" : il demeure celui de deux communautés profondément enracinées, vivant ensemble sur le même sol ».

des erreurs de la France en Algérie, la nature et l'histoire des mouvements nationalistes d'après-guerre ailleurs dans le monde, le caractère sanglant et durable du conflit, et enfin l'inévitable évolution extrémiste et gauchisante des nationalistes algériens eux-mêmes[89], l'échec de de Gaulle n'est pas surprenant. En effet, à la lumière des positions idéologiques et des objectifs du FLN, du cataclysme dans lequel il prendra probablement le pouvoir et des très vastes problèmes économiques et sociaux auxquels il sera inévitablement confronté, on peut avancer que l'objectif généreux de de Gaulle d'une « association » entre la France et une Algérie indépendante est maintenant aussi probable dans le long terme qu'une association entre les Etats-Unis et Cuba de Castro.

D'un autre côté, on peut affirmer que de Gaulle demeure toujours le meilleur espoir pour une conclusion du conflit la moins dommageable pour les intérêts occidentaux. Dans les circonstances actuelles, il est en effet probable que la meilleure solution du point de vue américain serait un règlement négocié, suivi d'une transition ordonnée des pouvoirs. Il faut cependant clairement reconnaître que la conclusion d'un tel règlement est non seulement improbable, mais aussi que la longue tentative de de Gaulle d'y aboutir entraîne de grands dangers, pour la France, mais également pour ses alliés occidentaux. Evidemment, d'un point de vue non seulement politique mais aussi militaire et stratégique tout à fait réel, les intérêts de ces derniers coïncident avec ceux de la première. Dans l'état actuel du monde, pour le meilleur ou pour le pire, il est évident que les alliés de la France sont condamnés à partager ses problèmes et ses dangers. L'échec de de Gaulle dans sa recherche d'un accord mutuellement avantageux entre la France et le FLN a bien sûr pour conséquence supplémentaire la prise de conscience du fait que personne ni aucun gouvernement, qu'il soit français, algérien ou étranger, ne peut vraisemblablement réussir dans une telle entreprise, et que de Gaulle possède de réels avantages, grâce à sa personnalité et sa grande popularité que nul autre ne détient.

Dans l'hypothèse désormais probable d'une situation chaotique en Algérie, il est cependant évident que d'autres pouvoirs, dont les Etats-Unis, auront un rôle à jouer. Dans une parenthèse plus amère de sa conférence de presse du 11 avril, de Gaulle a fait allusion à cette éventualité. Après avoir souligné que l'on entendait dire : « Dans les

---

[89] Cf. p. 135, dépêche du 9 janvier 1962.

régions dont la France se retirerait, on verrait ou l'Union Soviétique ou l'Amérique, ou l'une et l'autre à la fois, essayer de prendre la place de la France », il a déclaré sèchement : « Je réponds qu'à toutes les deux je souhaite d'avance bien du plaisir ! ».

En dépit - ou presque à cause - du triste aspect de la situation algérienne, les Etats-Unis devront tout de même s'impliquer plus directement. Auparavant, ils doivent formuler des politiques nouvelles, stratégiques et économiques aussi bien que diplomatiques, pour remplacer leur traditionnelle tentative de soutien au de Gaulle qui cherche avec générosité et acharnement à établir une association fructueuse entre la France et l'Algérie. Alors que de Gaulle est prêt à envisager d'abandonner l'Algérie à un destin incertain, apporter de tout cœur son soutien à de Gaulle n'est plus assez. D'un autre côté, les dangers qu'implique un engagement prématuré ou mal coordonné des Etats-Unis en Algérie ne sont que trop évidents. Un précédent effort, en Tunisie, avait été l'un des facteurs de la chute de la précédente République française.

Pour conclure, on peut affirmer qu'un tournant a été atteint en Algérie, à la fois pour la France et pour les amis de la France à l'Ouest. Cependant, les grands tournants menant d'une Algérie déchirée par la guerre et accablée par la lutte, à un pays gouverné par une République algérienne stable et indépendante, et d'une France rongée par le complot à un pays gouverné par une Cinquième République stable, ne sont pas en vue.

Pour l'Ambassadeur :
John A. Bovey, Jr.
Premier Secrétaire

DEPECHE n° 330. 22 septembre 1961.

Sujet

Salan nie toute responsabilité de l'OAS dans la tentative d'assassinat de de Gaulle du 8 septembre 1961 ; il engage un débat avec le directeur du *Monde* ; ses arguments sont démentis par des officiels français à Alger ; commentaires contradictoires à propos du bien-fondé de l'accusation.

Résumé

La tournure digne d'*Alice au pays des Merveilles* que prennent beaucoup d'événements marquant la scène politique française actuelle a de nouveau été mise en lumière le 19 septembre 1961, par la publication dans le plus sérieux des quotidiens français, *Le Monde*[90], d'un échange de vues entre son directeur, Hubert Beuve-Méry, et l'ex-général Raoul Salan, en fuite de la justice française, condamné à mort pour son rôle dans le putsch manqué du 22 avril 1961, et qui est maintenant le principal dirigeant de l'organisation terroriste de droite, l'OAS (Organisation Armée Secrète). En réponse à un éditorial de Beuve-Méry exprimant surprise et consternation devant la possible responsabilité d'hommes tels que Salan dans la tentative d'assassinat de de Gaulle, Salan, dans un long développement, défend ses convictions politiques, nie toute responsabilité dans la tentative d'assassinat et sous-entend que celle-ci pourrait être fausse et organisée par le gouvernement français. Dans un éditorial publié en première page du même numéro, Beuve-Méry déclare que les protestations de Salan auraient été mieux accueillies s'il avait également rejeté toute responsabilité dans les nombreux attentats à la bombe perpétrés par l'OAS, et affirme que la lettre de Salan fait partie d'une manœuvre politique destinée à troubler et tromper le peuple français. Le lendemain, les autorités françaises d'Alger ont contesté les allégations de Salan en publiant deux documents de l'OAS, présentés comme des preuves de sa complicité dans la tentative d'assassinat. Bien que de nombreuses personnes en France prétendent avoir des doutes sur l'authenticité de la tentative d'assassinat de de Gaulle, et bien que l'on puisse reconnaître que la présentation officielle des faits ait été en partie

---

[90] Numéro du *Monde* publié le 19 septembre, daté du 20 septembre.

78

confuse, il est cependant de l'avis de l'ambassade que l'attentat n'était que trop véritable.

Descente dans le terrier du lapin[91]

Datée « Alger, le 15 septembre 1961 », la lettre de Salan est, en partie, la réponse à un éditorial intitulé « Le temps des assassins », publié par Beuve-Méry le 12 septembre. Avant de nier toute responsabilité de l'OAS dans la tentative d'assassinat de de Gaulle, Salan livre à ses lecteurs une critique longue et amère de la manière dont de Gaulle gouverne la France. « Quel Français, demande-t-il de façon rhétorique, n'a été étonné du ton désinvolte et léger d'un discours [la conférence de presse du 5 septembre 1961] prononcé par le chef de l'Etat à un moment aussi crucial pour le présent aussi bien que pour l'avenir de notre pays ? Des conflits s'élèvent de toute part en métropole, remarque Salan, et l'impuissance de l'Etat à les résoudre frappe tous les esprits. De graves atteintes sont portées à nos alliances, continue-t-il, et compromettent nos positions extérieures. » D'un autre côté, la situation algérienne devient de plus en plus pressante et dramatique. « Tandis que les rives du Sud sont livrées à l'anarchie, tandis que la poussée du communisme se fait tout entière en direction de l'Afrique, les meilleures de nos troupes sont attirées dans le piège que leur tend l'impérialisme soviétique. »

« Tous les régimes qui reposent sur le seul exercice de la contrainte, affirme Salan, ont coutume de dériver le mécontentement populaire vers des groupes sociaux et confessionnels. Ceux-ci sont montrés d'un doigt accusateur à l'opinion publique, que l'on espère aveugler par la passion. » En déclarant que « l'autorité sans limite que nous subissons n'échappe point à cette loi », Salan continue en montant à la charge : « Et déjà les Français d'Afrique du Nord, et tout particulièrement ceux d'Algérie, sont en train de jouer le rôle qu'en d'autres circonstances ont pu jouer les Israélites d'Europe centrale. »

En évoquant le régime gaulliste, Salan fait indirectement allusion à la tentative d'assassinat de de Gaulle du 8 septembre 1961, en laissant entendre que l'attentat a été organisé par le gouvernement français. « Une autre méthode traditionnellement utilisée est la machination de faux

---

[91] « *Down the Rabbit-hole* », titre du premier chapitre d'*Alice au pays des Merveilles*.

complots et de faux attentats qui permettent de réduire l'opposition et de consolider un pouvoir chancelant. »

Salan poursuit : « Voici que les Français s'avisent de dresser un bilan de trois années de pouvoir personnel, de comparer les promesses de départ et les résultats d'arrivée. » Ils ont réalisé qu'« une autorité despotique leur a demandé d'aliéner une part de leur liberté, sous le prétexte du bien général à accomplir, et que cette même autocratie a conduit la France dans un "carrefour d'impasses". Mais, continue-t-il, il ne suffisait pas que la confiance accordée fût inconditionnelle, il fallait encore approuver toutes les violations de la Constitution. Et voici qu'aujourd'hui le parlement refuse le rôle figuratif qu'on lui imposait, que les représentants du peuple acquièrent une conscience plus vivante du mandat national dont ils sont les dépositaires. »

« Tous s'aperçoivent, déclare Salan, que le pouvoir a décidé arbitrairement de la mise en jeu de l'article 16[92], dont nous savons qu'il était réservé au cas exceptionnel d'une guerre. Aujourd'hui, le pouvoir législatif est à juste titre désireux de faire entendre la voix de la nation. Les masses paysannes sont acculées à faire valoir leur droit à la vie et leur légitime participation au revenu national par un appel à l'agitation de rue. Les fonctionnaires et les ouvriers, dont le gouvernement a longtemps méprisé les organisations syndicales, peuvent s'associer demain à un mouvement de protestation générale. Enfin l'Algérie et l'armée, livrées à l'incohérence des décisions les plus contradictoires, et parfois les plus aberrantes, sont convaincues des responsabilités majeures prises par le gouvernement dans le drame qui peut demain éclater ici et livrer le pays au communisme. »

« Comment un seul instant, demande Salan, peut-on douter de l'affolement qui saisit les chefs de la nation à la pensée que des comptes doivent être rendus ? Ils savent que leurs erreurs sont de celles qui ne se rattrapent pas, que le génie dont ils ont fait preuve dans la dissimulation a perdu ses effets et que les mensonges ne suffisent plus. Aussi a-t-on cru qu'une odieuse machination, mêlant l'invraisemblable au ridicule, suffirait à juguler l'opposition, à faire oublier le poids d'une dictature sans traditions et sans racines, à jeter dans la pénombre les abandons consentis. »

---

[92] Mis en œuvre le 23 avril 1961, au moment du putsch des généraux.

Atteignant le point culminant de sa dénégation, Salan déclare alors : « Mais n'a-t-on pas poussé l'ignominie jusqu'à laisser entendre que moi, Raoul Salan, deux fois commandant en chef devant l'ennemi [en Indochine, puis en Algérie], j'avais pu être l'instigateur d'une tentative de meurtre contre le chef de l'Etat ? Je ne ternirai pas mon passé et mon honneur militaire, poursuit Salan, en ordonnant un attentat contre une personne dont le passé appartient à l'histoire de notre nation. » Esquissant une analogie avec l'époque de la guerre, Salan rappelle que « des Français égarés furent pendant l'occupation allemande frappés dans leur vie et dans leur bien, mais en aucun cas la Résistance ne s'est arrogé le droit d'exécuter un attentat contre le chef de l'Etat que la France s'était alors donné. Comme le maréchal Pétain, dit Salan, le général de Gaulle fut investi par la volonté et la confiance nationales. Il devra rendre compte de sa mission devant le peuple de la France. »

Evoquant une tentative d'assassinat perpétrée contre lui en 1957, Salan déclare que dire qu'il a ordonné l'assassinat de de Gaulle est aussi impensable « que de prétendre voir dans le général de Gaulle l'inspirateur d'une agression mortelle, bien faite pour lui ouvrir les avenues du pouvoir. Ma présence à la tête de l'armée d'Algérie en 1957, ajoute-t-il, paraissait un obstacle à l'ambition criminelle de quelques-uns, qui depuis ont pu satisfaire leur volonté de puissance. Je suis pour ma part heureux que l'attentat de Colombey n'ait pas causé de victimes, alors que la fusée de bazooka qui m'était destinée provoquait la mort de mon chef de cabinet[93]. »

« Vraiment, continue-t-il, tout a été fait depuis quelques semaines pour augmenter l'angoisse dans le cœur des Français et les contraindre au silence. On a tout d'abord dénoncé des hommes sans importance comme les véritables responsables de l'armée secrète en métropole, puis un attentat fut présenté à l'opinion sous une forme qui appelle finalement l'étonnement et l'incrédulité tant elle présente d'invraisemblance. Le même jour, et par l'effet d'un hasard extraordinaire, certaines arrestations de civils permettent qu'un nouveau coup soit porté à nos grands chefs militaires. La manœuvre est claire. Ceux qui l'ont conçue et ceux qui l'ont exécutée peuvent aujourd'hui se

---

[93] Allusion à l'« affaire du bazooka », attentat perpétré le 16 janvier 1957 par les ultras d'Alger contre le général Salan, nouveau commandant en chef en Algérie, et jugé alors trop libéral ; il causa la mort du commandant Rodier. (Cf. p.186, dépêche du 8 juin 1962).

rendre compte de l'extrême médiocrité des résultats obtenus. Le prestige du pouvoir en sort plus abaissé. Sa propre main consomme sa perte, et ce n'est point une charge d'explosif qui pourra raccommoder les déchirures qu'il a lui-même agrandies.»

Faisant allusion à l'arrestation le 9 septembre 1961 des généraux Paul Vanuxem et Jean-Marie Charles Boucher de Crèvecœur, qui ont été accusés d'être les chefs de l'OAS en France métropolitaine, Salan continue en proclamant solennellement qu'aucun des deux généraux n'a «jamais exercé à aucun moment et en aucune manière, un commandement quelconque dans l'Organisation de l'armée secrète». «Ce sont, ajoute-t-il, des patriotes fermes et lucides, simplement.» Il pense «que ces hommes-là seront un jour appelés à rendre à la patrie les mêmes services qu'ils lui ont rendus dans le passé».

Pour conclure, Salan répond aux accusations portées par ceux qui agitent «le spectre de l'instauration d'un nouveau pouvoir personnel, voire de la dictature militaire». «L'Armée secrète, dit-il, n'est pas une faction politique, c'est une véritable armée visant à mobiliser les Français sur le terrain essentiel de la défense des libertés fondamentales, de la justice sociale et du territoire national. L'état-major de l'OAS n'est pas et ne sera jamais une équipe de remplacement gouvernementale. Il y a une Constitution, il y a aussi et surtout des Assemblées et un peuple de France. L'OAS leur apporte ses forces physiques et morales, elle leur apporte sa foi dans l'avenir de notre pays.»

La mare de larmes[94]

Dans un éditorial signé, intitulé «Dénégations et manœuvres», publié en première page de l'édition du *Monde* du 19 septembre 1961, le même numéro où figure la lettre de Salan, Beuve-Méry remarque que lorsqu'un «homme, fût-il condamné à mort, met en jeu son honneur de soldat pour affirmer qu'il n'a pu être "l'instigateur d'une tentative de meurtre contre le chef de l'Etat", l'honneur d'un journal exige que sa dénégation ne soit pas étouffée, aussi longtemps du moins que la justice n'aura pas réussi à faire toute la lumière».

---

[94] «*The Pool of Tears*», titre du deuxième chapitre d'*Alice au pays des Merveilles*.

« Mieux eût valu, poursuit Beuve-Méry, que l'ex-commandant en chef s'en tînt là. Ou plutôt qu'il profitât de cette occasion pour désavouer en bloc les actes criminels revendiqués par les formations qui se réclament de l'Armée secrète. Des deux côtés de la Méditerranée, les Français exposés au hasard d'explosions plus ou moins meurtrières auraient été heureux d'apprendre - un peu égoïstement peut-être - que le démenti ne s'appliquait pas au seul cas du général de Gaulle. »

Beaucoup de Français, en revanche, déclare Beuve-Méry, « seront déçus de constater que les dénégations du chef de l'OAS sont étroitement liées à une manœuvre politique », une manœuvre qui « ne trompera que ceux qui voudront bien être trompés ». En réfutant les arguments de Salan, Beuve-Méry dit qu'« il est bien vrai que le communisme international entend s'établir en Afrique, comme dans la partie de l'Asie qui lui échappe encore, en Amérique du Sud, et, finalement, partout dans le monde. Mais il n'est pas sérieux de réduire l'affaire de Berlin à un simple "piège", à une sorte d'attrape-nigaud. »

En réponse à l'analogie de Salan entre les Français d'Afrique du Nord et les Juifs qui vivaient en Europe centrale, Beuve-Méry pose la question : « Quand, depuis sept ans, tous les jeunes hommes de France se succèdent, combattent, souffrent et parfois meurent en Algérie pour la défense du territoire, la protection des personnes et des biens, est-il permis de crier de bonne foi au génocide ? »

Quant aux critiques de Salan concernant l'attribution de pouvoirs d'urgence à de Gaulle selon l'article 16 de la Constitution, Beuve-Méry fait le commentaire suivant : « Que peuvent les initiatives destructrices de l'OAS en Algérie comme en France, sinon affaiblir les adversaires du maintien en vigueur *sine die* du fameux article ? Comment croire enfin, poursuit Beuve-Méry, que l'état-major de l'OAS est dépourvu de toute ambition politique et, qu'une fois écarté du pouvoir l'homme contre lequel il se dresse aujourd'hui, il n'aurait rien de plus pressé que de s'effacer, de laisser à M. Monnerville [le président du Sénat qui, en cas de décès du président de la République, assurerait provisoirement ses fonctions] le soin d'appliquer scrupuleusement la Constitution ? »

Rappelant qu'il a discuté dans le passé avec des officiers qui sont aujourd'hui de hauts responsables de l'OAS, Beuve-Méry dit que « leurs projets d'avenir étaient, c'est le moins qu'on puisse dire, assez différents ». Il n'avait pas pu les convaincre « alors que nous n'en étions pas au point où l'insurrection, faute de tout autre moyen, peut devenir "le plus sacré des droits". Pas plus sans doute que je ne convaincrai aujourd'hui le chef de l'OAS. »

« Jusqu'où s'entêteront-ils, conclut Beuve-Méry, dans cette sinistre aventure, qui ne peut déboucher - ils le savent bien - sur l'"Algérie française", mais seulement casser un peu plus l'armée et aggraver les périls que court actuellement la France, notre patrie à tous ? »

Qui a dérobé les tartes ?[95]

Le 20 septembre, le lendemain de la publication de la lettre de Salan dans *Le Monde*, des officiels français d'Alger ont rendu public deux documents présentés comme des preuves de la complicité de l'OAS dans la tentative d'assassinat de de Gaulle. Le premier document est un extrait d'un message de trois pages qui, selon eux, aurait été envoyé par l'ex-colonel Godard[96], sous le pseudonyme de « Claude », à trois des responsables de l'OAS, « Guy » (ex-général Gardy[97]), « Fleur » (ex-colonel Gardes[98]) et « Pauline » (inconnu). L'extrait fait allusion à « Verdun », « Balance », « Laon », « Janine », et à « l'objectif NR 1 (GRZ) », qui, selon les officiels, seraient le général Vanuxem, le colonel de Blignières[99], Pierre Lagaillarde[100], Jacques Susini[101], le capitaine

---

[95] « *Who stole the Tarts ?* », titre du onzième chapitre d'*Alice au pays des Merveilles*.

[96] Ancien chef de la Sûreté à Alger, il a participé au putsch d'avril 1961, à la suite duquel il a créé le Comité supérieur de l'OAS (CSOAS), dont il dirige l'une des trois branches : l'ORO (Organisation, renseignement, opération).

[97] Ayant participé au putsch, il dirige ensuite l'APP avec Susini, la branche Action psychologique et propagande du CSOAS.

[98] Ancien chef des Services de l'action psychologique de l'armée, membre du groupe des colonels qui ont lancé et mené la Semaine des barricades, il dirige l'OM, la branche Organisation des masses du CSOAS.

[99] Officier impliqué dans le putsch.

[100] Cf. note 35, p. 46, dépêche du 16 février 1960.

[101] Jean-Jacques Susini. Cf. note 21 p. 43, dépêche du 16 février 1960. Il dirige la branche APP du CSOAS avec Gardy. Il deviendra ensuite le principal chef de l'OAS, après l'arrestation de Salan, le 20 avril 1962.

Sergent[102], et - il n'est pas besoin de le dire - le général de Gaulle (désigné ailleurs par l'OAS sous le nom de « Grande Zohra »). L'extrait fait allusion à la nomination de « Verdun » (Vanuxem) en disant qu'il « ne s'est pas encore manifesté » ; il mentionne également que « Balance » (de Blignières) « est d'accord avec l'objectif NR 1 (GRZ) et prétend s'en occuper sérieusement ».

Le second document publié est une note manuscrite de « Fleur » (ex-colonel Gardes), dont l'écriture, selon les officiels, a été authentifiée. Datée du 11 septembre 1961, soit trois jours après la tentative d'assassinat, la note demande aux chefs de l'OAS de démentir toute responsabilité dans l'attentat ; il est dit que « c'est un coup monté par Foccart, Elysée, etc, etc... » (Jacques Foccart, conseiller technique au cabinet de de Gaulle en 1958 et secrétaire général de la Communauté depuis janvier 1959 ; malgré la relative modestie de ses titres, il est cependant depuis longtemps un personnage-clé de l'entourage de de Gaulle) et voici la conclusion : « Le jour où l'OAS agira, il y aura mort d'homme. Fin de message. Fleur. »

Le premier document, s'il est établi, implique que le général Vanuxem est membre de l'OAS, mais ne fait pas de lien entre lui et la tentative d'assassinat. Le second document ne fait pas de lien entre l'OAS et la tentative d'assassinat, mais n'exclut pas d'un autre côté le fait que l'OAS puisse dans le futur perpétrer un attentat destiné à liquider son redoutable ennemi, la « Grande Zohra ».

Quoi qu'il en soit, il ne fait pas de doute que Salan et ses cohortes de l'OAS jouent un rôle de plus en plus actif, non seulement en Algérie mais également sur la scène politique française. Le 11 septembre 1961, par exemple, chaque député français a reçu une copie personnelle d'un « message du général Salan à Mesdames et Messieurs les parlementaires » ; de plus, de nombreuses bombes de l'OAS ont bien sûr explosé dans la région parisienne, plus d'une centaine depuis le début de 1961. On peut remarquer au passage que figurent parmi les cibles des explosions les bureaux du *Monde*, le 16 février 1961, et le domicile de son directeur, Hubert Beuve-Méry, le 28 août 1961.

En ce qui concerne la tentative ratée d'assassinat, beaucoup de gens en France prétendent avoir des doutes quant à son authenticité.

---

[102] Cf. note 29, p. 45, dépêche du 16 février 1960.

L'OAS a fait circuler un memorandum (« N° 46 » ; copie adressée à l'Ambassadeur des Etats-Unis) soulignant plusieurs déclarations ambiguës et confuses dans la version officielle de l'attentat. Néanmoins, d'autres sources, dont un aide de camp qui se trouvait dans la voiture de de Gaulle[103], ont garanti son authenticité. Bien que l'on puisse reconnaître que la présentation officielle des faits ait été en partie confuse, il est de l'avis de l'ambassade que l'attentat n'était que trop véritable.

Pour l'Ambassadeur :
John A. Bovey, Jr.
Premier Secrétaire

---

[103] Colonel Teissère, aide de camp de service le jour de l'attentat.

AIRGRAMME n° A-487. 27 septembre 1961.

Mendès France propose un gouvernement de transition de deux mois

Lors d'une conférence de presse à Paris le 25 septembre, l'ancien président du Conseil Mendès France, personnage discuté mais toujours bien en vue, a fait une entrée bruyante sur la turbulente scène politique française[104], en appelant au remplacement du régime par un gouvernement de transition de deux mois ; il serait chargé d'écarter la menace actuelle de guerre civile en mettant fin à la guerre d'Algérie grâce à des négociations avec le FLN et en présentant des propositions précises destinées à établir un nouveau « régime, normal et efficace ».

Déclarant qu'« un homme, aussi illustre soit-il », « ne tient pas lieu d'Etat à lui seul », et affirmant qu'« au vingtième siècle, un peuple n'assume pas son destin par procuration », l'ancien président du Conseil a accusé de Gaulle d'avoir créé un vide politique que remplissent les gens qui ont recours à la violence.

En ce qui concerne le problème algérien, Mendès France a rappelé ses efforts entrepris en vue de l'association franco-algérienne en 1954 et 1955, mais il a déclaré que « tout le monde sait aujourd'hui que l'Algérie sera indépendante, (...) gouvernée par le FLN (...) et que le Sahara sera algérien ». Critiquant sévèrement le plan de « dégagement » de de Gaulle en le qualifiant de « solution la plus désastreuse », il a souligné que le problème de la minorité européenne était le principal point à débattre dans les futures négociations avec le FLN. Remarquant l'efficacité de la grève générale et de la force de l'opinion publique unifiée, il a exprimé la conviction que les opposants au règlement de la paix en Algérie ne peuvent pas s'opposer à un règlement s'ils savent qu'il s'agit là de la volonté de la nation tout entière.

---

[104] L'expression anglaise, *Mendès France tossed rather battered but clearly recognizable hat into France's turbulent political ring*, est fort difficilement traduisible, exprimant à la fois doute et affection devant l'entrée en scène de l'ancien président du Conseil, qui lance son antienne, bien connue et quelque peu usée à la suite de ses nombreuses utilisations. Le (re)voilà, on le reconnaît, c'est bien lui, semble dire Francis De Tarr.

Bien que précis au sujet des objectifs d'un tel gouvernement, Mendès France n'a pas spécifié comment il serait formé ; il a seulement cité les mots prononcés par de Gaulle en mai 1958 : « lorsque les événements parlent très fort, les procédures comportent une flexibilité considérable »[105]. Il a déclaré que le nouveau gouvernement serait fondé sur le large « rassemblement » de tous ceux qui promettent de soutenir leurs idées sans recourir à la violence ; il se rendra dans certaines villes de province en octobre où il se mettra à la disposition de tous ceux qui, comme lui, sont prêts à établir les plans « qu'exige le salut du pays ».

Commentaire

Cette limitation à deux mois du projet de Mendès France rappelle sa promesse de 1954 de conclure la guerre d'Indochine en un mois ou de démissionner, et l'énoncé d'objectifs spécifiques évoque sa « plate-forme » pour les élections législatives de janvier 1956. Etant donné l'état actuel de la scène politique française, il est probable que ce tout nouvel effort aura encore moins d'effet pratique que la plate-forme mort-née de 1956. Dans ce contexte, Paul Legatte, conseiller technique au cabinet personnel de Mendès France lorsque ce dernier était ministre d'Etat en 1956[106], a déclaré au membre de l'ambassade qui assistait à la conférence[107], que malgré le fait que Mendès soit manifestement dans une forme qui rappelle les jours anciens, il lui sera quasiment impossible de mettre en œuvre ses projets.

GAVIN

---

[105] Conférence de presse du général de Gaulle du 19 mai 1958.

[106] Il fut également chef de cabinet du président du Conseil Mendès France en 1954-1955.

[107] Il s'agit bien sûr de Francis De Tarr.

Sujet

Pierre Brousse, secrétaire général du parti radical, exprime sa satisfaction à la suite du récent congrès de son parti, parle des problèmes que la France doit affronter et affirme que de Gaulle n'est plus le mieux qualifié pour s'occuper du problème algérien.

Le 17 octobre 1961, au cours d'une conversation au siège du parti radical, place de Valois, l'un des deux secrétaires généraux, Pierre Brousse, a déclaré que la toute récente période de convalescence du parti radical était désormais terminée ; il a affirmé sa préférence pour la partition de l'Algérie, qu'il considère comme la moins mauvaise des solutions du problème algérien ; il a dit qu'au sein de son parti, il appartenait à la minorité qui pense que de Gaulle n'est plus le mieux placé pour tenter de trouver une solution au problème algérien ; il a exprimé ses doutes quant à certains aspects des politiques extérieures actuelles des Etats-Unis et de la France.

Comme presque tous les Français sensés, Brousse est préoccupé par le problème algérien. Il a passé beaucoup de temps en Algérie et sa femme y est née. Lors de l'entretien, il s'est longuement étendu sur le caractère unique de la présence française en Algérie, une présence qui a très peu à voir, a-t-il souligné, avec l'ancienne présence française en Indochine ou la présence britannique en Inde (l'analogie la plus proche que l'on puisse faire étant celle des Boers d'Afrique du Sud). Les Français d'Algérie ont le sentiment de se battre pour leur pays. Ils ont beaucoup de choses en commun avec leurs voisins musulmans (un fait malheureusement illustré par la violence actuelle des Européens et des musulmans à Oran) ; d'une certaine façon, la guerre d'Algérie est une guerre civile et, en tant que telle, la pire des guerres.

Les seules solutions qui demeurent aujourd'hui, soutient Brousse, sont la partition de l'Algérie ou le retrait de la France ; et parmi celles-ci, c'est la partition qui est préférable, malgré le fait qu'elle sera très difficile à mettre en œuvre et que tout le monde s'accorde à dire qu'elle sera très insatisfaisante dans bien des domaines[108]. En outre, une partition viable appellerait l'accord des Etats-Unis et de l'Union soviétique (les deux seules puissances qui comptent réellement dans le monde), et pour cette dernière, les déchirures béantes à travers le monde sont bien sûr un avantage. Brousse a déclaré qu'il était de ceux qui, dans son parti, pensent que de Gaulle n'est plus le mieux placé pour s'occuper du problème algérien. De Gaulle a eu raison, pense-t-il, de ne pas choisir l'intégration de l'Algérie à la France, car cela n'aurait pu être qu'une solution temporaire. De Gaulle a cependant commis de graves erreurs au cours des négociations, et la situation en Algérie s'est beaucoup détériorée depuis qu'il est au pouvoir. Toute tentative de mettre en œuvre ses menaces de « dégagement » serait désastreuse.

L'absence de la France aux Nations Unies, poursuit Brousse, a été une lourde erreur. La France pourrait par exemple faire beaucoup pour attirer l'attention sur l'état actuel, fort critique, de la Pologne et d'autres pays d'Europe de l'Est, avec lesquels la France a entretenu des liens très étroits par le passé. Les Etats-Unis, a-t-il dit, seraient beaucoup plus avisés d'accorder plus d'attention aux Polonais que, par exemple, aux Baloubas. Brousse a ainsi donné voix aux reproches habituellement faits aux Américains de trop simplifier les problèmes, de dire « Vous n'avez qu'à... ». Mais il est cependant d'accord pour dire qu'après avoir eu à lutter contre la prolifération de tels problèmes insolubles partout dans le monde, les Etats-Unis ne sont plus aussi vulnérables sur ce point qu'ils ont pu l'être dans des périodes moins confuses.

Le véritable avenir de la France, selon Brousse, se trouve en Europe. Il est encourageant, a-t-il dit, de constater que les vieux problèmes, idéologiques aussi bien qu'internationaux, sont désormais en passe d'être oubliés. Il fait par exemple partie du vieux clan républicain (son grand-père, qui détestait le porc, se forçait à en manger chaque vendredi, car il pensait que c'était une manière particulièrement efficace d'exprimer son mépris pour une Eglise catholique romaine honnie, qui de plus avait des origines juives), mais comme beaucoup de ceux de sa génération, il n'éprouve plus de ressentiment à l'égard de l'Eglise catholique. Si seulement la France pouvait trouver une solution en Algérie, a-t-il dit, elle pourrait alors pleinement se consacrer à sa véritable vocation, qui se trouve en Europe.

---

[108] Cf. p. 75, dépêche du 19 septembre 1961 : « une partition de l'Algérie, probablement la plus mauvaise de toutes les "solutions" ».

A propos de son parti, il a exprimé sa satisfaction à la suite de son récent congrès[109], et sa confiance en l'avenir. A la différence de partis tels que le PSU, a-t-il dit, le parti radical a des racines profondes dans le pays. Environ neuf mille des trente-huit mille maires de France sont des radicaux, a-t-il souligné (les sources non-radicales citent en général le chiffre de cinq mille maires). Dans l'une de ses nombreuses digressions, il a déclaré qu'il était personnellement favorable à l'arrêt de la distribution des cartes de membre du parti. Le parti a commencé à délivrer des cartes en 1902, un an après sa création, pour être utilisées comme une sorte de "carte d'identité" par les républicains qui se rendaient dans les ministères. Elles ne constituent pas une importante source de recettes pour le parti ; et en répartissant le nombre de voix lors des congrès (qui repose en partie sur le nombre de cartes détenues par chaque fédération), il ne lui est pas difficile de savoir quelles sont les fédérations les plus importantes, celles qui doivent avoir le plus de délégués.

Mendès France, a dit Brousse, serait à nouveau le bienvenu au parti, à condition qu'il accepte de ne plus être président et d'appartenir au même parti que René Mayer, qui a été réintégré la semaine dernière[110]. Mendès France, pense-t-il, a été beaucoup trop doctrinaire dans ses efforts de refondation du parti dans les années 1955-1957.

Brousse était le président de l'organisation de jeunesse du parti radical avant 1955. Il est devenu l'un des secrétaires généraux du parti, avec François Giacobbi, en 1959. Mais Giacobbi ne joue pas un rôle très actif dans les affaires du parti. Brousse est depuis quelque temps un personnage-clé dans l'organisation du parti radical. Il est dynamique, volubile et ambitieux. Il a passé les cinq premières années de sa vie en Angleterre, mais ne parle pas, a-t-il dit, la « langue de Shakespeare ». Il a grandi dans le Limousin, dans le Sud-Ouest de la France.

Pour l'Ambassadeur :
John A. Bovey, Jr.
Premier Secrétaire

---

[109] Congrès du parti radical qui s'est tenu à Royan, du 5 au 8 octobre 1961.

[110] Mendès France est alors membre du PSU. René Mayer, membre de l'aile droite du parti radical, président du Conseil en 1953, a été l'un des principaux adversaires de Mendès France ; en partie responsable de la chute de ce dernier en février 1955, c'est contre lui et Léon Martinaud-Déplat que Mendès France a lutté pour prendre la tête du parti radical en mai 1955.

DEPECHE n° 520. 2 novembre 1961.

Sujet

Le « tracassin » politique français et de Gaulle : analyse de la scène politique française, automne 1961.

Note introductive

Dans son discours du 2 octobre 1961, le général de Gaulle a ajouté un nouveau mot au vocabulaire politique français déjà très bourgeonnant, en déclarant : « Si la France devait malheureusement autoriser le tracassin, le tumulte et l'incohérence qu'elle connaît si bien à prendre une nouvelle fois possession de nos affaires, notre lot sera l'humiliation ». Le terme "tracassin" ne figure pas dans le *Dictionnaire de la langue française* de Littré, le plus autorisé des dictionnaires français, mais son sens (ainsi que l'attitude de de Gaulle à l'égard de ses adversaires politiques) est clairement suggéré par les mots qui l'entourent, choisis par de Gaulle (tumulte, incohérence), et par les diverses traductions du nom "tracasserie" fournies par les dictionnaires : "tracas, complications, contrariétés, tourments, agaceries fâcheuses et désagréables, mesquineries, chicaneries" ; ou de l'adjectif "tracassier" : "importun, perturbateur, querelleur, inconvenant, sans gêne, mauvaise langue, fâcheux".

Il ne fait pas de doute que les fâcheux qui s'opposent à de Gaulle, comme à la plupart des dirigeants les plus résolus, sont légion. Etant donné sa position avantageuse, unique et olympienne, l'éventail du « tracassin » de de Gaulle est particulièrement vaste. Riche en personnalités variées, il va - pour ne citer que quelques produits d'un environnement français traditionnellement fertile - de Maurice Thorez à Jacques Soustelle, de Guy Mollet à Pierre Poujade, de Pierre Mendès France à Pierre Lagaillarde, et de Félix Gaillard à Raoul Salan.

Mais de la part de de Gaulle, l'utilisation de ce mot était avant tout destinée à ceux qui, ne pensant sans doute pas à mal, lui ont été particulièrement hostiles sur la scène parlementaire, à ceux qu'il a attaqués, plus loin dans le même discours, comme les partisans du système ancien, prêts à exploiter les problèmes que rencontre la France actuellement dans le but de revenir aux jeux politiques bien connus du passé. Le sujet principal de cette dépêche n'est pas les putschistes plastiqueurs français, ni les révolutionnaires comploteurs : il s'agit plutôt des fâcheux du monde politique, discoureurs et procéduriers.

Introduction

Après avoir tenu un discours républicain rassurant devant la dernière Assemblée nationale de la Quatrième République, le général de Gaulle a été officiellement investi le 1er juin 1958 par une majorité substantielle des députés français - 329 pour et 224 contre (dont un important contingent de 141 communistes et 49 des 91 socialistes), et 32 abstentions. On présageait des relations encore meilleures entre de Gaulle et les députés français avec l'élection en novembre 1958 de la première Assemblée nationale de la Cinquième République. Des 537 députés de la Quatrième République qui étaient candidats, 265 furent battus, dont la plupart de ceux qui s'étaient opposés à de Gaulle ; résultat d'un énorme raz-de-marée gaulliste, la nouvelle Assemblée nationale devait désormais compendre un bloc de plus de 200 députés, élus en tant que membres de l'UNR[111] gaulliste.

Mais au cours des trois dernières années, l'atmosphère au sein de la troupe des députés français - ainsi que parmi les autres politiciens et dirigeants politiques - est cependant devenue de plus en plus hostile à de Gaulle. Etant donné la déception naturelle liée à la persistance d'une guerre, que la presque totalité des Français imaginait voir menée à une conclusion satisfaisante par de Gaulle, ainsi que l'usure naturelle affectant n'importe quel gouvernement après trois années d'exercice, une telle évolution n'est pas surprenante. De plus, de profondes divergences d'opinion sont venues s'ajouter et ont donné lieu à une opposition parlementaire cinglante contre de Gaulle : ainsi en va-t-il de la politique sociale et économique, de l'insistance de de Gaulle à bâtir une force de frappe nucléaire, de la vénérable question des aides publiques aux écoles confessionnelles et, plus récemment, du problème agricole. Ces dernières semaines, le rythme des récriminations mutuelles a d'ailleurs atteint des sommets nouveaux et inégalés.

---

[111] Union pour la nouvelle République.

Les socialistes de Guy Mollet : la girouette tourne

L'opposition verbale la plus spectaculaire a été menée par les socialistes de Guy Mollet. Porté au pouvoir en 1956 après avoir mené campagne pour une politique libérale en Algérie[112], Mollet s'était incliné devant le nationalisme français renaissant et avait poursuivi une vigoureuse politique nationaliste lorsqu'il était président du Conseil, en intensifiant la guerre en Algérie et en lançant l'expédition de Suez. Plus tard, au moment de l'effondrement de la Quatrième République en mai 1958, Mollet a joué un rôle crucial dans le retour au pouvoir de de Gaulle. Bien que presque tous ses camarades socialistes au Parlement fussent opposés à de Gaulle dans les premiers moments de la crise qui engloutissait la France, la quasi-moitié des députés socialistes, encouragés par Mollet, vota pour de Gaulle le 1er juin. (Plusieurs de ceux qui étaient opposés à de Gaulle - et qui, depuis lors, détestent Mollet - quittèrent le parti le mois suivant et aidèrent à la fondation du parti socialiste autonome en septembre, appelé aujourd'hui, avec plus d'optimisme, parti socialiste unifié[113]). Après avoir été ministre d'Etat dans le gouvernement de de Gaulle de juin 1958 à janvier 1959, Mollet refusa de participer au gouvernement formé en janvier par Michel Debré, et annonça que les socialistes, qui attaquaient le nouveau régime en le qualifiant d'excessivement conservateur, suivraient désormais une politique d'« opposition constructive ». Lors d'une réunion du Conseil national du parti le même mois, Mollet fut applaudi avec enthousiasme par ses camarades socialistes lorsqu'il critiqua violemment la nouvelle politique économique et financière du gouvernement, et que - alors qu'il se trouvait en sécurité, loin du pouvoir - il appela à la mise en œuvre d'une politique libérale en Algérie.

L'opposition vociférante dirigée contre le gouvernement - avec un Premier ministre, Michel Debré, qui constitue une cible beaucoup plus commode et vulnérable que le président de Gaulle - a bien sûr été un outil fort utile aux efforts de reconstruction de l'unité du parti socialiste (une unité encore davantage réduite depuis que, le 12 février 1959, l'ancien et respecté président de la République Vincent Auriol, exprimant son manque de confiance en Mollet, a quitté avec tristesse le parti). Tout

---

[112] Il avait notamment dénoncé la guerre « imbécile et sans issue ».

[113] Le parti socialiste autonome (PSA) s'associe à l'Union de la gauche socialiste (UGS) et au mouvement Tribune du communisme, en avril 1960, pour fonder le parti socialiste unifié (PSU).

d'abord, la colère des socialistes s'est essentiellement tournée contre la politique du gouvernement en matière de sécurité sociale, de pensions, d'anciens combattants, de crédits de l'agriculture et d'écoles confessionnelles. En mars 1960, faisant référence à l'aggravation de la situation en Algérie, Mollet a toutefois élargi de manière frappante le champ de ses critiques, lorsqu'il a averti : « Plus aucune faute ne sera permise, mon général ». Dix-huit mois plus tard, en septembre 1961, le niveau des griefs formulés par les socialistes a commencé à monter de façon spectaculaire.

La campagne socialiste menée actuellement contre de Gaulle a été lancée dans le journal du parti, *Le Populaire*, le 1er septembre, par un éditorial de Mollet : « L'Etat se dégrade, l'autorité s'évanouit ». Le 8 septembre, après avoir accusé de Gaulle de s'isoler chaque jour davantage, Mollet a déclaré : « La faute politique est lourde qui éloigne du pouvoir installé la partie la plus saine de la nation ». Dans une remarquable interview, publiée le 14 septembre dans l'hebdomadaire de gauche, hostile de longue date à Mollet, *France-Observateur*, Mollet a rappelé avec tristesse ses relations passées avec de Gaulle, mais il a déclaré : « Je ne regretterai jamais le choix que j'ai demandé à mon parti de faire en 1958. Les événements qui se sont déroulés depuis prouvent bien à quel genre de fous nous avions affaire. » Et, poursuit-il, « si je ne regrette pas, c'est que je pense qu'on débarrassera la France du gaullisme alors que Franco ça dure depuis vingt-cinq ans ! Et puis le peuple français aura peut-être été guéri du pouvoir personnel. »

L'opposition des socialistes, et particulièrement leur opposition à l'utilisation continue par de Gaulle des pouvoirs spéciaux, réclamés en vertu de l'article 16 lors du putsch manqué d'avril, a pris une forme plus concrète, avec leur décision du 6 septembre de déposer une motion de censure contre Debré. Mais rapidement embourbés dans des problèmes de procédure, ces projets de motion de censure ont été mis de côté, après que de Gaulle eut annoncé le 20 septembre qu'il levait l'article 16 à partir du mois suivant. Au cours d'une réunion extraordinaire du Conseil National, les socialistes ont démontré avec force leur unité retrouvée, en votant pour la première fois depuis 1958 une résolution à l'unanimité. (Airgramme de Paris n° A-532, 5 octobre 1961). Attaquant de Gaulle sur tous les fronts, la résolution critique son attitude envers les Nations Unies ; elle accuse le gouvernement de suivre « une politique de régression sociale » en matière économique, financière et sociale et stipule que le gouvernement ne manifeste « que mépris pour les représentants que la Nation s'est librement donnée » et qu'il « est chaque jour condamné à reculer devant la violence et le recours à la rue ». Le gouvernement « se voulait fort, poursuit la résolution, il devient l'un des plus faibles que l'on ait connu ». Dans le but de se préparer à la résistance à une éventuelle tentative de putsch, ainsi qu'à la formation d'un gouvernement d'après-de Gaulle, les socialistes concluent leur résolution en proposant que les formations démocratiques de la France s'unissent rapidement pour constituer « un cartel d'action démocratique ».

Saluant la ferme détermination des socialistes et l'unité nouvellement retrouvée du parti, *Le Populaire* déclare avec exubérance la 29 septembre qu'à l'issue de la réunion du parti, « la joie éclatait sur le visage de tous les délégués. Ce matin, poursuit-il, dans toute la France, les socialistes sont heureux et fiers. Le combat qu'ils vont engager, sans sectarisme mais avec passion, est une fois encore le combat pour la République, pour la démocratie. »

Dissensions dans les autres rangs

Contrairement à leurs joyeux et débridés collègues socialistes, les membres des partis dont les dirigeants participent actuellement, même modestement, à l'exercice du pouvoir - le MRP, les Indépendants, et surtout l'UNR - ont dû relativement nuancer l'expression de leur mécontentement.

MRP[114]

Beaucoup de membres du MRP ont longtemps ouvertement plaidé en faveur d'un départ de ceux de leurs dirigeants qui participent au gouvernement Debré (pour une mise au point récente sur les diverses tendances au sein du MRP, cf. dépêche de Paris n° 1643, 25 mai 1961, « Le Congrès du MRP à Royan, 11-14 mai 1961 »). Quand il est devenu évident que le ministre d'Etat Robert Lecourt allait démissionner en août[115], l'espoir qu'il serait suivi par ses trois camarades du MRP également ministres s'est fait sentir ; mais lorsque le tourbillon ministériel s'est calmé, on a pu voir que le gouvernement très critiqué trouvait encore grâce aux yeux des trois piliers du MRP détenteurs de portefeuille. La

---

[114] Mouvement républicain populaire.

[115] Robert Lecourt était ministre d'Etat, chargé du Sahara et des Départements et Territoires d'Outre-Mer.

marée montante de l'opposition au sein du MRP devait trouver un aboutissement lors d'une réunion du MRP à Paris, les 7 et 8 octobre ; mais bien que plusieurs fédérations départementales aient appelé formellement à la démission des ministres MRP, l'aboutissement n'a été qu'oratoire. S'exprimant avec une autorité exceptionnelle, l'ancien président du Conseil Pierre Pflimlin a souligné, de façon morose mais néanmoins convaincante, que la chute de de Gaulle ne profiterait sans doute pas à la démocratie en France. Se laissant aller à des conseils de prudence, les délégués du MRP ont donc limité leur opposition au vote d'une motion finale sévère, dans laquelle ils désapprouvent « l'application actuelle de la Constitution qui met en danger l'avenir de la démocratie en créant un vide autour du pouvoir exécutif » ; ils approuvent la fermeté de la France sur la question de Berlin mais condamnent « les aspects nationalistes » de la politique étrangère française actuelle ; ils approuvent la politique algérienne de de Gaulle ; ils demandent que l'expansion économique de la France profite en fin de compte aux « catégories les moins favorisées de la Nation » ; et ils déclarent noblement que leur parti s'abstiendra sur toute décision susceptible, en des heures périlleuses, d'amoindrir - faisant ici usage de termes rappelant ceux que de Gaulle employa longtemps à propos de la défunte Quatrième République – « ce qui reste de l'autorité de l'Etat ».

Indépendants

Beaucoup d'Indépendants se sont longtemps opposés à de Gaulle - en 1940 aussi bien qu'en 1961 (pour une analyse des positions élémentaires et toujours valables des Indépendants face à de Gaulle, cf. dépêche de Paris n° 1032, 14 janvier 1960, « Les Indépendants et de Gaulle »). Depuis sa démission du gouvernement en janvier 1960, Antoine Pinay a été libre de s'opposer à la fois à Debré et à de Gaulle[116]. L'ancien secrétaire général du parti[117], Roger Duchet, qui est actuellement en "congé" de son poste, a conseillé de voter « non » au référendum du 8 janvier 1961. D'autres Indépendants "Algérie française" - Alain de Lacoste-Lareymondie et Jean-Marie Le Pen par exemple - n'ont jamais cessé d'attaquer la politique algérienne de de Gaulle comme une politique de tromperie et d'abandon. D'un autre côté, comme c'est le cas pour le MRP, d'autres Indépendants encore participent au

---

[116] Le ministre des Finances était en désaccord avec le président de la République au sujet de sa politique internationale et sa façon d'exercer le pouvoir.
[117] Le Centre national des indépendants paysans (CNIP).

gouvernement. La plupart des Indépendants n'ont cependant jamais prétendu être membres d'un parti politique au sens habituel du terme, et convenir que les ministres Indépendants le sont *à titre personnel*[118] ne leur pose pas de problèmes.

Malgré leurs divergences sur des questions particulières, les Indépendants ont récemment été capables de s'unir pour lancer une attaque verbale contre les méthodes gaulliennes de gouvernement. Le 4 octobre, le comité directeur du parti a résumé les points de convergence de l'hostilité grandissante, en publiant un communiqué détaillé, dans lequel les dirigeants du parti insistent sur le fait que la situation chaotique actuelle pourrait être résolue, si le gouvernement voulait seulement appliquer la Constitution de 1958. Sourd aux précédentes exhortations des Indépendants, ont-ils accusé, et « retombant dans un isolement toujours plus grand, le pouvoir exécutif, surtout ces deux dernières années, a continué à multiplier les erreurs ». La constitution d'un « secteur réservé » et la limitation de l'autorité du Parlement dans le contrôle du pouvoir exécutif (« caractéristique essentielle d'une démocratie »), poursuivent-ils, « font partie des fautes les plus importantes » que le gouvernement a commises. De telles fautes, ont-ils déclaré, « expliquent la situation alarmante actuelle », une situation marquée par « l'agitation dans la rue, les violences, les entreprises désespérées et la menace de putsch ».

Après cette vibrante description des maux de la France, les auteurs du communiqué n'ont pas donné le cap à suivre, qui leur permettrait, à eux-mêmes et à leurs partisans, de remédier à la situation. Ils se sont contentés d'essayer d'alerter l'opinion publique, et de constater qu'ils étaient convaincus que de Gaulle devait changer de méthode de gouvernement.

UNR

En tant que membres d'un parti dont la doctrine, aussi bien que les bases électorales, ont principalement consisté à proclamer « Vive de Gaulle ! », les porte-paroles de l'UNR doivent emprunter une passe très étroite pour exprimer tout mécontentement à propos de la façon dont la France est actuellement gouvernée (pour une étude des opinions au sein de l'UNR, cf. dépêche n° 1378, 27 mars 1961, « Deuxième Congrès

---

[118] En français dans le texte.

National de l'UNR, Strasbourg, 17-19 mars »). Il est en effet évident que de nombreux députés UNR partagent les mêmes sentiments d'inquiétude que leurs collègues moins gaullistes. Raymond Schmittlein, président du groupe UNR à l'Assemblée nationale, a reconnu le mécontentement de beaucoup de ses camarades députés UNR en affirmant, dans une lettre envoyée à tous les membres de son groupe avant une réunion de l'UNR à Pornichet du 19 au 23 septembre, que « la question posée par certains collègues, en personne ou par écrit, prouve également que leurs inquiétudes, leurs erreurs et leurs conjectures proviennent d'une information erronée dont ils sont en général responsables » ; il continue en déclarant sans ménagement : « c'est à cause d'un manque total de connaissance de la réalité politique que certains parmi vous imaginent pouvoir améliorer leur situation personnelle et électorale en se mêlant au chœur de nos adversaires, ou en se séparant du groupe, du gouvernement et du président de la République ».

Dans la réunion qui a suivi, à Pornichet, les députés UNR ont continué à exprimer leurs diverses inquiétudes - notamment à propos des relations actuelles entre le Parlement et le gouvernement - mais ils ne sont bien sûr pas allés jusqu'à dresser la liste de leurs griefs dans une motion qui aurait fait du bruit. Beaucoup de ceux qui étaient présents ont également montré leur intérêt pour l'intensification des efforts de l'UNR pour préparer l'éventualité d'élections générales anticipées, éventualité qui a provoqué un intérêt grandissant dans les semaines suivantes. Cependant, presque tous les dirigeants de l'UNR se rendent compte qu'en cas d'élections, l'arme électorale la plus efficace sera bien sûr toujours la capacité de leur parti à affirmer sa fidélité à l'ingrédient de base de son programme : le soutien à Charles de Gaulle.

Rapide regard à l'extérieur de l'enclos

Le parti radical et le PSU ne participent pas au gouvernement ; d'ailleurs, le PSU n'est même pas représenté au Parlement. Un tel état de fait autorise bien évidemment la liberté avec laquelle les porte-paroles de ces partis peuvent exprimer leurs divers griefs et reproches.

Des deux partis, c'est, comme on pouvait s'y attendre, le parti radical qui a été le plus prudent et le plus modéré. Lors de leur récent congrès à Royan, du 5 au 8 octobre, les délégués du parti ont dénoncé avec véhémence l'évolution de la Cinquième République, mais se sont bien retenus d'appeler à la dissolution de l'Assemblée nationale ; ils ont critiqué la manière dont de Gaulle traitait le problème algérien mais n'ont vu personne à l'horizon plus qualifié que de Gaulle pour poursuivre la recherche actuelle de la moins mauvaise solution ; ils ont critiqué la politique étrangère française menée par de Gaulle et exprimé leur préoccupation face à la lenteur de la mise en œuvre de l'intégration européenne ; et ils ont accepté le principe d'un regroupement des forces démocratiques de la France, mais n'ont pas été précis quant aux limites et la réalisation d'un tel regroupement (pour une mise au point sur le congrès de Royan et sur la situation actuelle du parti radical dans la politique française, cf. dépêche de Paris n° 435, 16 octobre 1961, « Les radicaux et la Cinquième République »).

Cas presque unique parmi les membres de partis et de groupements politiques (les communistes étant bien sûr la principale exception), les dirigeants du PSU peuvent dater leur anti-gaullisme de la fondation de la Cinquième République (tout en pouvant cependant souvent tirer fierté de leur gaullisme de 1940-1945). Une république qu'ils considèrent être fondée avant tout sur un coup d'Etat militaire est, selon eux, une république conçue dans le péché mortel. Pour certains des membres du parti les moins intransigeants et les moins doctrinaires, une fin heureuse, rapide et libérale de la guerre d'Algérie accompagnée d'une application modérée - et surtout amendée - de la Constitution de la Cinquième République, aurait constitué une pénitence suffisante pour que de Gaulle retrouve les bonnes grâces de la République. Etant donné le cours des événements depuis 1958 et l'évolution de l'opinion dans les autres partis politiques, le PSU a pu exprimer sa constante opposition par le simple fait de répéter et développer ses premiers arguments ; et lorsqu'il dialoguait avec certains de ses voisins de droite, il a pu ajouter un on-vous-l'avait-bien-dit de circonstance.

Le « tracassin » parle de regroupement

Un thème récurrent des cogitations actuelles des dirigeants des partis politiques français réside dans le besoin pressant de regrouper leurs forces souvent très limitées. Dans une conférence de presse le 25 septembre, l'ancien président du Conseil Pierre Mendès France a appelé les forces démocratiques de la France à s'unir dans la préparation d'un gouvernement de transition de deux mois (cf. airgramme de Paris n A-487, 27 septembre 1961[119], et dépêche n° 367, 29 septembre 1961,

---

[119] Cf. p. 87.

« Projets actuels de Pierre Mendès France »). Le 28 septembre, les socialistes ont appelé à la formation immédiate d'un « cartel d'action démocratique ». Le 29 septembre, Mendès France et Mollet ont mis fin à une longue période d'hostilité mutuelle et d'acrimonie[120] en se rencontrant chez le premier pour discuter des sujets qui les concernent et les préoccupent tous deux. Le 1er octobre, le PSU a approuvé l'initiative prise par Mendès France six jours plus tôt et a appelé à la « mobilisation de toutes les forces capables de s'opposer à un putsch et d'imposer la conclusion de la paix entre la France et l'Algérie »[121]. Le 8 octobre, le MRP a appelé « tous les démocrates à s'unir », et, le même jour, les radicaux ont exprimé leur désir de « formation rapide d'un rassemblement des démocrates de gauche et de centre-gauche ».

Malgré la remarquable unanimité qui prévaut quant à ce désir de « regroupement » et la similarité frappante de beaucoup des critiques dirigées contre de Gaulle, l'accord a cependant été beaucoup moins général quant à la mise en place d'un regroupement accepté par tous, et encore moins quant à la route qu'il devrait suivre par la suite. Des antagonismes personnels, des intérêts électoraux divergents et des avis profondément opposés quant à l'attitude à adopter vis-à-vis des communistes, ont empêché la conclusion de tout accord nouveau entre les divers et possibles participants d'un regroupement, qui se fait de plus en plus fuyant. Une série de discussions et de réunions entre les dirigeants du parti socialiste et du PSU a pris fin quand les socialistes ont décidé le 20 octobre que l'attitude favorable du PSU envers une collaboration avec le parti communiste rendait impossible la poursuite des contacts (cf. dépêche de Paris n° 490, 26 octobre 1961, « Le parti socialiste français met fin aux pourparlers avec le parti socialiste unifié »). Mendès France a commencé à mettre en œuvre ses projets de tournée des villes de province françaises et de discussions avec des sympathisants, mais dans le contexte politique français actuel, le plus dynamique des présidents du Conseil de la Quatrième République ne constitue qu'une force isolée, errant dans le désert d'un monde peu amène. A droite, on a parlé de la possibilité d'une collaboration électorale fructueuse entre les groupes, notamment l'UNR

---

[120] Mendès France avait démissionné de son poste de ministre d'Etat du gouvernement de Guy Mollet, le 23 mai 1956, pour exprimer son désaccord avec la politique algérienne du président du Conseil.

[121] Si Mendès France et la direction du PSU répètent, dans les jours qui suivent la conférence de presse, que l'accord entre eux est entier, il s'agissait cependant d'une initiative unilatérale, qui avait pris de court le PSU.

et les Indépendants, qui mathématiquement détiennent aujourd'hui la majorité à l'Assemblée nationale ; et certains des membres de ces groupes ont suggéré que dans l'éventualité du décès de de Gaulle, ils pourraient former une coalition qui pourrait compter sur le soutien de l'armée pour combattre une coalition de gauche. Aucun projet concret de regroupement nouveau n'a cependant suivi les diverses motions votées à la fin septembre et au début octobre. Les grandes discussions ont laissé place à de plus grandes discussions encore, mais à très peu d'action.

De Gaulle sera toujours de Gaulle

De Gaulle a toujours montré dédain et aversion pour les partis politiques ; le rythme, qui va en s'accélérant, des critiques dirigées contre lui ces dernières semaines n'a bien évidemment rien fait pour changer l'opinion déjà mauvaise qu'il avait de ses détracteurs discoureurs, procéduriers et manœuvriers. Il a annoncé le 20 septembre qu'il allait renoncer aux vastes pouvoirs spéciaux qu'il assumait en vertu de l'article 16 ; cette décision a été accueillie avec l'espoir qu'il ait reconnu la validité de certains arguments portés contre lui, et qu'il accordera dorénavant plus d'attention à l'opinion des parlementaires. Après qu'il eut entamé le jour suivant un voyage de quatre jours dans trois départements ruraux du Sud de la France, il est une fois de plus devenu évident que la satisfaction et le contentement qu'il pouvait tirer du contact direct avec les citoyens français dépassaient largement l'importance qu'il voulait bien accorder aux préoccupations des politiciens chamailleurs et grognards de Paris. Le dernier jour de sa tournée, encouragé par l'accueil chaleureux qu'il avait reçu, il a exprimé avec vigueur son dédain pour toutes ces critiques, en s'adressant à un groupe de maires, réunis pour l'écouter à la sous-préfecture de Largentière, dans l'Ardèche. La France est sur la bonne voie, a-t-il dit à ses interlocuteurs, et c'est évidemment une voie longue. Il a poursuivi : il a entendu dire « *qu'il y a des gens qui pissent du vinaigre, comme on dit* »[122]. Mais cependant, « en ce qui me concerne, je peux vous dire que nos affaires, malgré tout, ne vont pas si mal ».

De retour à Paris, de Gaulle a, comme il était convenu, reçu, les 25 et 26 septembre, les délégations de l'UNR, du MRP, des Indépendants, des socialistes et des radicaux. Ses interlocuteurs, contents - ce qui est compréhensible - d'avoir pu présenter en personne leurs positions, ont

---

[122] En français dans le texte.

ensuite rapporté que de Gaulle les avait reçus avec courtoisie, et, en général, favorablement. (Télégramme de l'ambassade, n° 1673). Après avoir écouté le discours de de Gaulle du 2 octobre, dans lequel leurs préoccupations étaient considérées comme les symptômes du « tracassin », et leurs griefs comme une manifestation de leurs prétentions, les représentants des partis ont été forcés de conclure que leur argumentation n'avait non seulement pas réussi à convaincre de Gaulle, mais n'avait fait qu'accroître son exaspération.

Conclusions

Il ne fait pas de doute que le rôle traditionnel des partis politiques et du Parlement a été grandement réduit en France depuis la fondation de la Cinquième République. Etant donné l'état dans lequel ils étaient tombés sous les Républiques précédentes, leur récent déclin n'a pas été la cause d'un déchirement général. Dans l'opinion publique, la présence providentielle en 1958 d'un grand homme qui, on l'espérait, pourrait trouver et imposer une solution à un problème qui avait conduit le pays au bord de la guerre civile, a plus que compensé la préoccupation que certains pouvaient ressentir quant à l'avenir des institutions démocratiques françaises. De plus, la Cinquième République avait la bénédiction et le soutien de la plupart des occupants des écuries politiques que le nouveau régime devait nettoyer. L'ancien régime était mort ; ses partisans, qui étaient aussi ses exécuteurs, attendaient de renaître avec le nouveau.

La déception était inévitable. Tout d'abord, il est rapidement devenu clair que même la présence d'un homme providentiel ne suffirait pas à apporter une solution acceptable par tous à un problème qui, malheureusement, n'a pas de solution acceptable par tous. Deuxièmement, il était irréaliste de s'attendre à ce que de Gaulle, dans ses attitudes et ses inclinations fondamentales, ne demeurât pas de Gaulle. En troisième lieu, les politiciens français, comme on pouvait le prévoir, sont évidemment demeurés des politiciens. L'Histoire a progressé, mais la majeure partie des acteurs, aux prises avec les mêmes problèmes et préoccupations, est restée la même.

Les censeurs de de Gaulle se sont plaints du fait que ce dernier appliquait sans rigueur la Constitution de la Cinquième République. Etant donné les conditions exceptionnelles qui ont prévalu en France depuis (et même, d'ailleurs, avant) la promulgation de la Constitution, le contraire eût été surprenant. Les guerres et les menaces de guerre civile ne conduisent pas à l'application stricte des procédures constitutionnelles. De plus, même si la Constitution devait être appliquée dans tous ses détails, la classe politique française traditionnelle ne serait pas satisfaite de son lot. La Constitution de la Cinquième République a été écrite en tenant compte des idées soutenues publiquement par de Gaulle, depuis ses propositions institutionnelles faites à Bayeux en juin 1946 ; ces idées laissent peu de place aux partis politiques au sens traditionnel du terme. De Gaulle a été dans une position particulièrement inconfortable en tant que leader de parti dans sa période RPF ; en 1958, il a refusé d'autoriser à quelque parti que ce soit de faire campagne directement en son nom. Depuis qu'il est président, il a dû renoncer au rôle, qu'il espérait, d'arbitre trônant au-dessus de toutes les forces politiques ; mais malgré des invitations répétées, il n'a cependant pas encore accepté de descendre dans l'arène si déplaisante des partis politiques. Sa Constitution (article 4) reconnaît que « les partis et groupements politiques concourent à l'expression du suffrage » et déclare qu'« ils se forment et exercent leur activité librement » ; elle prévient également qu'ils « doivent respecter les principes de la souveraineté nationale et de la démocratie ». Contrairement à la Constitution précédente de la France qui stipulait que le peuple français - en matière autre que constitutionnelle - exerçait sa souveraineté « par le vote de ses représentants » à l'Assemblée nationale, la nouvelle Constitution laisse l'exercice de la souveraineté au président de la République, au Sénat et à l'Assemblée nationale. Etant donné la pression des événements et la personnalité du titulaire actuel, il n'est pas surprenant que le président de la République se soit taillé la part du lion.

Malgré toutes les craintes que certains élus du peuple français ont pu nourrir en 1958, la Constitution de la Cinquième République a été massivement approuvée par près de 80% de l'électorat ; bien rares sont ceux qui se sont jamais hasardé à lire l'un de ses 92 articles. La plupart des votants ne votaient cependant pas pour une constitution ; ils votaient pour un homme.

De plus, malgré l'hostilité ouverte et grandissante de la plupart des partis politiques à l'égard de Gaulle, il fait peu de doute que le gros du peuple français soutiendrait à nouveau massivement leur homme providentiel lors d'un futur référendum. Un leader providentiel, même un peu terni par les inévitables événements déplaisants, demeure toujours plus séduisant pour la plupart des Français que la perspective d'un retour aux méthodes politiques que la majorité des électeurs français associe à beaucoup des détracteurs actuels de de Gaulle. L'anti-gaullisme est sans aucun doute étendu, dans un pays où les positions politiques s'expriment souvent en termes négatifs, mais il est cependant probable qu'au sein de la masse des électeurs français, l'antiparlementarisme dépasse encore l'anti-gaullisme.

En effet, beaucoup des détracteurs de de Gaulle, en tant que politiciens professionnels bien au fait des réalités de la vie politique, sont conscients - et en sont tout naturellement préoccupés - de l'antiparlementarisme de beaucoup de leurs compatriotes. De plus, en critiquant de Gaulle, ils ont presque toujours songé avec prudence à préciser qu'ils ne voulaient pas revenir, pas plus que ne le veut de Gaulle, aux jeux politiques bien connus du passé. Certains ont souligné qu'ils demandaient seulement que la Cinquième République fonctionne selon sa Constitution ; d'autres ont appelé à diverses modifications de la Constitution ; d'autres encore pensent que la mise en place d'une Sixième République est nécessaire. Nulle voix, si timide soit-elle, ne s'est levée en faveur d'un retour à la Quatrième République.

En dépit de l'attrait soutenu qu'exerce de Gaulle dans l'opinion, son régime est en danger. Pendant que le « tracassin » politique français exprimait ses griefs à coup de motions et de discours dans les réunions de parti et les assemblées démocratiquement élues, d'autres Français faisaient progresser leurs objectifs politiques en faisant exploser des bombes, en commettant des assassinats et en proclamant leur détermination à mettre à bas ce qu'ils considèrent être, non pas seulement un régime qui fonctionne mal, mais également une trahison. Il est clair que les éléments-clés de la scène politique - passablement encombrée - de la France ne sont pas les corps parlementaires ni les partis politiques : dans la balance de l'avenir immédiat de la Cinquième République, l'OAS et le FLN pèsent bien plus, par exemple, que l'UNR et le MRP. L'inévitable déballage[123] final, qui décidera du destin immédiat du régime de de Gaulle, n'aura pas lieu au Parlement.

Dans le même temps, c'est bien plus que le régime de de Gaulle qui est en danger. L'état de désolation auquel les éléments traditionnels de la scène politique française ont été réduits pose, à long terme, de graves problèmes. Dans un système démocratique, le peuple doit être

---

[123] Le terme anglais, *showdown*, signifie confrontation finale, (grand) déballage final, éclat ultime, bouquet final...

associé à l'action du gouvernement. Des organisations intermédiaires entre le peuple et le pouvoir exécutif sont essentielles au bon fonctionnement d'un gouvernement démocratique. Le peuple a besoin de partis démocratiquement organisés, par l'intermédiaire desquels il puisse faire entendre ses opinions. La participation active, et non pas seulement l'approbation, constitue l'âme de la démocratie. En l'absence d'une opposition démocratiquement organisée et efficace, de plus en plus de gens ont recours à la violence pour parvenir à leurs fins ; ceux qui n'ont pas d'objectifs ou d'opinions politiques bien établis tombent dans l'indifférence politique. Le « tracassin » politique français peut constituer une branche déconsidérée et souvent inefficace de la scène politique française, mais ce « tracassin » - ou ses successeurs - jouera un rôle important si la démocratie doit survivre en France. Malgré ses faiblesses et son inefficacité évidentes, le parlementarisme et les partis politiques, et même les politiciens, sont des éléments vitaux pour la survie de toute forme démocratique de gouvernement.

Pour l'Ambassadeur :
John A. Bovey, Jr.
Premier Secrétaire

AIRGRAMME n° A-758. 15 novembre 1961.

Le Conseil national du PSU approuve à contrecœur l'action actuelle de Mendès France (Alfortville, 11-12 novembre 1961)

L'action de Mendès France depuis qu'il a proposé le 25 septembre la formation d'un gouvernement provisoire de deux mois (cf. airgramme n° 487[124]), et notamment les efforts qu'il a déployés pour établir des contacts directs avec des dirigeants locaux lors sa récente tournée en province, ont été approuvés le 12 novembre, dans une motion soutenue par 425 délégués, lors de la réunion du conseil national du PSU à Alfortville, dans la banlieue parisienne.

174 délégués ont voté contre la motion et 89 se sont abstenus. L'autre motion, qui désapprouvait fermement les propositions de Mendès France du 25 septembre et condamnait l'action qu'il a ensuite menée comme allant à l'encontre du programme du PSU et de la « nature socialiste du parti », n'a obtenu que 119 voix.

La motion approuvant l'action de Mendès France a souligné la nécessité de fournir un effort patient et méthodique pour établir un gouvernement provisoire ; elle affirme que les déclarations de Mendès France ont ouvert d'intéressantes perspectives et que les contacts qui ont suivi ont trouvé un véritable écho dans les régions parcourues ; elle appelle le Bureau central du parti à aider Mendès France dans son action future ; et elle conclut en assurant que son action ne pouvait que trouver une signification réelle dans le cadre du programme du PSU, tel qu'il a été défini lors de son récent congrès[125].

Commentaire

Malgré l'hostilité considérable des éléments les plus à gauche du PSU envers Mendès France, il est clair que l'hésitation naturelle de la

---

[124] Cf. p. 87.

[125] Cependant, « il y a un problème Mendès. Ne serait-ce que sur son statut dans le parti. » (Marc Heurgon, *Histoire du PSU*, t. I, p. 321). Plus qu'un simple militant mais absent de la direction, minoritaire mais grand rassembleur, son rôle au sein du parti demeure ambigu.

plupart de ses membres à provoquer une division au sein du parti - qui, à l'origine, est lui-même le résultat de divisions au sein d'autres partis -, mêlée au désir de ne pas perdre le membre le plus éminent de leur parti, a renforcé, au moins provisoirement, la position de la minorité mendésiste du PSU. D'un autre côté, il est clair que les divisions fondamentales au sein du parti demeurent, de même que l'attitude ambiguë du parti et de Mendès France à l'égard d'une éventuelle collaboration avec le parti communiste (cf. dépêche n° 490), sujet brûlant qui n'est pas directement mentionné dans la motion finale de la réunion, largement consacrée aux affaires internes du parti[126]. L'attitude ambiguë - et peut-être, de plus en plus, l'indifférence - de Mendès France vis-à-vis du PSU a été illustrée, soit dit en passant, par son absence à la réunion[127].

GAVIN

---

[126] « C'est à peine si l'on y débat de l'Algérie, de la menace OAS, des regroupements de la gauche. (...) Toute la discussion reste bloquée sur l'initiative de Mendès France et les rapports de celui-ci avec le PSU. » (Marc Heurgon, *op. cit.*, p. 328).

[127] Mendès France spécialement invité, avait refusé de s'y rendre, prétextant les mauvaises méthodes de travail des dirigeants. Ces derniers n'avaient pas tous apprécié la conférence de presse du 25 septembre.

DEPECHE n° 621. 27 novembre 1961.

Sujet

Jacques Chaban-Delmas, président de l'Assemblée nationale française, donne son avis sur l'état de la scène politique française et sur le rôle qu'il y joue.

Lors d'une conversation privée dans son bureau de l'Assemblée nationale le 24 novembre 1961, Jacques Chaban-Delmas a consacré la plupart de ses réflexions à ses activités récentes sur la scène politique française, à ses relations avec de Gaulle et au problème algérien. Il a raconté comment il avait réussi à mettre fin aux projets de retour au scrutin proportionnel pour les prochaines élections législatives ; il a déclaré qu'il conseillait à de Gaulle d'organiser un référendum et de nouvelles élections juste après qu'une solution aura été trouvée en Algérie ; il lui conseille également de refuser de donner son accord à une alliance électorale entre l'UNR et les Indépendants, alliance qui séparerait l'UNR des partis républicains de gauche ; il a aussi exprimé un certain optimisme quant à une solution en Algérie, mais il a rappelé que des problèmes de long terme resteraient posés, même si le problème algérien est résolu dans des conditions relativement favorables.

Conseils à de Gaulle

S'exprimant sur la situation politique française actuelle, Chaban-Delmas a déclaré qu'il pensait jouer un rôle « efficace, quoique discret ». Il est par exemple particulièrement satisfait de son récent rôle dans l'arrêt de ce qu'il considère comme un projet malheureux, le changement de mode de scrutin aux prochaines élections législatives. Début septembre, des membres du gouvernement, embarrassés par la montée de l'opposition ouverte des partis politiques situés à gauche de l'UNR, ont pensé qu'un retour au scrutin qui avait cours sous la IVème République (représentation proportionnelle fondée sur des circonscriptions départementales, à un seul tour) permettrait à l'UNR, grâce également à l'appui de quelques arrangements électoraux avec les Indépendants sur sa droite, de faire un raz-de-marée aux prochaines élections[128]. Chaban-

---

[128] Cf. pp. 101-102, dépêche du 2 novembre 1961.

Delmas pensait que ce projet était un peu trop difficile à avaler, surtout au vu de certaines idées et certains comportements des Indépendants. Il avait averti de Gaulle et Debré qu'un tel projet conduirait à des alliances de front populaire et heurterait fortement le sentiment républicain en France. Il a finalement réussi à convaincre les partisans du projet, et notamment Debré (« après une longue conversation dans ce bureau ; il était assis à la même place que vous »), de retirer leur proposition. Il continue, a-t-il dit, de plaider pour que le régime s'attache à gagner le soutien de tous les partis républicains, les socialistes, les radicaux, le MRP, etc., et pour que l'UNR, dans sa stratégie électorale, regarde plus loin que les seuls Indépendants.

Chaban-Delmas a déclaré qu'il conseillait maintenant à de Gaulle de tenir un référendum immédiatement après la résolution du problème algérien, pour que le peuple puisse ratifier les mesures prises, puis d'organiser des élections générales quinze jours plus tard. Il estime que, à condition que la conclusion ne soit pas trop catastrophique, de Gaulle devrait remporter une victoire massive. De Gaulle, pense-t-il, n'aurait pas à descendre dans l'arène politique plus qu'il ne l'a fait en 1958. Il n'est pas besoin, a-t-il dit, de former une Union Gaulliste dans laquelle de Gaulle jouerait un rôle direct ; l'UNR, sous sa forme actuelle, suffirait.

Algérie

A propos de l'Algérie, Chaban-Delmas a souligné le fait que, quoi qu'il arrive, le problème algérien continuera à hanter la France pour un long moment. Dans le meilleur des cas, a-t-il dit, c'est-à-dire dans le cas de « négociations fructueuses suivies de leur réalisation féconde », la France sera poursuivie, au moins jusqu'en 1970, par les troubles dus aux transferts de population qui suivront – « transferts qui sont inévitables ». Cette population très nombreuse et amère débarquant en métropole sera la cause d'une grande agitation et d'importantes difficultés.

Chaban-Delmas a déclaré que les jeunes Français d'Algérie payaient maintenant pour les fautes commises par leurs pères et leurs grands-pères - ceux qui ont refusé de laisser les musulmans participer pleinement à la vie politique et économique de l'Algérie, et qui ont rejeté, jusqu'à ce qu'il soit trop tard, les demandes des musulmans qui souhaitaient être considérés comme des citoyens français à part entière.

Chaban-Delmas pense que le problème de la loyauté de l'armée s'amenuise. Selon lui, le discours de de Gaulle, prononcé la veille de l'entrevue, était très bon et il le lui dira quand il le verra plus tard dans la matinée[129]. Toutefois, la France n'est pas encore sortie du bourbier algérien. Pour beaucoup de Français, abandonner l'Algérie, c'est abandonner une province française. Le problème central des négociations est celui de l'obtention de garanties pour la minorité européenne ; mais la véritable valeur, a-t-il dit, des garanties qui pourront être obtenues restera, à vrai dire, très discutable.

Questions internationales

Dans un examen rapide de la scène internationale, Chaban-Delmas a déclaré qu'il espérait que les visites que s'échangeaient en ce moment certains dirigeants des grandes puissances atlantiques conduiraient à une plus grande unité, car l'unité entre les puissances atlantiques est absolument vitale pour la survie de l'Ouest. Il a exprimé sa préoccupation quant à l'affaiblissement de la position d'Adenauer sur la scène politique allemande[130] et souligné la grande nécessité pour la France de maintenir des liens étroits avec l'Allemagne.

Commentaire final sur la scène politique française

Dans un commentaire final sur ses camarades du monde politique français, Chaban-Delmas a constaté que la plupart d'entre eux pouvaient être partagés en deux catégories : ceux qui veulent que de Gaulle résolve le problème algérien et s'en aille, et ceux qui veulent simplement qu'il s'en aille.

Pour l'Ambassadeur :
John A. Bovey, Jr.
Premier Secrétaire

---

[129] Discours prononcé à Strasbourg, devant plus de trois mille officiers, le 23 novembre 1961, à l'occasion du dix-septième anniversaire de la libération de la ville. Le général de Gaulle a rappelé les succès remportés par l'armée en Algérie et affirmé que les militaires devaient toujours suivre le chemin choisi par « l'Etat et la nation ».

[130] Aux élections de 1961, Adenauer et la CDU voient leur position affaiblie par la progression des sociaux-démocrates et des libéraux, ces derniers étant désormais indispensables à la formation d'une majorité.

DEPECHE n° 626. 27 novembre 1961.

Sujet

Gilles Martinet, éditorialiste politique de *France-Observateur* et membre important du PSU, parle de Mendès France, du PSU, de de Gaulle et de l'Algérie.

Au cours d'un dîner qui a eu lieu le 23 novembre 1961 en compagnie de six diplomates des services politiques d'ambassades occidentales, Gilles Martinet, l'un des deux rédacteurs politiques (avec Claude Bourdet) de *France-Observateur*[131] et membre très en vue du PSU[132], a longuement parlé des activités récentes de Mendès France et des différents points de vue de l'ancien président du Conseil et d'autres membres du PSU ; il a analysé la personnalité et les vues générales de de Gaulle ; il s'est exprimé sur l'Algérie, l'OAS et le FLN, et a fait part de diverses opinions sur Jean-Jacques Servan-Schreiber, le parti communiste français et d'autres phénomènes de la scène politique française.

Les opinions de Martinet sur Mendès France et le PSU furent particulièrement intéressantes ; il est bien évidemment très au fait de toutes ces questions. D'autres remarques, des conjectures intellectuelles plutôt, ont donné matière à une conversation assez typique d'un dîner chez un intellectuel et leader politique français de gauche.

Mendès France

A propos de Mendès France et de ses activités, Martinet a insisté sur le fait que Mendès France constituait un grand atout moral pour le PSU. Mendès France, a-t-il dit, a joué un très grand rôle dans la politique française en 1954, 1955 et 1956. Il a montré qu'il était un homme extrêmement courageux ; ses efforts pour rénover la France ont été admirables. Le fait qu'il ait choisi de rejoindre le PSU est donc très flatteur pour ce parti.

---

[131] Il en est également, et surtout, le codirecteur, avec Claude Bourdet.
[132] Il est secrétaire adjoint du PSU.

Malgré son admiration pour Mendès France, Martinet n'est cependant pas d'accord avec la proposition qu'il a faite de former un gouvernement de transition pour une durée de deux mois. Il ne pense pas qu'il soit nécessaire, par exemple, de se débarrasser de la Constitution de 1958 ; même Salan, a-t-il remarqué, a dit qu'il serait prêt à l'appliquer. Même si les propositions de Mendès France ne sont pas très réalistes, a-t-il ajouté, elles ont cependant pu servir de « truc » utile pour réveiller les gens, pour les faire à nouveau réfléchir après les longues vacances d'été[133]. Le « truc » de l'an dernier avait été la longue polémique sur l'insubordination militaire (« insoumission ») - le refus, dont a on a fait grand bruit, de quelques jeunes Français de servir en Algérie (et l'encouragement ouvert et encore plus bruyant qu'ils avaient reçu de quelques uns de leurs éminents aînés[134]). Le « truc » de cette année, a-t-il dit, n'a pas beaucoup plus de sens que celui de l'an dernier[135].

Martinet a alors continué en évoquant une idée de Mendès France qu'il partage encore moins. Mendès France, a-t-il dit, pense vraiment qu'il n'y plus aucune chance pour que de Gaulle réussisse à mettre un terme à la guerre d'Algérie. Lui, de son côté, pense qu'il y a une chance sur deux pour que de Gaulle réussisse à conclure cette guerre dans les deux prochains mois. Mendès France, a-t-il déclaré, espère réellement que de Gaulle l'appellera lorsque tout le reste aura échoué, et cet espoir est sans aucun doute la véritable origine de sa proposition d'un gouvernement provisoire de transition.

Le PSU

La force essentielle du PSU, a dit Martinet, réside dans ses liens avec d'autres organisations que les partis, notamment les syndicats et les associations d'étudiants comme la CFTC et l'UNEF. Il a été lui-même

---

[133] Marc Heurgon parle également de « truc » ; mais la proposition est pour lui « le "truc" inséparable de toute procédure mendésiste » (*Histoire du PSU*, t. I, p. 303).

[134] Intellectuels et artistes ont appelé, dans le « Manifeste des 121 », publié le 6 septembre 1961, au « droit à l'insoumission dans la guerre d'Algérie », alors que se déroule le procès du « réseau Jeanson » d'aide au FLN. Le PSU a eu du mal à définir sa position sur ce sujet, Gilles Martinet étant fort peu favorable à ce type d'action.

[135] Gilles Martinet veut surtout mettre fin aux ambiguïtés qui règnent entre Mendès France et le PSU. (Cf. Marc Heurgon, *op. cit.*, p. 327).

fort surpris du succès du PSU parmi les étudiants. Avant la guerre, de nombreux étudiants appartenaient à l'Action française et la plupart des autres ne s'intéressait pas à la politique ; bien sûr, à l'heure actuelle, beaucoup d'étudiants sont apolitiques, mais le nombre de ceux qui soutiennent le PSU constitue pour lui, a-t-il dit, une source de grande surprise - et de satisfaction.

L'aspect le plus original du PSU, a-t-il déclaré, est le fait qu'un tiers de ses membres soient catholiques. La moitié des membres de l'Union de la gauche socialiste (qui a fusionné avec le parti socialiste autonome et un mouvement trotskiste[136] en mars 1960 pour former le PSU) étaient catholiques[137]. La présence au PSU de tant de catholiques - même si ce sont des "catholiques laïques" - a causé un certain malaise parmi les membres les plus anticléricaux du parti. Plusieurs membres du PSA par exemple, notamment les enseignants, ont même refusé d'adhérer au PSU, ou bien l'ont fait à contrecœur. Certains des membres catholiques du PSU ne sont cependant pas très orthodoxes, selon les normes françaises. Martinet a ainsi évoqué le cas du président de la fédération du PSU du Maine-et-Loire, qui est non seulement catholique mais également membre de la CGT (largement dominée par les communistes) ; de plus, il a signé avec enthousiasme en 1960 la pétition contre les aides publiques aux écoles religieuses.

En parlant des relations du PSU avec le parti communiste, Martinet a repris le thème habituel du PSU selon lequel il est nécessaire de maintenir le dialogue avec un parti qui contrôle l'essentiel de la gauche en France. Il est à la fois possible et souhaitable, pour le PSU, a-t-il dit, de travailler avec certains communistes en particulier, et c'est ce qu'il est justement en train d'essayer de faire. Il a également déclaré que le parti communiste français devenait démodé et dépassé en bien des domaines. Ainsi, les communistes français seraient bien plus avisés, a-t-il affirmé, de travailler à la constitution d'un modèle européen de communisme. Après tout, les communistes chinois ont maintenant leur propre variété de communisme. A leur tour, les communistes européens pourraient travailler ensemble et former une variété différente de communisme qui serait davantage en harmonie avec les réalités européennes actuelles.

---

136 Le mouvement Tribune du communisme, mené par Jean Poperen.

137 Il s'agissait du Mouvement de libération du peuple (MLP), mouvement chrétien à l'assise essentiellement ouvrière.

Martinet a affirmé avec un certain optimisme que le PSU pourrait retrouver de meilleures relations avec les socialistes. Il a déclaré qu'il avait rencontré Georges Brutelle (secrétaire général adjoint du parti socialiste ; cf. dépêches de l'ambassade n° 556, 8 novembre 1961, et n° 490, 26 octobre 1961) depuis la récente rupture des discussions entre le PSU et les socialistes, mais il n'a pas donné d'information concernant la nature de leurs conversations, si ce n'est qu'elles sont amicales[138].

De Gaulle

Martinet s'est longuement étendu sur la personnalité de de Gaulle et en est arrivé à la conclusion que c'était « un roi libéral avec des tendances staliniennes ». Dans la tradition de beaucoup des grands princes héréditaires, a-t-il dit, de Gaulle montre du dédain, du mépris et de l'antipathie envers les êtres inférieurs. D'un autre côté, et toujours dans la tradition aristocratique, de Gaulle possède un profil libéral et magnanime. Malgré, par exemple, le désir évident de Jean-Paul Sartre d'être arrêté et de se poser ainsi en martyr, de Gaulle refuse que la police satisfasse ses désirs ; il a en effet déclaré : « C'est l'un de mes écrivains, et il ne doit pas être emprisonné ».

A propos des « tendances staliniennes » de de Gaulle, Martinet a dit que de Gaulle n'avait pas seulement exprimé son admiration pour Staline (dans ses Mémoires, par exemple, où il le traite avec plus de sympathie que Churchill ou Roosevelt) ; il a également des points communs avec lui. Comme Staline, de Gaulle est un réaliste brutal. Un exemple, a-t-il dit, de l'aspect stalinien du caractère de de Gaulle est la manière froide, telle celle d'un comptable, avec laquelle il a défini en septembre 1959 le succès de la « pacification » en Algérie (comme le moment où il n'y a pas plus de 200 personnes tuées par an dans des attaques et des embuscades)[139].

A propos du mépris de de Gaulle pour ses congénères, Martinet a raconté une conversation que Roger Stéphane, un journaliste et écrivain

---

[138] Mendès France a également rencontré Guy Mollet. Cf. p. 101, dépêche du 2 novembre 1961.

[139] Le général de Gaulle a déclaré, dans son discours du 16 septembre 1959, que les Algériens pourraient « décider de leur destin » après le retour de la paix, « c'est-à-dire, une fois acquise une situation telle qu'embuscades et attentats n'auront pas coûté la vie à 200 personnes en un an ».

qui a aidé à fonder *France-Observateur*[140], avait eue avec de Gaulle, peu de temps avant que ce dernier ne revienne au pouvoir en 1958. Selon Stéphane (qui avait soigneusement pris des notes juste après), de Gaulle avait exprimé l'opinion que, dans le combat international actuel, les Russes gagneraient contre les Américains, car les Américains ne pensent qu'à leur qualité de vie, tandis que les Russes pensent à leur nation. De Gaulle a également dit à Stéphane que les Français l'appelleraient s'il y avait une catastrophe nationale ou s'ils étaient pris de panique. Lorsque Stéphane a demandé : « Quand, par exemple ? », de Gaulle, selon Stéphane, a répondu : « S'il y a une chute dans leur qualité de vie »,

Algérie

Martinet a fait montre d'un optimisme inattendu à propos du problème algérien, un optimisme qui est sans doute fondé, au moins en partie, sur son respect pour le « réalisme brutal » de de Gaulle. Il a déclaré que la pensée de de Gaulle au sujet de l'Algérie avait connu une évolution considérable ces derniers temps, notamment depuis son discours du 5 septembre. De Gaulle, a-t-il dit, est maintenant beaucoup plus « positif ». Le PSU, a-t-il remarqué, s'est opposé à de Gaulle à l'occasion du référendum de janvier dernier[141] ; mais la situation aujourd'hui est tout à fait différente. Selon lui, il y a une chance sur deux pour que de Gaulle mette un terme à la guerre dans les deux mois.

Il demeure toujours de graves problèmes, a-t-il dit. L'OAS peut facilement s'emparer d'Oran ou d'Alger, au moins pendant quelques semaines. Mais cependant, bien qu'il ne fasse aucun doute qu'une confrontation finale approche, « si de Gaulle est le premier à être capable de négocier un accord de paix, le peuple français restera à ses côtés et tout ira bien, probablement ».

Martinet a déclaré qu'un ami, travaillant dans la police, lui avait dit que c'était la police elle-même qui commettait la plupart des

---

140 Roger Stéphane s'était associé, entre autres, à Claude Bourdet et Gilles Martinet pour fonder *L'Observateur*, en avril 1950. Sa mère prêta cinq millions de francs pour la création de l'hebdomadaire.

141 Référendum du 8 janvier 1961 d'approbation de la politique algérienne du général de Gaulle. Le « oui, franc et massif » souhaité par de Gaulle l'a emporté avec 75,2 % des voix.

plasticages contre les figures de la gauche. C'est la raison pour laquelle, lui a expliqué cet ami, personne n'a été tué : les policiers sont des experts.

Martinet a également mentionné qu'il avait eu des conversations avec des dirigeants du FLN à Genève l'été dernier. Les divisions internes au FLN, a-t-il dit, sont très réelles, et elles constituent vraiment un facteur possible de gêne sérieuse des négociations[142].

Jean-Jacques Servan-Schreiber

Martinet a noté que Servan-Schreiber, le patron du principal rival de *France-Observateur* dans la bataille pour gagner l'attention du public intellectuel français de gauche, est maintenant « un anti-gaulliste passionné ». En fait, a-t-il dit, il est devenu complètement fou. Il est par exemple intéressant de noter que *L'Express* n'a jamais publié aucun article sur la crise de Berlin : Servan-Schreiber ne veut pas offenser l'Union soviétique.

Bien que le contenu éditorial de *L'Express* soit pauvre, a dit Martinet, le reste est intéressant, car *L'Express* a quelques journalistes et correspondants de premier ordre. Martinet a déclaré qu'il avait vu Jean Daniel (l'un des spécialistes de l'Afrique du Nord de *L'Express*) le dimanche précédent dans une clinique (Daniel a été sérieusement blessé à Bizerte[143]). Daniel a dit qu'il avait récemment envoyé un article au *Monde* pour sa page « Tribune libre » en réponse à un article (de Marcel Péju) qui insistait sur les divergences internes au FLN. Dans son papier, Daniel disait simplement qu'il fallait s'attendre à de telles divergences qui, quoique réelles, sont inévitables. Servan-Schreiber, qui avait déjà refusé de publier l'article dans *L'Express*, a appelé Daniel ainsi que Beuve-Méry, le directeur du *Monde*, et ils ont convenu de ne pas le publier. Servan-Schreiber, a expliqué Daniel, était opposé à ce qu'il soit publié dans *Le Monde* ou dans n'importe quel autre journal, car il pensait que cela affaiblirait la position du FLN ; or le FLN est l'ennemi de de Gaulle. Cela ne fait pas de doute, a déclaré Martinet : Servan-Schreiber, maintenant, est vraiment fou.

---

[142] Le GPRA a été remanié il y a peu. Cf. p. 59, télégramme du 28 août 1961.

[143] Lors des affrontements qui ont eu lieu autour de la base, en juillet, entre militaires français et tunisiens.

117

France-Observateur

Martinet a dit que la diffusion de *France-Observateur* atteignait maintenant 85 à 86 000 exemplaires environ ; elle a connu une augmentation de 5 000 exemplaires environ depuis le changement de format il y a quelques semaines.

Pour l'Ambassadeur :
John A. Bovey, Jr.
Premier Secrétaire

DEPECHE n° 699. 8 décembre 1961.

Sujet

Alphonse Juin : un maréchal dans la coulisse ?

Introduction, conclusions et résumé

Dans les discussions ayant trait aux successeurs possibles de de Gaulle, et notamment ceux qui pourraient être appelés à lui succéder en tant que symbole de l'unité nationale - ou en tant qu'élément de celle-ci -, en cas de décès ou de démission dans des circonstances violentes ou menaçantes, le nom du seul maréchal de France encore vivant est souvent cité.

Bien que Juin n'ait jamais été accusé de complicité dans aucun des nombreux complots ou tentatives de putsch contre de Gaulle, il a, en de nombreuses occasions, clairement fait comprendre qu'il était opposé à la politique algérienne de de Gaulle. Le 11 novembre 1961, il a fait une déclaration publique dans laquelle il rompait avec de Gaulle sur ses projets pour l'Algérie. Dans une lettre ouverte à de Gaulle le 28 décembre 1960, Juin a de plus déclaré qu'il voterait « non » au référendum du 8 janvier 1961 (cf. dépêche de Paris n° 920, 3 janvier 1961). Après la tentative de putsch d'avril 1961, il a rendu visite avec ostentation à certains des officiers emprisonnés à Paris, à la prison de Fresnes. En septembre 1961, dans sa première déclaration publique depuis l'envoi de sa lettre ouverte à de Gaulle neuf mois plus tôt, il a violemment attaqué de Gaulle dans une interview donnée à trois journaux étrangers.

Les déclarations publiques suivantes - et les plus récentes - de Juin à propos de de Gaulle et du problème algérien ont été faites lors d'une allocution privée prononcée le 26 novembre 1961 devant un groupe d'officiers de réserve à Paris. Dans ce discours - soumis au ministre des Armées[144] et, semble-t-il, modifié avant d'être prononcé -, Juin s'est montré beaucoup plus modéré dans ses critiques qu'il ne l'avait été par le passé.

---

[144] Pierre Messmer.

Etant donné son haut rang dans la hiérarchie militaire et, sinon la popularité, du moins le respect qu'il a gagné au cours de sa carrière longue et distinguée, Juin demeure, presque par définition, l'une des figures qui pourrait être appelée à l'aide pour ramasser les morceaux, dans le cas d'un effondrement du régime français actuel. Ses positions sur l'Algérie, où il est né et a passé son enfance ainsi qu'une partie importante de sa carrière, seraient sans doute acceptables pour les plus actifs des opposants à de Gaulle. Son prestige de plus haute figure militaire française l'aiderait à remporter l'accord de l'armée, une organisation qui sera bien sûr de toute première importance en cas de crise du régime. De plus, sa capacité à modérer et adapter ses positions selon l'évolution de la situation politique l'aiderait à gagner suffisamment l'approbation générale pour être admis comme candidat de compromis.

Cependant, malgré son haut rang dans la hiérarchie militaire et son prestige, Juin n'est pas, de manière générale, une figure populaire. Il n'est en aucun cas un "homme à cheval" du genre de Boulanger. De plus, il a presque soixante-treize ans (deux ans de plus que de Gaulle). Dans le cadre actuel et fort turbulent de la scène politique française, Juin demeure un successeur possible, mais peu probable, de de Gaulle. Il est cependant fort peu vraisemblable qu'il soit jamais disposé à se joindre à une attaque généralisée contre le régime. Il est également fort peu vraisemblable, qu'on lui propose jamais - ou qu'il le veuille personnellement - une partie des bénéfices douteux tirés d'une attaque subversive menée contre le régime par les opposants à de Gaulle, opposants dont les vociférations et les violences antidémocratiques n'en finissent pas d'augmenter.

Un maréchal "pied-noir"

Né à Bône, une ville côtière de l'Est de l'Algérie, le 16 décembre 1888 (son père, un policier, était d'origine corse ; la famille de sa mère venait de Vendée, dans l'Ouest de la France), Juin a poursuivi ses études secondaires à Constantine et à Alger comme boursier. Il est sorti premier de sa promotion à Saint-Cyr, en 1912 ; de Gaulle est sorti dans le premier tiers de cette même promotion.

Juin a eu une carrière militaire longue et distinguée. Chef excellent sur le champ de bataille, il a très bien combattu pendant la Première Guerre mondiale : il reçut de nombreuses citations et fut sérieusement blessé. Il s'est battu à nouveau, lors de la guerre du Rif dans le Nord du Maroc, et fut blessé en 1940 en défendant Lille contre les

Allemands. Fait prisonnier et interné en Allemagne, Juin fut libéré en 1941 et après avoir refusé le poste de ministre de la Guerre du régime de Vichy, il devint commandant des Forces françaises en Afrique du Nord. Rejoignant les Alliés après le débarquement en Afrique du Nord, Juin reçut en 1942 du général Giraud le commandement des troupes françaises combattant en Tunisie et, en 1943, de Gaulle lui donna le commandement du corps expéditionnaire français en Italie.

Après la guerre, Juin reçut de nombreuses affectations où les qualités politiques et diplomatiques étaient aussi importantes que les qualités militaires. Il fut résident général au Maroc de 1947 à 1950, et servit, de 1951 à 1956, comme commandant en chef interallié des forces terrestres en Europe centrale. Il a également continué à amasser les honneurs : en 1952 le président Vincent Auriol lui remit le bâton de maréchal ; la même année, il fut élu à l'Académie française.

Comme tous les officiers français de sa génération, Juin a souvent dû faire des choix personnels de nature politique : ce fut particulièrement vrai pendant les années de guerre, époque où ses services furent sollicités par un large éventail de supérieurs hiérarchiques. Avec son prestige militaire grandissant et la multiplication des problèmes militaro-politiques depuis la guerre, Juin s'est plus d'une fois risqué dans le processus politique de prise de décision. En 1954, il prit publiquement position contre la CED[145] (ce qui lui valut d'être blâmé par le président du Conseil Laniel, qui lui demanda de démissionner de son poste de vice-président du Conseil supérieur des forces armées). En 1957, il s'opposa publiquement à l'EURATOM[146].

Juin a toujours été très intéressé par la formulation et la réalisation des politiques françaises concernant l'Afrique du Nord. Lorsqu'il était résident général au Maroc, il exerça sa charge d'une main ferme et souvent lourde, s'opposant avec force à tout mouvement favorable au changement de statut (protectorat) du Maroc. Cependant, il a ensuite joué un rôle inattendu dans l'évolution de la Tunisie vers

---

[145] Le traité de Paris du 27 mai 1952, établissant la Communauté européenne de défense (CED) entre les six pays de la Communauté européenne du charbon et de l'acier (CECA), ne fut finalement pas ratifié par l'Assemblée nationale française le 30 août 1954. Le projet fut donc abandonné.

[146] Communauté européenne de l'énergie atomique (CEEA) ou EURATOM, établie par le traité de Rome le 25 mars 1957, en même temps que la CEE.

l'indépendance. Pendant la brève période d'euphorie qui a suivi la conclusion de la paix en Indochine en juillet 1954, il se rendit à Tunis avec Mendès France ; il se trouvait au côté de ce dernier lorsque celui-ci dit au Bey que la France tiendrait sa promesse d'accorder la souveraineté nationale à la Tunisie. Toutefois, en ce qui concerne l'Algérie, Juin n'a jamais changé. A plusieurs reprises, il a clairement fait comprendre qu'il n'aiderait jamais à "couvrir" l'abandon de la souveraineté française - nationale ou autre - sur sa terre natale.

Septembre 1961 : Juin attaque violemment le régime gaulliste

L'attaque publique la plus vigoureuse que Juin ait jamais portée contre le régime gaulliste figure dans une interview accordée en septembre 1961 à un journal allemand, *Die Welt* d'Hambourg, et à deux journaux suisses, *Der Bund* de Berne et *La Gazette de Lausanne*. L'interview, qui consiste en une longue réponse à une seule grande question générale - commenter l'évolution actuelle des affaires françaises - a été publiée intégralement le 21 septembre 1961 dans le quotidien parisien de droite, *L'Aurore*.

Juin a commencé en parlant de l'unification européenne. « Pour affronter les dangers de cette redoutable fin de siècle, a-t-il dit à ses interlocuteurs allemands et suisses, notre civilisation libre a besoin de l'union et du courage de tous ses fils. » L'Europe doit être construite, a-t-il déclaré, et la France doit en faire partie. Mais l'unification de l'Europe « ne saurait avoir lieu si l'une des parties régresse vers une forme primaire d'organisation politique, que cette régression soit imputable à l'indifférence et à l'incertitude du peuple ou à la volonté des dirigeants. Si, à l'impuissance du gouvernement par les assemblées on veut faire succéder les vicissitudes du pouvoir autocratique, a-t-il dit, il sera difficile de rechercher un régime commun avec les nations voisines qui n'ait pas un caractère purement contingent. »

Poursuivant sur l'Algérie, Juin a déclaré que la dégradation continue de la situation en Algérie mettait « non seulement la France mais le monde atlantique sur une position morale équivoque ». En d'autres temps, a-t-il remarqué, les alliés avaient poursuivi les criminels de guerre devant le tribunal de Nuremberg. « Aujourd'hui, le gouvernement français tente de négocier avec une autre faction qui, professant l'assassinat comme moyen de puissance, finit par provoquer de redoutables réactions jusque dans les assises saines de la population et met ses hommes dans le cas d'être déférés devant les tribunaux de droit commun.» Mais le gouvernement français «y a été encouragé publiquement par ses alliés qui ne semblent pas voir que, de cette abdication devant le désordre, la seule paix amère qui puisse surgir n'est autre que celle qui leur sera dictée par l'adversaire commun».

S'adressant directement aux alliés de la France, et «particulièrement [à] nos amis américains», Juin a alors déclaré que «la politique qui consist[ait] à "dégager"[147] (...), c'est-à-dire à livrer sans retour une terre profondément cultivée par la France à la discrétion d'une équipe gagnée à la doctrine et aux méthodes marxistes - en dépit de toutes les apparences démocratiques dont on veut en assortir le processus -, n'[était] une bonne affaire ni pour nous ni pour eux. Ce n'est pas une bonne affaire, explique-t-il, parce que l'Algérie algérienne ni le Maghreb maghrébin n'existent vraiment, parce que la réalité algérienne ou maghrébine à laquelle on travaille paradoxalement, de part et d'autre, c'est la régression vers l'anarchie tribale, vers la dictature des clans, c'est l'angoisse puis l'indignation de la population franco-européenne et de la population musulmane francophile, que seuls, les experts en subversion finiront par discipliner à leur dessein. Qui peut dire, dans ces conditions, poursuit Juin, quelles mains gouverneraient finalement l'Algérie et, sans doute, l'Afrique du Nord? Mais il est certain que si ces mains-là ne convenaient pas, nos peuples, comme il y a vingt-trois ans, seraient à nouveau contraints à un combat hasardeux pour avoir perdu les assurances morales et matérielles qui eussent été nécessaires à l'éviter ou le gagner.»

Après cette remarque de mauvais augure, Juin a continué en proposant une solution pour le problème algérien. Bien qu'il reconnaisse qu'il sera «difficile de faire revivre (...) les élans de fraternisation qui ont accompagné les événements de mai 1958[148]», il pense qu'il «serait peut-être encore possible de proposer aux populations différenciées d'Algérie et de France une communauté de souveraineté : en d'autres termes, de rassembler au lieu de désunir, de tenter la construction d'une République Unie de France, d'Algérie et du Sahara, établie de façon réaliste sur le plein respect des communautés ethniques, fédéralisée dans ses organes

---

[147] Le général de Gaulle a évoqué le «dégagement» dans sa conférence de presse du 5 septembre 1961. Cf. p. 73, dépêche du 19 septembre 1961.

[148] Après le 13 mai 1958, de très nombreux Algériens ont rejoint les Européens et ont défilé en criant «Vive de Gaulle».

législatifs et administratifs, mais dotée d'un territoire commun et d'un exécutif unique ».

Mais en France, « il semble qu'on ait choisi (...) le repliement sur soi, l'organisation d'un pouvoir solitaire, plutôt que de se porter au devant de la chaleur de la vie... et qu'on n'ait sondé l'avenir que pour y supputer des ruines, sinon la défaite ». Car comment l'Europe résisterait-elle à une détérioration grave des affaires françaises, a-t-il demandé. Les ambiguïtés de la politique française, conclut-il, ne mettent pas seulement en cause la signification même du pays, mais également ses intérêts naturels et ses alliances, autant qu'elles divisent les esprits, au risque de préparer un conflit civil.

« Entêtement, aveuglement ou impuissance des conceptions, a poursuivi Juin : il y a dans tout cela quelque chose de déraisonnable qui défie le bon sens. Nul ne peut ignorer que la France est inquiète et qu'à la faveur de son éviction d'Algérie une tentative fratricide risque de la déchirer ou en tout cas de modifier dangereusement son comportement politique. C'est pourquoi il serait bon que les amis de la France ne commettent point d'erreur d'appréciation sur les choses qui touchent à sa situation réelle. Car pour eux, comme pour nous, il s'agit de maîtriser la fortune et non d'en subir un caprice désastreux. »

Novembre 1961 : Juin modère prudemment ses critiques

Dans les déclarations ci-dessous, faites lors d'une allocution devant un groupe d'officiers de réserve, à Paris le 26 novembre 1961, Juin a beaucoup modéré ses critiques par rapport à son interview d'il y a deux mois. Cette modération nouvelle pourrait provenir en partie du fait qu'il avait soumis son discours au ministre des Armées avant de le prononcer ; en tout cas, il a pris garde d'éviter une attaque généralisée.

Le choix de l'auditoire qu'a fait Juin est cependant significatif. Il avait choisi des journalistes étrangers en septembre ; en novembre, il a opté pour le Centre d'études de la défense nationale, une organisation non officielle fondée par un groupe d'officiers de réserve qui considéraient que l'Union nationale des Officiers de Réserve était trop proche du gouvernement (l'UNOR est par ailleurs devenue moins contestable aux yeux de beaucoup de ses membres depuis que son président, le lieutenant-colonel Weismann, à qui plusieurs fédérations de l'UNOR avaient reproché d'avoir mis l'UNOR à la disposition du gouvernement au moment de la révolte des généraux en avril, a été remplacé, le 27 novembre 1961, par un officier plus "orthodoxe", le colonel Rouzee). Le texte du discours n'a pas été rendu public ; divers comptes rendus sont toutefois parus dans la presse, le plus complet ayant été publié dans *Combat*, le 28 novembre.

Selon les analyses publiées, Juin a parlé en termes fort prudents de l'inquiétude qui domine l'armée française, de l'Algérie et de l'Europe. A propos de l'armée, il s'est abstenu de s'exprimer sur ce qui cause son malaise, mais il a souligné le fait qu'après que le malaise se fut transformé en rébellion, le gouvernement a « frappé les plus courageux, les plus résolus, les plus chargés de gloire » ; il a poursuivi en déclarant : « Une armée moderne, celle qu'on veut nous faire, ne pourra pas se passer de ces chefs admirables. Elle ne pourra être commandée par des robots électroniques. » Il faut employer des « voies humaines », a-t-il affirmé. « C'est ce que j'ai reproché aux méthodes de répression après le putsch, c'est de ne pas avoir suivi ces voies humaines. »

Cependant, on a également rapporté que Juin avait déclaré que les fautes ne provenaient pas toutes du même camp ; le gouvernement a gaspillé une victoire qui avait été gagnée sur le champ de bataille ; d'un autre côté, l'armée est peut-être trop marquée par l'environnement dans lequel elle combat.

Dans le reste de son discours, Juin a parlé des problèmes de l'Europe et de l'Occident, exprimant à nouveau sa position favorable à une Europe unie, à l'Alliance atlantique et à une force de frappe nucléaire française.

(Accord de l'attaché militaire
Brig. Gen. C. A. Symroski).

Pour l'Ambassadeur :
John A. Bovey, Jr.
Premier Secrétaire

DEPECHE n° 823. 9 janvier 1962.

Sujet

Le conflit algérien : en marche vers le dernier acte ? (Analyse du problème algérien à l'hiver 1962, avec un accent particulier mis sur l'OAS, l'armée française et le FLN).

Introduction

Dans son discours au peuple français du 29 décembre 1961, le général de Gaulle a dressé un tableau enthousiaste de la manière dont il avait conduit les affaires françaises depuis la chute de la Quatrième République ; il attend 1962 avec sérénité et confiance. La guerre d'Algérie prendra fin « d'une manière ou d'une autre » et la France continuera sa grande tâche de « rénovation nationale ». Son discours semblait familier : douze mois plus tôt, en appelant à un « oui franc et massif » pour le référendum du 8 janvier 1961, il avait lancé l'espoir que 1961 serait « l'année de la paix rétablie » en Algérie. Moins de quatre mois plus tard, son régime était sévèrement ébranlé par une insurrection militaire en Algérie et la France était une fois de plus confrontée à la menace ouverte de guerre civile.

Plus ça change, plus c'est la même chose[149]. La fin imminente de la guerre d'Algérie a été annoncée avec une régularité frappante depuis qu'elle a commencé, il y a plus de sept ans, et la France est menacée de guerre civile depuis longtemps par ceux qui sont déterminés à conserver l'Algérie française à tout prix. La Cinquième République a dépassé de beaucoup la très calomniée Quatrième République dans le domaine de la stabilité gouvernementale, mais les crises ministérielles ont été remplacées non seulement par une dévalorisation du rôle des ministres, mais aussi par de plus fréquentes crises du régime lui-même.

Cependant, même aux yeux des observateurs les plus sombres, 1962 semble être une année où le problème algérien peut trouver, pour le meilleur ou pour le pire, si ce n'est une solution, du moins un dénouement. Bien qu'elle n'ait pas vu la fin du conflit, la septième année

---

[149] En français dans le texte.

de la guerre a constitué un tournant crucial, un tournant qui a mis en place le décor d'une possible fin du problème algérien dans sa forme actuelle (cf. dépêche de Paris n° 310, datée 19 septembre 1961, « La France, l'Algérie et l'Ouest : un tournant. Analyse du problème algérien à la suite de la conférence de presse de de Gaulle du 5 septembre 1961 »[150]). Les événements les plus dramatiques de la septième année de la guerre ont été les manifestations musulmanes pro-FLN, qui ont marqué la dernière visite de de Gaulle en Algérie en décembre 1960[151], et le putsch militaire manqué en Algérie, en avril 1961. Mais à plus long terme, l'événement le plus significatif a été la proclamation publique par de Gaulle de la décision française d'accepter, quasiment dans les termes mêmes du FLN, l'établissement d'un Etat algérien indépendant et souverain, et, dans l'éventualité où le FLN refuserait de coopérer avec la France, d'avoir recours au « dégagement » d'un territoire qui, légalement, est une partie de la France depuis plus de 130 ans.

Dans la succession des descriptions de sa politique algérienne, de Gaulle a peu à peu ouvert la porte à la possibilité d'un retrait négocié de la France d'Algérie. Le 4 novembre 1960, il a parlé pour la première fois d'une « Algérie algérienne » et de « la République algérienne, une république qui existera un jour » ; le 11 avril 1961, après avoir remarqué que « l'Algérie nous coûte, c'est le moins que l'on puisse dire, plus cher qu'elle ne nous rapporte », il a déclaré sans ménagement que la France « considérerait avec le plus grand sang-froid une solution telle que l'Algérie cessât d'appartenir à son domaine » ; et le 5 septembre 1961, soulignant le fait que la France était déterminée à « se dégager » quand les désavantages dépassaient les avantages, il a brusquement renversé la situation qui avait mis fin aux négociations d'Evian et de Lugrin en annonçant que la France serait éventuellement prête à concéder la souveraineté du Sahara à un Etat algérien indépendant.

Les quatre mois qui ont suivi la conférence de presse de de Gaulle du 5 septembre 1961 ont illustré la complexité des questions encore en suspens et ont mis en lumière de façon inquiétante les problèmes que les négociateurs auront à affronter au moment où ils essaieront de mettre en œuvre les décisions qu'ils pourront avoir prises. Dans ses discours suivants, notamment lors de ses tournées dans le Sud de la France (20-24 septembre) ainsi qu'en Corse, dans le Var et les

---

[150] Cf. p. 69.

[151] Cf. note 80, p. 71, dépêche du 19 septembre 1961.

127

Bouches-du-Rhône (7-10 novembre), de Gaulle s'est gardé d'employer le terme de « dégagement », évoquant souvent en revanche la possibilité d'un « regroupement » encore plus ambigu, une entreprise que certains de ses interlocuteurs ont assimilée à une éventuelle partition de l'Algérie. Lors de ses tournées, il a également choisi de mettre de plus en plus l'accent sur la nécessité d'obtenir des garanties pour la protection de la minorité européenne d'Algérie. D'autres problèmes persistants demeurent également visibles : dans un discours devant le Sénat le 20 novembre 1961, par exemple, le ministre des Armées, Pierre Messmer, a déclaré que la France resterait à Mers el-Kébir ; dans une interview au Caire, rapportée le 25 décembre, le ministre d'Etat du GPRA, Lakhdar Ben Tobbal, a déclaré, entre autres, que le GPRA n'accepterait jamais de louer Mers el-Kébir à la France.

Néanmoins, les porte-paroles des deux camps ont fourni des indices selon lesquels l'annonce d'une conclusion fructueuse des accords préliminaires pourrait être imminente et des "calendriers" supposés des étapes à venir dans le règlement de la solution algérienne ont été avancés. L'espoir est grand, par exemple, qu'un cessez-le-feu soit conclu à la fin janvier et que des négociations formelles, auxquelles Ben Bella[152] prendrait part, soient alors à nouveau ouvertes. Les négociations, a-t-on avancé, aboutiraient à une conclusion fructueuse vers avril, et un "Exécutif provisoire" serait alors mis en place en Algérie, pour préparer un référendum d'autodétermination qui aurait lieu en Algérie quelques mois plus tard[153]. Il y aurait également un référendum en France pour ratifier le changement du statut de l'Algérie, en plus d'élections générales pour élire de nouveaux députés, et peut-être une révision constitutionnelle qui permettrait l'élection du président au suffrage universel.

---

[152] Ahmed Ben Bella, chef historique du FLN, a été arrêté le 22 octobre 1956. Détenu depuis lors en France, il se trouve, depuis décembre 1961, au château d'Aunoy, près de Paris, où il bénéficie, avec ses compagnons d'internement, de conditions plus libérales : ils peuvent notamment recevoir des émissaires du GPRA.

[153] En ce début janvier, les négociations avancent et promettent une fin prochaine. En même temps que des textes sont échangés entre les deux délégations, Louis Joxe, ministre des Affaires algériennes, rencontre Saad Dahlab, ministre des Affaires étrangères du GPRA. Le cessez-le-feu n'aura lieu qu'en mars, après les négociations d'Evian, auxquelles Ben Bella ne participe pas.

De plus, dans son discours du 29 décembre, le général de Gaulle a apporté un signe bienvenu d'optimisme à la vaste majorité des Français qui espère une rapide conclusion négociée de la guerre d'Algérie. Après être revenu au thème du « dégagement » en déclarant que la France était déterminée à mettre fin « d'une manière ou d'une autre » aux liens qui l'attachent à l'Algérie, il a continué en disant qu'il « semble possible aujourd'hui » qu'un accord mutuel soit trouvé, grâce auquel un « Etat algérien souverain et indépendant » puisse être établi, garantissant les « intérêts essentiels » de la France en échange de son aide. L'optimisme de de Gaulle quant à une solution négociée a été prudemment limité, mais il était néanmoins clair.

Des acteurs récalcitrants[154]

Malgré les espoirs de ceux qui préfèrent concentrer leur attention sur ce qu'ils considèrent comme le « petit fossé » séparant actuellement ceux qui mènent les négociations préliminaires secrètes, les problèmes fondamentaux qui ont toujours poursuivi le conflit algérien n'ont pas disparu. L'évolution de la politique algérienne de de Gaulle pourrait avoir atteint un tournant en 1961, mais point n'est besoin d'une grande sagacité pour prédire qu'il s'agit d'un tournant très difficile à négocier. Les politiques, comme les Républiques, peuvent changer, mais les problèmes et les controverses, particulièrement quand ils se situent dans le contexte français, tendent à demeurer éternels. Tel est particulièrement le cas bien sûr, quand les personnes les plus directement impliquées sont convaincues que leurs intérêts vitaux, leur honneur et dans certains cas leur existence même sont en jeu.

L'OAS

Officiellement fondée en février 1961, l'OAS ne s'est pas révélée comme une force politique majeure avant l'échec du putsch militaire en avril (pour des informations au sujet de l'OAS et de ses objectifs, cf. dépêches de Paris n° 677, datée du 5 décembre 1961, « L'OAS vue par les Européens d'Algérie », et n° 787, datée du 29 décembre 1961, « Objectifs et positions de l'OAS »). Au milieu de la confusion qui a suivi l'effondrement total de la révolte en Algérie, les membres effrayés de la minorité européenne ont accueilli avec ferveur et

---

[154] Cf. p. 68, télégramme du 8 septembre 1961 : « la classe comporte des éléments récalcitrants ».

soulagement la nouvelle que d'importants chefs militaires avaient pris le maquis et avaient juré de se battre jusqu'à la mort pour conserver l'Algérie française. Ils avaient perdu une bataille, pensaient-ils, mais pas la guerre : la formation d'un mouvement de résistance puissant et déterminé était en marche.

Se sentant désespéré et abandonné, le gros de la communauté européenne d'Algérie n'a pas attendu très longtemps pour se rallier à l'OAS. Utilisant des méthodes semblables à celles que le FLN avait employées avec la majorité musulmane, les spécialistes de l'OAS - en psychologie et autres - furent rapidement capables d'organiser et de "conditionner" l'imposante et puissante minorité européenne. Les officiers qui avaient lu Mao ZeDong pendant leur séjour dans les camps de prisonniers viêt-minhs, avaient trouvé qu'il était difficile de se sentir comme un poisson dans l'eau musulmane ; nager dans l'eau européenne s'est révélé être une tâche infiniment plus facile.

Au début de l'automne, l'OAS pouvait proclamer qu'elle avait rempli son premier objectif fondamental : être largement acceptée comme la représentante de la minorité européenne d'Algérie. Outre l'implantation de leurs méthodes terroristes de l'autre côté de la Méditerranée, en France métropolitaine (où 351 plasticages ont eu lieu durant les premiers neuf mois et demi de 1961), les leaders de l'OAS ont bombardé les parlementaires français, les maires, les chefs religieux, les journalistes et d'autres membres de la population, de lettres et de publications dans lesquelles les menaces et les intimidations se mêlaient aux marques d'autosatisfaction, destinées à convaincre les destinataires de l'honorabilité et de l'attrait incontestables des objectifs de l'OAS. Cette campagne a été couronnée d'un succès éclatant lorsque, dans un débat empreint d'émotion à l'Assemblée nationale le 8 novembre, un membre de l'UNR gaulliste, Pierre Pasquini[155], a déclaré sans être contredit que tous les Français d'Algérie soutenaient l'OAS, moralement si ce n'est physiquement, et lorsque le député d'Algérie René Vinciguerra[156] a carrément déclaré que l'OAS était « considérée comme la seule organisation capable d'apporter une solution au problème algérien qui soit en accord avec les vœux de la population fidèle à la France ». Le jour

---

[155] Député UNR des Alpes maritimes.

[156] Député d'Alger-ville, membre du groupe Unité de la République, qui rassemble les élus d'Algérie, partisans de l'Algérie française, et membre du Rassemblement pour l'Algérie française (RAF).

suivant, dans un débat sur le budget de la défense, l'OAS a remporté une victoire parlementaire spectaculaire avec le vote de quatre-vingts députés en faveur d'une proposition de loi, inspirée de manière flagrante par l'OAS, visant à réduire le service militaire à dix-huit mois[157]. Avec quatre-vingts députés ayant ouvertement approuvé ce qui a immédiatement et à juste titre été surnommé « l'amendement Salan », l'OAS pouvait désormais proclamer qu'elle avait un bloc de partisans au parlement français.

A un autre moment du débat sur le budget de l'Algérie à l'Assemblée nationale, le 8 novembre, le député d'Algérie Ahmed Djebbour[158], qui a voté en faveur de l'« amendement Salan » le jour suivant, a interrompu le ministre des Affaires algériennes, Louis Joxe, pour dire que pour installer le FLN en Algérie, « il faudra nous passer sur le corps ». Mais l'OAS et ses partisans préféreraient nettement parvenir à leurs fins par l'intimidation et la discussion. A leurs yeux, le gouvernement français devrait être prêt à négocier avec *tous*[159] ceux qui combattent en Algérie, l'OAS aussi bien que le FLN. De Gaulle avait dit (à Bastia, le 7 novembre 1961) que le FLN avait de son côté « le gros des sentiments des masses algériennes » ; l'OAS soutient qu'elle a de son côté la masse écrasante du plus d'un million d'Européens d'Algérie, aussi bien qu'une portion considérable de la population musulmane. Ils exercent un contrôle de fait dans d'importantes parties de l'Algérie ; ils collectent des impôts, diffusent des programmes de radio et de télévision, et exécutent leurs ennemis ; ils ont, pensent-ils, les moyens d'empêcher une « trahison » ou un « abandon ». Absolument pas convaincus de la valeur de "garanties" quelconques que le FLN pourrait offrir pour la sécurité des Européens dans un Etat révolutionnaire à majorité musulmane, ils possèdent davantage d'armes en Algérie qu'en a le FLN. Ils sont déterminés à ne pas laisser l'Algérie être livrée à une bande d'« égorgeurs et de meurtriers », même s'il leur faut devenir eux-mêmes des égorgeurs et des meurtriers.

Les chefs de l'OAS, et les Algériens qu'ils représentent, sont donc plus que "récalcitrants" : les plus déterminés - ou flamboyants -

---

[157] Le texte est inspiré d'une proposition du général Salan au moment du putsch. Il s'agit d'attirer la sympathie des jeunes métropolitains à la cause de l'Algérie française.

[158] Député d'Alger-ville, membre du groupe Unité de la République et du RAF.

[159] Souligné dans le texte.

d'entre eux insistent sur le fait qu'ils sont prêts à sacrifier leur vie pour que l'Algérie demeure française. Ils se considèrent, disent-ils, comme des irréductibles qui, si c'est nécessaire, auront la vie dure. De Gaulle a dit avec ironie que l'Algérie qu'ils souhaitaient était « l'Algérie de papa »[160] ; les porte-paroles, à la vision historique, des jeunes et fougueux Français d'Algérie ont déclaré que papa avait été à Monte Cassino et grand-papa à Verdun. Certains ont déclaré avec optimisme que l'OAS ouvrirait le chemin vers une Algérie nouvelle ; que l'Algérie, comme l'Italie du *Risorgimento*, *farà da se*, se fera elle-même. D'autres ont résumé leur point de vue en disant qu'ils préféreraient un cercueil à une valise, un bain de sang à un départ. D'autres encore ont bien sûr déjà choisi la valise (et ont également utilisé d'autres moyens plus efficaces pour transférer leurs avoirs vers des climats plus calmes). Mais en tout cas, beaucoup des membres excités de l'imposante et puissante communauté européenne d'Algérie, conduits par une OAS brutale et pleine de sang-froid, n'ont pas hésité à se montrer confiants dans leur capacité à déclencher un dur combat pour ce qu'ils considèrent comme leur patrie.

L'armée

L'armée française a longtemps été affectée par une maladie qui a été minutieusement et douloureusement analysée par tout un ensemble d'observateurs inquiets, à la fois à l'intérieur et à l'extérieur de ses rangs. Tous sont d'accord pour dire que la fière armée française souffre d'un malaise. Après avoir mené des guerres désastreuses sur de très larges fronts pendant plus de vingt ans[161], l'armée ne veut pas essuyer de défaite une fois de plus. Elle répugne manifestement à remettre quinze départements français à un groupe qu'elle avait reçu l'ordre de détruire ; après avoir combattu des "hors-la-loi", elle ne veut pas les escorter jusqu'au pouvoir. Certains de ses membres ont plaintivement fait entendre que peu d'armées, et particulièrement des armées qui ont le sentiment d'avoir gagné sur le champ de bataille, s'étaient jamais vues exiger de remplir une mission si contestable et déplaisante (ils considèrent

---

[160] Le général de Gaulle a déclaré le 28 avril 1959, à Pierre Laffont, directeur de l'*Echo d'Oran* : « Ce qu'ils [les intégrationnistes] veulent, c'est qu'on leur rende l'"Algérie de papa". Mais l'Algérie de papa est morte, et si on ne le comprend pas on mourra avec elle ».

[161] Cf. p. 62 et p. 65, dépêche du 31 août 1961 : « cette fière armée, engagée dans des batailles désastreuses, sur de très larges fronts, depuis plus de vingt ans ».

souvent que les départements français d'Algérie et du Sahara sont comparables à l'Alsace et la Lorraine, ou au Texas et à l'Arizona, et non pas, bien sûr, aux Indes britanniques ou à l'Indochine française). Une certaine part de malaise, si ce n'est de pure révolte, a-t-on donc avancé, est non seulement naturelle, mais également inévitable.

Pour compliquer davantage les choses, de nombreux officiers pensent qu'ils ont été faits cocus par un chef fourbe. L'armée a joué un rôle-clé en amenant de Gaulle au pouvoir en 1958 ; tandis que l'armée soutenait l'« intégration »[162] et promettait à ses auxiliaires musulmans et ses partisans que la France ne les abandonnerait jamais, de Gaulle a commencé à élaborer l'« association »[163] et, ensuite, à envisager le « dégagement ». L'armée a abattu la Quatrième République et a contribué à amener de Gaulle au pouvoir lorsqu'elle a pensé que la Quatrième République allait négocier avec les rebelles contre lesquels elle se battait ; deux ans plus tard, de Gaulle acceptait de recevoir en France des émissaires du FLN sans même exiger que les forces du FLN en Algérie acceptent un cessez-le-feu[164]. Les présentations successives et souvent sibyllines que de Gaulle a faites, en public ou en privé, de l'évolution de sa politique algérienne ont embrouillé et inquiété ses interlocuteurs militaires plus qu'elles ne les ont convaincus. Aux yeux de beaucoup d'officiers, le leader respecté du temps de la guerre est devenu Charles le Fourbe, Charles le Trompeur, Charles le Traître.

Sous le commandement de ses chefs en Algérie, notamment le général Massu et les généraux d'alors Salan et Challe, l'armée a fourni un dur effort militaire et politique, en 1958 et 1959, pour conduire la guerre vers une issue victorieuse. Sentant que la victoire était plus proche qu'à aucun moment depuis le début des combats, la plupart des officiers furent

---

[162] L'armée a fait campagne auprès des Algériens pour soutenir le vote « oui » au référendum du 28 septembre sur la Constitution de la Cinquième République, et pour soutenir les députés gaullistes et intégrationnistes aux législatives de novembre 1958.

[163] Le général de Gaulle a évoqué plusieurs fois l'« association » : après avoir lancé « Vive l'Algérie et la France » à Constantine, le 3 octobre 1958, il a déclaré le 8 janvier 1959 que l'Algérie de demain serait « étroitement associée à la France » et ajouté le 25 mars 1959 qu'il ferait en sorte que « l'Algérie reste liée à la France ».

[164] Il s'agit des pourparlers de Melun en juin 1960, qui échouent à cause de la question du cessez-le-feu.

consternés quand de Gaulle a officiellement mis en doute le statut futur de l'Algérie en annonçant son offre de l'autodétermination, le 16 septembre 1959. A leurs yeux, l'Algérie avait déjà fait son choix dans l'euphorie du 13 mai 1958, et ce choix avait été ratifié par le référendum quatre mois plus tard. Pour ceux qui avaient pris les slogans Algérie française au sérieux, et qui les avaient diffusés dans la campagne algérienne, c'était un atroce rebondissement. L'« intégration » de l'Algérie à une France généreuse et puissante, une France déterminée à rester en Algérie (« La France restera »), avait été leur réponse favorite à ceux qui étaient attirés par l'appel du FLN à l'indépendance. Plaider pour une « association », moins concrète à leurs yeux, était une grave erreur ; envisager la possible « sécession » d'un territoire pour lequel eux-mêmes et leurs auxiliaires musulmans avaient combattu et péri, n'était pas seulement une erreur tactique, mais, pour beaucoup d'entre eux, une trahison incompréhensible.

Les déclarations de de Gaulle concernant les avantages financiers du « dégagement » n'ont pas beaucoup impressionné les officiers : beaucoup de ceux qui ont participé au putsch manqué du 22 avril 1961 devaient par la suite citer les déclarations « de comptable » faites par de Gaulle lors de sa conférence de presse du 11 avril comme la cause directe de leur action[165]. Beaucoup n'ont pas non plus été convaincus par l'argument de de Gaulle selon lequel la France devrait retirer ses forces d'Algérie dans le but de défendre Berlin : selon eux, l'Afrique du Nord est le lieu où ils peuvent apporter leur contribution la plus efficace à la lutte de l'Ouest contre le communisme. Certains ont même déclaré n'être pas impressionnés par le désir manifeste de paix à tout prix exprimé par la majorité de leurs compatriotes. Le peuple était derrière Pétain en 1940 et il est derrière de Gaulle en 1962 : cela prouve seulement qu'il n'aime pas la guerre.

Mais plus essentiel pour la plupart des officiers est le sentiment répandu que leur honneur et leur unité sont en jeu en Algérie. Dans son ordre du jour de Noël, le général Ailleret, commandant en chef des forces françaises en Algérie, a parlé de la discipline et de l'Etat, mais beaucoup de ses subordonnés préfèrent penser dans les mêmes termes que ceux de la devise inscrite sur leur drapeau : Honneur et Patrie. Leur malaise vient

---

[165] Cf. p. 72, dépêche du 19 septembre 1961. Le général de Gaulle avait déclaré, le 11 avril 1961 : « L'Algérie nous coûte, c'est le moins que l'on puisse dire, plus cher qu'elle nous rapporte ».

du fait d'être confrontés (ou de se confronter eux-mêmes) à un choix entre la loi légale de la discipline envers l'Etat et ce qu'ils ressentent comme la loi morale de leur devoir envers ceux à qui des promesses solennelles ont été faites. Ce malaise est aggravé par le souvenir de la longue histoire des choix qu'eux-mêmes et leurs camarades officiers ont été forcés de faire depuis les jours sombres de juin 1940 - choix qui ont conduit à de profondes divisions et, dans bien des cas, à des carrières brisées. Pendant la guerre, les officiers français ont servi dans l'armée de Vichy, dans les Forces françaises libres et ont été recrutés par les armées rivales en Afrique du Nord ; ils se sont tirés dessus en Syrie en 1941.

La guerre d'Algérie a été pour l'armée française la cause d'un calvaire encore plus douloureux. Ayant reçu l'ordre d'affronter une guerre subversive, certains officiers se sont compromis en utilisant des méthodes qu'ils jugeaient nécessaires pour vaincre un ennemi subversif. Plus tard, remplissant toujours sa mission - combattre une rébellion -, l'armée a appris que l'armée contre laquelle elle se battait était destinée, selon les mots du général de Gaulle, à devenir l'Etat algérien. Au même moment, beaucoup de ses chefs, dont certains parmi les plus respectés et les plus influents, ont démissionné (plus de 2 000 depuis le putsch), ont été emprisonnés ou sont en révolte ouverte. Bien qu'ils se soient abstenus d'aller rejoindre les rangs des "soldats perdus", certains des officiers qui restent ne sont manifestement pas les mieux qualifiés pour remplir les nouvelles tâches difficiles et désagréables qui se préparent.

Le FLN

Les objectifs fondamentaux et la doctrine des dirigeants du FLN n'ont jamais été tenus secrets. La plate-forme politique adoptée au premier congrès national des leaders du FLN, qui s'est tenu dans la vallée de la Soummam, en Kabylie, en août 1956, avait mis l'accent sur la nature totale et révolutionnaire de la lutte, qui avait commencé deux ans plus tôt, et avait souligné avec force le rôle dominant que les leaders du FLN avaient quant à eux assumé. Après avoir affirmé que le FLN « était devenu aujourd'hui la seule véritable organisation » à l'influence « incontestable et incontestée sur tout le territoire algérien », la plate-forme de la vallée de la Soummam soutenait : « la doctrine est claire ; le but à atteindre : l'indépendance totale ; les moyens sont la révolution par la destruction du régime colonialiste ». La plate-forme a également affirmé que la révolution algérienne était une « lutte nationale pour la destruction du régime anarchique de colonisation et non pas une guerre

135

religieuse » et a conclu en affirmant : « c'est finalement la lutte pour la renaissance d'un Etat algérien sous la forme d'une République sociale et démocratique et non pas la restauration d'une monarchie ou d'une théocratie dépassée ».

Dans leurs déclarations publiques ultérieures, les dirigeants du FLN ont continué à mettre l'accent sur la nature représentative de leur mouvement et à souligner leur détermination à bâtir une « République libre, démocratique et sociale ». Certains des leaders du FLN ont insisté sur la nécessité, pour une révolution sociale et politique intégrale, de « nettoyer » le pays, et ont averti du besoin d'éviter les pièges d'une indépendance « évolutive » telle que l'a caractérisée le président de la Tunisie, Bourguiba. D'autres se sont montrés plus circonspects, mais tous se sont accordés sur la nécessité de réformes économiques de grande envergure. Un programme radical d'expropriations et de redistributions des terres est, par exemple, un objectif central et vital des leaders de la révolution algérienne. Les publications du FLN ont consacré beaucoup d'espace au programme de réforme agraire de Cuba et ont fait l'éloge des vastes programmes économiques et agraires entrepris dans la Chine communiste. Les travailleurs agricoles constituent de loin la couche sociale la plus étendue d'Algérie ; une petite minorité de la population européenne, selon le FLN, ne peut manifestement pas avoir le droit de continuer à posséder une vaste portion de terre cultivable dans une Algérie indépendante.

Les leaders du FLN n'ont donc jamais cessé d'appuyer leurs demandes d'une indépendance complète et sans entraves. Ils veulent exercer une souveraineté complète sur tous les territoires actuellement couverts par les treize départements français d'Algérie et les deux départements du Sahara ; ils veulent installer et diriger un Etat algérien indépendant dans lequel il n'y aura aucun vestige de colonialisme, "néo" ou autre, un Etat dans lequel il n'y aura qu'une sorte de citoyens. L'« intégrité territoriale » de la nouvelle Algérie est donc un objectif fondamental de la guerre. Les leaders du FLN ne veulent aucune enclave, aucune base militaire étrangère. Ils veulent gouverner un peuple algérien unique ; des « garanties organiques », ou des citoyens à statut spécial, constituent des concepts nettement incompatibles avec leur doctrine.

Depuis l'ouverture des hostilités il y a plus de sept ans, les leaders du FLN ont appris que la patience, aussi bien que la terreur, le courage et la guerre, pouvaient permettre de remporter d'importantes victoires politiques. L'histoire du conflit algérien a été marquée par une longue série de défaites politiques françaises et de concessions ; mais à la différence de leurs homologues français, les porte-paroles du FLN n'ont jamais varié sur leurs positions de base ou été équivoques quant aux questions qu'ils considèrent comme étant fondamentales. Leur détermination n'a eu d'égale que leur patience ; leur ténacité a engrangé de généreux dividendes, quoique non encore récoltés.

Les leaders du FLN ont bénéficié de concessions majeures, mais n'ont pas encore remporté la victoire finale. Etant arrivés si loin, ils répugnent nettement - c'est bien compréhensible - à faire un pas ou des concessions qui gêneraient ou compromettraient la victoire qu'ils sentent maintenant toute proche. Si tu n'es pas sûr, patiente. Pour ceux qui sont certains que la marche inéluctable de l'histoire est de leur côté, attendre encore un peu que l'histoire avance est un programme non dépourvu de logique.

Soucieux de ne pas commettre une coûteuse erreur tactique, les leaders du FLN se méfient à la fois des Français, et les uns des autres. N'étant que trop conscients de la profondeur et de la puissance de l'opposition et de la confusion qui fleurissent dans le camp ennemi, certains s'inquiètent du fait que le FLN pourrait devenir la victime d'un complot perfide. Un cessez-le-feu pourrait par exemple être un piège pour démobiliser leurs combattants. De plus, beaucoup s'interrogent sur l'intérêt de négocier un accord avec un gouvernement qui pourrait ne pas être capable de remplir sa part du marché. Le propre camp du FLN est en outre marqué par des rivalités et des divergences d'opinion qui sont inévitables dans n'importe quel groupe révolutionnaire qui sent qu'il approche du pouvoir ; ces rivalités et divergences abondent, avec la large publicité qui leur est faite, à cause de la nature collégiale de l'organisation du FLN et son processus compliqué de prise de décision. En préparant les négociations, Ben Khedda et ses collègues ont manifestement dû lutter contre une grande variété de donneurs d'avis, dont des rivaux vigilants qui attendent dans les coulisses. Sentant que la victoire est proche, la voulant complète, soucieux de ne pas faire d'erreurs tactiques à cause d'actions précipitées ou malavisées, et préoccupés par leurs destinées individuelles, les leaders du FLN continuent à constituer un élément déterminé, intransigeant et récalcitrant (bien qu'en grande partie absent) de la scène algérienne fort encombrée.

Conclusions

La situation anarchique qui prévaut en ce moment en Algérie est un développement tragique, mais non surprenant après plus de sept ans d'une guerre révolutionnaire qui a coûté au moins 200 000 vies, déplacé plus de 2 800 000 personnes de chez elles, empoisonné la vie politique d'une société démocratique, mis à bas une République et menacé la longue existence d'une communauté profondément enracinée de plus d'un million de personnes[166]. En faisant son offre de l'autodétermination dans son discours du 16 septembre 1959, de Gaulle a défini la paix instaurée au moyen de la « pacification » (l'alternative à la paix par un cessez-le-feu) comme le moment où il n'y a pas plus de deux cents personnes tuées par an dans des embuscades ou des attaques isolées[167]. Pendant les sept premiers jours de 1962, a-t-on rapporté, 113 personnes ont été tuées (72 musulmans et 41 Européens), et 247 blessées (163 musulmans et 74 Européens). Bien que certains aient pu penser que la paix était au coin de la rue, elle n'est certainement pas très visible.

Selon certains observateurs, la violence croissante en Algérie est en train de réduire à néant les espoirs d'un accord de cessez-le-feu entre le gouvernement français et le FLN. L'OAS, disent-ils, n'aura pas à accomplir le putsch dont certains ont prédit qu'il suivrait l'annonce d'un cessez-le-feu : il suffira de continuer comme avant. D'autres ont soutenu qu'il était chimérique d'envisager d'établir une "autorité provisoire" en Algérie dans les conditions présentes. Certains ont comparé les bruits actuels de négociations secrètes à la vente d'un veau. Le gouvernement français est prêt à vendre le veau et le FLN est prêt à l'acheter, mais le gouvernement n'a pas de veau et le FLN n'a pas d'argent[168].

Dans un discours à Draguignan (Var) le 9 novembre 1961, de Gaulle a quasiment déclaré que l'OAS empêchait la conclusion d'un accord avec le FLN, ou en tout cas sa mise en œuvre, en disant qu'il serait tout à fait possible de trouver un accord, « à la condition que nos compatriotes européens, ceux qui ont les mêmes origines que nous,

---

[166] Cf. p. 71, dépêche du 19 septembre 1961 : « une région où se trouve une population européenne de plus d'un million de personnes profondément enracinée ».

[167] Cf. note 139, p. 115, dépêche du 27 novembre 1961.

[168] Plusieurs traits ont été rajoutés en marge, en face de ces deux dernières phrases, par l'un des lecteurs de la dépêche (à Washington).

comprennent au moins leur devoir et l'intérêt à se joindre à la France pour accomplir la grande tâche de la coopération franco-algérienne ». Mais pendant les semaines et les mois qui ont suivi, l'OAS a redoublé de violence en Algérie et mis davantage de Gaulle au défi en introduisant de plus en plus ses méthodes terroristes en France métropolitaine.

Il ne fait pas de doute que l'OAS, dans sa forme actuelle, peut empêcher l'établissement d'un Etat indépendant algérien contrôlé par le FLN. Depuis le début de la guerre d'Algérie, il y a eu une triple division : entre le gouvernement central à Paris, les activistes européens en Algérie et le FLN. Après plus de sept années de guerre et ces trois forces qui se combattent maintenant ouvertement, on se trouve dans une impasse. Une confrontation[169] finale est inévitable. D'une certaine façon bien réelle, elle a déjà commencé.

Dans cette confrontation finale, l'armée française qui souffre et s'interroge depuis longtemps aura inévitablement un rôle à jouer. Pour certains officiers, aussi bien que pour les activistes de l'OAS, le problème essentiel n'est que trop clair : quel drapeau flottera sur l'Algérie ? Ils répugnent de façon compréhensible à descendre les couleurs françaises. En plus de la minorité européenne et du FLN, de nombreux officiers sont convaincus que l'armée française, elle aussi, a d'importants intérêts en jeu en Algérie. Déchirés entre leurs loyautés opposées, ils continuent de s'interroger ; on ne peut pas prévoir avec certitude quelle sera leur future ligne, ou lignes, de conduite.

Certains Français insistent sur le fait que de Gaulle a été amené au pouvoir en 1958 pour conserver l'Algérie française ; davantage sont d'accord pour dire qu'il a été porté au pouvoir par la menace de guerre civile. Les partisans d'une Algérie française sont furieux qu'il n'ait pas tenu les promesses qu'il leur avait faites ; la majorité des gens, qui était essentiellement poussée par la peur, est déçue que le danger de guerre civile soit toujours prégnant après plus de trois ans et demi de pouvoir gaulliste. La fureur des premiers est aggravée par le sentiment que seul de Gaulle a la capacité de "liquider" l'Algérie ; la déception des seconds s'accompagne en général de la conviction que de Gaulle demeure leur meilleure défense contre une guerre civile redoutée.

---

[169] Cf. note 123, p. 105, dépêche du 2 novembre 1961.

Pour l'Algérie, l'horizon demeure donc nuageux et incertain. Certains observateurs, mettant en valeur le droit de tous les Algériens à vivre quelque part, d'une façon ou d'une autre, sur la terre où leurs ancêtres ont vécu, travaillé et sont morts, ont affirmé que si ceux qui vivent en Algérie ne peuvent pas vivre ensemble en paix et dans la coopération, ils auront à partager leur pays et suivre des chemins séparés, qu'ils le veuillent ou non. Mais une telle "solution", dont de Gaulle aurait dit qu'elle était irréalisable (dans une conversation avec le député Henri Fabre[170] à Draguignan, le 9 novembre 1961) et qu'il s'est toujours refusé à assimiler à la possibilité d'un « regroupement » dont il a souvent parlé[171], a été rejetée à la fois par l'OAS et (avec une fermeté très convaincante) le FLN, et ne conduirait probablement qu'à une intensification et une internationalisation du conflit.

Le problème algérien va bien sûr beaucoup plus loin que l'Algérie. La Cinquième République restera en danger tant qu'un groupe déterminé, armé et violent, représentant une communauté puissante, effrayée et désespérée, poursuivra son combat pour le retournement de la politique algérienne de de Gaulle. En écrivant en 1959 sur les perspectives, qui s'amélioraient alors, d'une solution négociée, Raymond Aron, connu pour ses vues libérales sur l'Algérie, avait remarqué que « si cette paix est impossible parce que l'armée et les Français d'Algérie sont prêts à s'y opposer par la force, la pacification [c'est-à-dire la guerre] en Algérie est encore préférable à une guerre entre Français » (dans *Immuable et Changeante*, p. 19). Le Français moyen accepterait sans aucun doute encore cette thèse, mais on peut soutenir qu'une confrontation, même au risque de la guerre civile, est préférable au prolongement de la « pacification » qui paraît être sans fin, qui va à l'encontre des aspirations d'un nombre considérable d'autres êtres humains qui ne partagent pas les préoccupations du Français moyen, et qui a empoisonné pendant si longtemps les relations entre les démocraties occidentales et les nations récentes et émergentes d'Afrique et d'Asie.

Mais les difficultés à affronter dans une telle confrontation ne doivent pas être sous-estimées. Le problème algérien n'est pas un problème typique de "décolonisation" : il demeure celui de deux communautés profondément enracinées, vivant ensemble sur le même

---

[170] Député UNR, puis non inscrit, du Var.

[171] Cf. p. 67, télégramme du 8 septembre 1961, et p. 72, dépêche du 19 septembre 1961.

sol[172]. Les efforts généreux et ambitieux de de Gaulle pour construire une Algérie dans laquelle tous les Algériens puissent vivre ensemble dans la paix et l'harmonie ne lui ont pas permis de trouver le soutien de ses interlocuteurs récalcitrants ; ces derniers sont restés convaincus, probablement avec raison, qu'étant donné la nature sanglante et durable de la guerre, la longue histoire des erreurs de la France en Algérie, l'inévitable évolution gauchisante et extrémiste des nationalistes algériens, et l'immensité des problèmes que pose l'Algérie[173], un seul camp peut gagner. En tentant de mettre en œuvre ses politiques d'« association » et de « coopération », de Gaulle a pu faire usage des avantages que lui procurent sa personnalité et sa grandes popularité, et que personne d'autre ne possède. Aux prises avec une confrontation finale, il peut toujours se servir de ces atouts, mais l'ampleur de sa tâche demeure formidable.

(Accord de l'attaché militaire
Colonel D. D. Klous).

Pour l'Ambassadeur :
Randolph A. Kidder
Conseiller

---

[172] Cf. p. 75, dépêche du 19 septembre 1961 : « le problème algérien n'est pas un simple problème de "décolonisation", mais le problème de deux communautés profondément enracinées et vivant ensemble sur le même sol ».
[173] Cf. p. 69, dépêche du 19 septembre 1961.

AIRGRAMME n° A-1103. 17 janvier 1962.

Nous invitons le Département d'Etat à apporter toute son attention à la dépêche de Paris n° 823, datée du 9 janvier 1962 et intitulée « Le conflit algérien : en marche vers le dernier acte ? (Analyse du problème algérien à l'hiver 1962, avec un accent particulier mis sur l'OAS, l'armée française et le FLN) »[174].

Cette dépêche traite des obstacles majeurs aux efforts déployés par de Gaulle dans le règlement du problème algérien, ainsi que des dangers qu'affronte la Cinquième République elle-même. Bien que de Gaulle puisse, dans cette situation, utiliser les avantages exceptionnels que lui procurent sa personnalité et sa grande popularité, la dépêche insiste sur l'immensité de la tâche qui reste encore à accomplir.

GAVIN

---

[174] Cf. p. 126, dépêche précédente.

AIRGRAMME n° A-1212. 3 février 1962.

Les futurs fossoyeurs du régime français préparent prudemment le terrain

Le drame algérien arrivant apparemment à son point culminant, ceux qui joueront (ou souhaiteraient jouer) un rôle important dans le dénouement à venir sont en train de se préparer de plus en plus ouvertement. Pendant que les comploteurs continuent de comploter et terroriser, le gouvernement intensifie avec ostentation son offensive anti-OAS (cf. airgramme n° 1180), et les mouvements politiques anti-OAS tiennent des meetings et publient de nouveaux communiqués (cf. airgrammes n° 1181, n° 1186 et dépêche n° 921). Par ailleurs, d'autres Français sont soupçonnés d'être de plus en plus disposés à négocier avec les chefs de l'OAS pour écarter la guerre civile et, du même coup, sauvegarder la position française en Algérie[175].

Le problème de l'entente possible, dans le futur, avec des groupes qui font aujourd'hui partie de la catégorie des traîtres, constitue évidemment un sujet délicat lorsque ces spéculations impliquent ceux qui se sont opposés publiquement à l'OAS. Dans son discours du 29 janvier, le dirigeant socialiste Guy Mollet par exemple, s'est défendu avec colère contre des accusations de complicité éventuelle avec l'OAS, et ce faisant, il a fait allusion à certaines rumeurs selon lesquelles l'ancien président Vincent Auriol (dont les désaccords avec Mollet l'ont conduit à quitter le parti socialiste il y a trois ans) aurait eu des « rencontres suspectes » et accepterait la formation d'un gouvernement s'étendant des communistes de la CGT aux éléments « républicains » de l'OAS (Auriol lui-même a mis plutôt peu d'énergie à écarter ces rumeurs).

Le sujet est bien évidemment beaucoup moins sensible quand ce sont des personnalités ouvertement favorables à l'OAS qui sont impliquées, comme les quatre-vingts députés qui ont voté « l'amendement Salan »[176] ; tous accueilleraient sans aucun doute fort bien toute occasion de faciliter un accord entre Paris et l'OAS. Cette catégorie inclut des hommes politiques importants pro-Algérie française

---

[175] Phrase soulignée par l'un des lecteurs de la dépêche (à Washington).
[176] Cf. p. 131, dépêche du 9 janvier 1962.

tels que Georges Bidault[177] qui, le 29 janvier, dans une interview à la télévision allemande, a fait l'éloge de Salan, homme avisé, courageux et prudent, et a appelé à protéger sa vie (Salan a été condamné à mort par un tribunal français[178]).

Des figures plus neutres que celles évoquées plus haut seraient cependant mieux acceptées, dans l'ensemble, en tant que candidat à l'unité nationale. En 1958, le peuple français a appelé un général ; en 1940, un maréchal. Dans un article publié dans le quotidien de droite *L'Aurore* le 30 janvier, le seul maréchal de France vivant a discrètement avancé son képi sur la scène de 1962. Longtemps en désaccord avec la politique algérienne de de Gaulle (cf. dépêche n° 699, 8 décembre 1961[179]), le maréchal Juin, bien que ce soit la première fois qu'il ne parle pas de l'Algérie française mais de l'association « indissoluble » entre la France et l'Algérie, a exprimé avec fermeté son opposition à un retrait plus large des troupes d'Algérie au moment où « la maison brûle », a condamné « toutes les violences » et mis en doute la représentativité du FLN ; enfin, il a rappelé les mots de Louis XIV qui, alors que l'ennemi menaçait, avait affirmé que si la France avait à faire une guerre, il valait mieux se battre contre ses ennemis que contre ses enfants.

Commentaire

On peut s'attendre à en entendre davantage en provenance de ce genre de milieux alors que le dénouement approche, particulièrement s'il apparaît que le régime de de Gaulle a perdu le contrôle de la situation. L'approfondissement de la crise pourrait conduire au rapprochement de personnalités aux craintes et aux objectifs pourtant différents : écarter le danger de guerre civile, préserver l'unité nationale, sauver l'Algérie française, ne pas abandonner les compatriotes français confrontés aux massacres qui suivront le « dégagement », préserver l'unité de l'armée, déposer le chef détesté et faire avancer les carrières individuelles.

GAVIN

---

[177] Membre du Rassemblement pour l'Algérie française (RAF), il a créé en 1961 le Conseil national de la résistance (CNR), du même nom que l'organisme qu'il présidait sous l'occupation allemande. Il passe ainsi « d'une résistance à l'autre », selon le titre de l'un de ses ouvrages.

[178] Salan, en fuite après le putsch d'avril 1961, a été condamné à mort par le haut tribunal militaire, le 1er juin 1961.

[179] Cf. p. 119.

TELEGRAMME n° 3910. 17 février 1962.

Durant la première moitié du mois de février 1962, Paris a vécu sous le signe des violences de rue, qui rappellent février 1934, et des plus grandes manifestations de masse depuis la Libération : par exemple, la manifestation anti-OAS, inspirée par les communistes, du 8 février, au cours de laquelle la brutalité extrême de certains éléments de la police et la violence de certains manifestants ont conduit à la mort de huit manifestants, dont trois femmes et un jeune garçon (200 manifestants et 140 policiers environ ont également été blessés)[180]. Les événements qui ont suivi n'ont pas été marqués par la violence ; il s'agit d'arrêts de travail, de la manifestation du 12 février organisée par les socialistes (cf. télégramme de l'ambassade n° 3854) et, le 13 février, des obsèques des victimes du 8 février, largement suivies par une grève de quatre heures.

La violence de la manifestation du 8 février, l'impressionnante participation aux obsèques des victimes et le rôle de premier plan joué par les communistes lors des événements de cette semaine soulèvent de nombreuses questions, portant à la fois sur la prochaine mise en œuvre d'une solution attendue en Algérie et sur l'évolution future de la scène politique française.

Etant donné la grande diversité des participants aux événements, il est clair que les motivations sont largement différentes. Le premier mouvement, le 8 février, a été lancé par le désir continu des communistes de rompre leur isolement politique et de promouvoir l'action commune avec les autres mouvements de gauche. L'indignation grandissante des Français face au terrorisme de l'OAS a grandement facilité la tâche des communistes, tout comme la décision très critiquée du gouvernement d'interdire la manifestation et la brutalité policière qui a suivi et fourni au parti de précieux nouveaux martyrs. Les arrêts de travail et la manifestation sans incidents, lancée par les socialistes, du 12 février ont montré que d'autres organisations désiraient participer aux manifestations anti-OAS (et à des dégrés divers anti-gouvernementales), et également avoir part aux éventuels bénéfices à venir, électoraux et autres.

L'imposante taille de la manifestation du 13 février, à laquelle 300 à 500 000 personnes ont participé, a d'autres conséquences

---

[180] Il s'agit des victimes du métro Charonne, qui sont en fait au nombre de neuf.

importantes. La participation a sans aucun doute été accrue du fait qu'il s'agissait d'obsèques, que la manifestation n'était pas interdite et que la grève générale laissait du temps libre. Mais en même temps, cette importante participation a tout de même impressionné tous les observateurs, de même qu'elle a surpris les organisateurs. L'impact que pourraient avoir ces événements sur ceux qui complotent contre le régime sera d'un grand intérêt. Bien que beaucoup de manifestants fussent bien sûr opposés au gouvernement, presque tous exprimaient leur ferme hostilité à l'OAS et leur répugnance pour ses méthodes et ses objectifs.

Dans son discours du 5 février et dans de nombreuses déclarations du gouvernement, de Gaulle s'est arrogé le rôle quasi unique de mener la France à la paix en Algérie[181]. Il est maintenant évident que les Français, et surtout la jeunesse, sont de plus en plus disposés à jouer un rôle actif dans le dénouement, de même que large est l'éventail des leaders politiques désireux de profiter des bénéfices de la conclusion de la paix. Ainsi, bien que les obsèques aient eu un caractère fermement anti-OAS et en partie anti-gouvernemental, elles constituaient, d'un autre côté, une approbation de la politique algérienne de de Gaulle. Dans une certaine mesure, les manifestations ont servi plus que prévu les objectifs tactiques des communistes, mais en montrant que tous les Français n'étaient pas politiquement apathiques, les manifestants ont donné un avertissement solennel à l'OAS et à ses alliés potentiels, à la fois civils et militaires. Des sources proches du gouvernement ont commenté ce dernier point, en insistant sur le fait que les dramatiques démonstrations de ce fort sentiment général anti-OAS devraient avoir une influence salutaire sur les loyautés vacillantes dans l'armée.

GAVIN

---

[181] Il a déclaré : « Nous approchons de l'objectif qui est le nôtre. Pour nous il s'agit, dans le moindre délai, de réaliser la paix et d'aider l'Algérie à prendre en main son destin. »

DEPECHE n° 1050. 19 février 1962.

Sujet

Une soirée mendésiste, 13 février 1962.

Pendant la journée du 13 février 1962, « des centaines de milliers » (entre 300 et 500 000 probablement) de Parisiens ont participé aux obsèques de quatre des huit personnes tuées lors des violences du 8 février[182]. Pierre Mendès France et ses compagnons se trouvaient là, bien en vue, au milieu de la foule. Dans la soirée, l'ancien député Charles Hernu[183], qui est président du Club des Jacobins et qui est depuis longtemps l'un des partisans les plus enthousiastes et les plus fidèles de Mendès France, était l'un des invités du dîner qui a eu lieu chez Paul Martinet, assistant de Mendès France depuis longtemps[184]. Etaient également présents Claude Nicolet, collaborateur de longue date de Mendès France et auteur d'ouvrages sur ce dernier et sur le radicalisme ; Madame Martinet, copropriétaire et co-directrice de la Librairie-Club "Echanges"[185], un lieu de réunion mendésiste, et directrice-déléguée des *Cahiers de la République*[186] ; Madame Hernu[187] et un diplomate de l'ambassade[188].

---

[182] Cf. p. 145, télégramme du 17 février 1962.

[183] Il a été député radical de la Seine (Saint-Denis) de 1956 à 1958.

[184] Il avait notamment fait partie du cabinet de Mendès France lorsque celui-ci était président du Conseil. Il assistait le chef de cabinet, Paul Legatte. Il se définit lui-même comme « l'homme de paille, l'âme damnée, le porte-valise » de Mendès France (Paul Martinet, cité par Jean Guisnel, *Charles Hernu ou la République au cœur*, p. 250).

[185] Laurence Martinet (Laurence Carvallo) dirige la librairie, qui se trouve au 11, avenue de la Motte-Picquet, en compagnie de son mari, Paul Martinet.

[186] « Revue bimestrielle de politique », fondée au printemps 1956 par Mendès France, avec un groupe de fidèles et d'amis. Il était président du comité de rédaction et Claude Nicolet était le secrétaire de rédaction.

[187] Marie-Louise Baure.

[188] Il s'agit bien sûr de Francis De Tarr.

Les opinions exprimées sur la manifestation de l'après-midi, et les nombreuses remarques illustrant la position ambiguë et inconfortable de Mendès France et de ses compagnons au sein du PSU furent particulièrement intéressantes.

En évoquant la manifestation

Ils se sont montrés très satisfaits de l'ampleur de la participation aux obsèques de l'après-midi. Hernu a estimé qu'il y avait au moins 500 000 personnes, une estimation qui, de manière plutôt surprenante, coïncidait avec celle donnée par la télévision plus tard dans la soirée. Avec moins d'exubérance (il n'a pas participé à la manifestation), Nicolet a commenté en disant que les Français avaient toujours aimé les funérailles.

L'accueil donné, par beaucoup des participants, à Mendès France a également suscité de la satisfaction ; il était au centre des regards, bien plus qu'Edouard Depreux par exemple, le président du PSU[189]. Les gens se le montraient du doigt alors qu'il manifestait, une habitude qui a toujours rendu jaloux certains de ses collègues du PSU. Hernu a raconté qu'il avait joué un bon tour à son rival, Gilles Martinet (co-directeur de *France-Observateur* et membre du Comité exécutif du PSU[190] ; à ne pas confondre avec Paul Martinet), en lui disant d'enlever son chapeau « de gangster » que Martinet a récemment acheté à Milan : après s'être vu dire que cela le rendait ridicule, Martinet l'a enlevé et l'a mis dans sa poche[191].

Tous étaient d'accord pour dire que la manifestation organisée par les socialistes, le 12 février, n'était qu'un baroud d'honneur, un geste peu significatif[192]. Certains esprits plein d'ardeur, a raconté Martinet, voulaient que Mendès loue une chambre à l'hôtel Moderne-Palace, sur la place de la République, et en sorte pour déposer une couronne au moment

---

[189] Venu du PSA, il est secrétaire national du PSU.

[190] Il est secrétaire adjoint du PSU.

[191] La traduction française n'est pas très satisfaisante ; il est en effet difficile de mettre un chapeau dans sa poche, mais Francis De Tarr, qui rapporte ce qu'il a entendu, a bien écrit : he « *put it in his pocket* ».

[192] Le PSU, comme toutes les organisations de gauche, y participe cependant - Mendès France également.

où la police empêcherait les manifestants de pénétrer sur la place : cette proposition n'a pas été retenue.

A un moment de la manifestation, a dit Martinet, le service d'ordre communiste a essayé de manœuvrer pour que Duclos se retrouve près de Mendès, mais Martinet s'est arrangé pour que les deux groupes soient séparés par l'un des cercueils. Mendès aurait dû serrer la main de Duclos (« après tout, c'était un enterrement ») et la publicité qui aurait suivi aurait bien sûr été regrettable. Par ailleurs, Mendès France a quitté Paris après la manifestation, pour sa station préférée de sports d'hiver où il va skier.

Futurs gouvernements

Hernu a raconté que pendant les longs arrêts de la manifestation, il avait établi la liste d'un futur gouvernement (un jeu de salon très prisé des hommes politiques français et de ceux qui aspirent à en être) : *« Je t'ai fait ministre des Beaux-Arts, Nicolet »*[193].

Le PSU

Pendant la soirée, le fait que le parti socialiste unifié manque singulièrement d'unité est devenu une évidence grandissante. Hernu s'est par exemple montré peu enthousiaste à propos de Claude Bourdet[194] et de Gilles Martinet. Il a raconté avec un grand plaisir un incident diplomatique qui a eu lieu récemment à l'ambassade de Yougoslavie. Invité à déjeuner par l'ambassadeur yougoslave, il s'est rendu compte que tous les autres invités étaient des membres du PSU – c'était en fait le Comité exécutif du PSU au grand complet, auquel les Yougoslaves pensaient que Hernu appartenait toujours[195]. *« Qu'est-ce que tu fais ici ? »*[196], lui ont demandé ses amis du PSU ; sa présence, a-t-il dit, a semble-t-il gâché le déjeuner.

Hernu continue cependant à affirmer que le PSU remplit la fonction utile de « parti de transition », et pourrait servir de base pour

---

[193] En français dans le texte.
[194] Co-directeur de *France-Observateur* et membre du Bureau national du PSU.
[195] Charles Hernu avait démissionné du Bureau national du PSU.
[196] En français dans le texte.

l'unité future. D'un autre côté, a dit Hernu d'un ton plaisant, certains de ses membres « de type stalinien » pourraient sans nul doute parfaitement remplir le rôle de liquidateurs, tandis que d'autres membres (dont les Jacobins, qui se trouvent, de manière relative, à droite) sont manifestement déjà désignés pour être leurs premières victimes.

Guy Mollet

Comme d'habitude dans de telles réunions, Mollet a fait l'objet d'un grand nombre de plaisanteries, et le fait qu'il ait choisi Arras pour manifester le 12 février (tandis que d'autres socialistes devaient se rendre sur la place de la République, lourdement gardée, à Paris) a été dûment apprécié.

Algérie

Hernu a estimé qu'il y aurait encore entre 3 000 et 60 000 morts en Algérie avant qu'une solution soit enfin trouvée. Il se rend de temps à autre en Algérie et lors de son dernier voyage (en juillet 1961), il a été fortement frappé par la puissance de l'OAS. Il a dit qu'il avait bien évidemment essayé de faire en sorte qu'on ne le reconnaisse pas (il avait par exemple acheté des chaussures de couleur claire[197] pour l'occasion), mais quelqu'un l'a néanmoins reconnu rue Michelet à Alger : « *Tiens, c'est Hernu* »[198]. Hernu a exprimé sa très grande sympathie pour les réfugiés, actuels et à venir, d'Algérie.

Vincent Auriol

Paul Martinet a dit que *Les Cahiers de la République* venaient de recevoir une lettre manuscrite de Vincent Auriol dans laquelle l'ancien président de la République française explique qu'il ne renouvelle pas son abonnement, car il essaie actuellement de réduire ses dépenses. Martinet a dit qu'il était tenté d'envoyer la lettre au *Canard enchaîné*.

---

[197] « *Light tan shoes* » rapporte Francis De Tarr. Charles Hernu pensait sans doute que des chaussures jaunes ou crème devaient lui donner l'air d'un véritable pied-noir.
[198] En français dans le texte.

Le garde du corps de Hernu

Le garde du corps de Hernu a plusieurs fois été au centre de la conversation ; il s'agit d'un homme fort aimable que la police a dépêché il y a deux mois (à la fois pour le protéger et pour le surveiller, semble-t-il). Depuis qu'il a vu Hernu lire *Le Monde* pendant qu'il attendait au feu rouge, il lui sert également de chauffeur.

« Les carottes sont cuites »

« Dans la pièce, les femmes vont et viennent en parlant de Michel-Ange. »[199]

A Paris, les putschs sont actuellement bien plus au centre des conversations. Plus tôt dans la journée, il était arrivé un message d'un de leurs amis, un Français d'Algérie, un "libéral", disant qu'un putsch était prévu pour la soirée. Moitié plaisantant, moitié sérieusement, on suivit les différents bulletins d'information. A 1h30 du matin, alors qu'il dédicaçait un livre à son hôtesse (s'étant vu demandé de signer un exemplaire de son livre, *La Colère usurpée*[200], Hernu a préféré écrire à la place une dédicace flamboyante dans un volume de lettres de Robespierre, qu'il a signée du nom de son camarade jacobin), Hernu a téléphoné à l'un de ses amis journaliste (qui écrit dans *L'Index, revue quotidienne de la Presse*) pour *le* prévenir que le putsch avait débuté. Martinet a confirmé ses propos, mais Madame Hernu a gentiment tranquillisé le journaliste et l'a laissé aller se recoucher, lorsqu'elle lui a dit qu'*elle*[201] était Madame Salan.

Pour l'Ambassadeur :
Randolph A. Kidder
Conseiller

---

[199] *« In the room the women come and go talking of Michelangelo »* : vers de T. S. Eliot, *« The love song of J. Alfred Prufrock »*, 1917.

[200] Recueil de chroniques publiées dans la presse, édité par Charles Hernu lui-même en 1959.

[201] Souligné dans le texte.

DEPECHE n° 1068. 23 février 1962.

Sujet

Guy Mollet s'exprime sur la situation algérienne, l'OAS, le parti socialiste, Vincent Auriol, le PSU, le parti communiste français, de Gaulle, le Marché commun, l'Espagne, la Chine, l'Afrique, et d'autres questions de la scène française et internationale.

Au cours d'un déjeuner de trois heures dans un restaurant parisien, le 20 février, en compagnie de huit diplomates de services politiques (des ambassades autrichienne, belge, britannique, canadienne, néerlandaise, israélienne, yougoslave[202] et américaine[203]), Guy Mollet, secrétaire général du parti socialiste français, s'est exprimé librement sur de nombreux sujets.

Le dirigeant socialiste s'est dans l'ensemble montré confiant sur les chances de la France d'imposer une solution au problème algérien, très sévère au sujet de l'OAS, optimiste sur le parti socialiste et sombre sur les autres partis de la gauche française. Il était sceptique quant à l'éventualité d'élections anticipées, fortement opposé à l'élection du président de la République au suffrage universel, et indifférent sur la question du Sénat.

Les commentaires de Mollet sur l'espoir de l'OAS de trouver des complicités politiques en métropole ont été particulièrement intéressants. Il a fermement exclu que Pinay et lui-même soient candidats, et a fortement désapprouvé Juin et Auriol, mais tout en qualifiant avec désobligeance ce dernier de « gâteux », il a déclaré que l'ex-président français et ex-socialiste était « prêt à tout ».

En déclarant qu'il n'avait plus rien en commun avec de Gaulle, Mollet n'a pas jugé nécessaire de dire qu'il soutenait toujours fermement de Gaulle sur le problème algérien, qui est toujours la question la plus importante de la politique française.

---

[202] « *Austrian* », « *Israeli* » et « *Yugoslav* » ont été soulignés par l'un des lecteurs de la dépêche (à Washington).
[203] Il s'agit bien sûr de Francis De Tarr.

Algérie

S'exprimant sur la situation algérienne le 20 février, le lendemain de l'annonce de la conclusion d'un accord par les négociateurs Français et ceux du FLN le 18 février[204], Mollet était, d'une manière générale, optimiste quant à la marche future des événements, mais il a insisté sur le fait qu'il y aurait de « mauvais moments à passer » et que de nombreuses difficultés étaient encore à venir. L'accord qu'ont conclu les négociateurs français et ceux du FLN ne signifie pas la fin du problème algérien, a-t-il dit, mais seulement le commencement de la fin.

Tout dépendra, a dit Mollet, du contenu des accords qui ont été négociés, et en particulier de la nature des garanties qui devront être apportées à la minorité européenne[205]. De plus, dans la mise en œuvre du règlement, tout dépendra également de l'armée française « et, c'est bien connu, les membres d'une armée n'aiment pas se tirer dessus ». Cette dernière réalité, a-t-il dit, pourrait donner la possibilité à une minorité active de l'armée de prendre l'initiative. Mollet s'est également montré préoccupé par l'état d'esprit de certains des militaires stationnés en France métropolitaine.

Mollet a dit en passant qu'il était triste de penser que les accords Français-FLN doivent être approuvés par le CNRA (Conseil national de la Révolution algérienne) mais pas par le Parlement français[206].

L'OAS

L'OAS, a dit Mollet, est forte en Algérie (« elle pourrait probablement s'emparer d'Alger ou d'Oran »), mais n'a pas de véritables assises en France métropolitaine. Elle n'a pas de soutien populaire dans le pays ; ses tueurs sont des tueurs professionnels. Certaines personnes, a-t-il déclaré, ont dressé des analogies entre l'essor de l'OAS dans la France d'aujourd'hui et la menace fasciste en France en 1934, mais les deux

---

[204] Conclusion des pourparlers secrets des Rousses (au chalet du Yéti), dans le Jura, près de la frontière suisse. Les accords ne sont alors encore que provisoires.

[205] Il est prévu que les Français d'Algérie pourront se prononcer pour la nationalité de leur choix après le cessez-le-feu, et jouir de toutes les libertés.

[206] Le gouvernement s'expliquera sur les accords d'Evian devant le Parlement, mais c'est au peuple français qu'il revient de les accepter, par le référendum du 8 avril 1962.

périodes ne sont pas réellement comparables. En 1934, en France, les extrémistes de droite bénéficiaient du soutien populaire et étaient capables d'organiser de grandes manifestations.

Mollet a opposé les tueurs professionnels de l'OAS aux Français qui ont combattu les Allemands dans la Résistance pendant la guerre. Que risquent, a-t-il demandé, les terroristes de l'OAS ? Dans la Résistance, ceux qui partaient en mission savaient que si les Allemands les capturaient, ils seraient torturés et exécutés. Les terroristes de l'OAS, quant à eux, ne risquent pas leur vie, mais seulement d'aller en prison (et encore, ils peuvent espérer une amnistie rapide).

L'attitude des Français à l'égard de l'OAS, a déclaré Mollet, a beaucoup évolué durant les derniers mois. Deux événements en particulier ont eu une forte influence sur l'opinion publique : les graves blessures infligées à une petite fille, qui va peut-être rester aveugle (Delphine Renard, blessée le 7 février lors d'un attentat contre le domicile d'André Malraux) ; et la tentative brutale d'« achever » un homme qui se trouvait à l'hôpital, au cours de laquelle un jeune policier, récemment marié, « qui faisait simplement son boulot », a été tué (attaque contre Yves Le Tac[207] à l'hôpital parisien du Val-de-Grâce, le 18 février ; le policier, Claude Legros, est mort pendant la nuit précédant le déjeuner). « Les Français sont un peuple sentimental », a dit Mollet, ajoutant que de tels attentats étaient des erreurs tactiques de la part de l'OAS.

L'espoir de l'OAS : trouver des complicités politiques en métropole

Mollet a insisté sur le fait qu'il pensait que le seul espoir véritable des dirigeants de l'OAS était de rendre la situation en Algérie si mauvaise, si « pourrie », que les leaders politiques en France en viendraient à être disposés à discuter avec eux.

Certaines personnes, a-t-il dit, parlant de cette éventualité, ont cité les noms de « Mollet et Pinay ». Mais c'est « ridicule » et « hors de question ».

D'autres, a-t-il dit, ont mentionné le nom de Juin[208]. Mollet a alors fait un geste éloquent exprimant son dédain pour Juin. Il n'a pas

---

[207] Dirigeant gaulliste, blessé à Alger par l'OAS.
[208] Cf. p. 164, airgramme du 30 mars 1962.

avancé d'autres noms. Quand quelqu'un a suggéré le nom de Vincent Auriol, Mollet a répondu : « Oui, Auriol est prêt à tout. Mais il est gâteux ».

Vincent Auriol

Mollet a alors raconté qu'Auriol le détestait depuis que René Coty lui avait succédé à la présidence de la République en 1954. Pendant les mois précédant l'élection, Auriol avait dit à tout le monde qu'il ne voulait pas se représenter. Mais il écrivit par ailleurs six versions successives du discours qu'il avait prévu de faire lorsqu'on lui demanderait de se présenter ; et il les a toutes montrées à Mollet : dans chaque version, Auriol était de moins en moins franc dans l'expression de son désir de ne pas être réélu. Il est encore amer d'avoir montré les discours à Mollet, et amer du manque d'enthousiasme de Mollet pour sa réélection.

Mais Mollet a ajouté que durant son unique mandat, Auriol avait été un excellent président. Esquissant une analogie avec un professeur qui aurait l'un de ses propres enfants dans sa classe, il a déclaré qu'Auriol s'était mis en quatre pour être « strict » envers son propre parti. Mais « nous ne pourrons pas, a dit Mollet, avoir de nouveau un président socialiste en France ».

Mollet a déclaré en passant que René Coty était « un homme admirable ».

Le regroupement de la gauche

Interrogé sur ses impressions quant aux efforts de regroupement de la gauche française, Mollet a déclaré que c'était une tâche difficile ; il a rappelé à ses interlocuteurs sa « position bien connue : les communistes ne font pas partie de la gauche », et a alors brièvement parlé des diverses forces qui constituent la gauche française.

Les radicaux, a-t-il dit, sont en train de devenir un parti régional, un parti dont l'influence est largement limitée au Sud-Est. Seule une partie du MRP peut être considérée comme appartenant réellement à la gauche, « et il y a bien sûr le problème clérical ». Le PSU, a-t-il poursuivi, ne compte que 6 000 militants. Mais il a cependant trois hebdomadaires, *L'Express*, *France-Observateur* et *Témoignage Chrétien*, et peut donc toucher 200 000 personnes, principalement des intellectuels et des Parisiens. Dans le reste du pays, sa force est presque nulle.

En ce qui concerne les syndicats, seuls 20% des travailleurs français sont syndiqués, a remarqué Mollet, dont la moitié à la CGT dominée par les communistes. En outre, certains des dirigeants de la CFTC[209] catholique sont progressistes et trotskistes.

Donc, a conclu Mollet, alors que les socialistes constituent une force politique importante et fermement implantée, les autres composantes de la gauche française ne sont pas très significatives.

Le parti communiste français

Mollet a dit que le parti communiste français, qui avait été à l'agonie, s'était vu offrir par de Gaulle et l'OAS une nouvelle et inattendue jeunesse. L'OAS a fourni aux communistes un excellent ennemi, et en interdisant et réprimant la manifestation du 8 février, le gouvernement a donné aux communistes une occasion en or de gagner le soutien populaire et la respectabilité.

Mollet a rappelé que Thorez avait commencé par être trotskiste et était maintenant l'un des derniers staliniens. Le parti communiste français, a-t-il remarqué, est le plus stalinien de tous les partis communistes. Après avoir dit qu'il avait jadis connu Thorez, il a souligné le fait que le parti offrait une formation intellectuelle très rigoureuse à ses jeunes leaders d'avenir.

Mais Thorez n'est plus le principal membre du parti, a déclaré Mollet[210]. Il est moins important que Waldeck Rochet et Etienne Fajon.

Elections anticipées ?

Mollet s'est montré sceptique quant à la possibilité que de Gaulle appelle à des élections anticipées. « Pourquoi devrait-il se compliquer la vie, a-t-il dit, quand il a déjà plus de 200 députés UNR ? » Il pense qu'il

---

[209] Confédération française des travailleurs chrétiens.

[210] Maurice Thorez est toujours secrétaire général du parti communiste, mais il est gravement malade.

n'y aura des élections anticipées que si la mise en œuvre du règlement algérien est très rapide et très fructueuse[211].

Projets de modification de la Constitution

Mollet a soutenu qu'il serait très mauvais pour la France que le président fût élu au suffrage universel. Il a reconnu que cela pouvait être une procédure démocratique ailleurs (aux Etats-Unis par exemple), mais il a déclaré qu'en France, cela signifierait avoir un président très conservateur ou bien qui devrait en partie son élection aux communistes. Il a également affirmé que durant son premier mandat, le président passerait la plupart de son temps à se préoccuper de sa réélection, et ne se comporterait pas en réel président avant son second mandat.

Interrogé sur ce qu'il pensait des changements envisagés pour le Sénat, Mollet a répondu dans un sourire : « Qui se préoccupe du Sénat, si ce n'est les sénateurs ? » Le Sénat, a-t-il dit, a moins d'importance que les dirigeants des syndicats libres, par exemple.

De Gaulle

Mollet a déclaré qu'il n'avait pas vu de Gaulle en privé depuis juin 1961. Il avait l'habitude de le rencontrer régulièrement, a-t-il ajouté, et a continué à le voir aussi longtemps qu'il a senti qu'il avait la moindre influence sur lui. Il pensait que cela en valait la peine, même au risque de contrarier certains de ses collègues, tout particulièrement lorsqu'il voyait les idées qu'il avait données à de Gaulle réutilisées par la suite dans les discours et les actes de ce dernier. Mais en juin dernier, il est devenu clair que ce n'était plus le cas.

Mollet a déclaré qu'il était désormais en désaccord sur « tout » avec de Gaulle, citant l'Europe, l'Alliance atlantique et la politique économique. « Nous n'avons plus rien en commun », a-t-il dit.

En commentant le discours de de Gaulle du 5 février, Mollet a déclaré que bien que de Gaulle ait eu raison de dire que la France était

---

[211] Les élections ont finalement lieu en novembre 1962, à la suite de la dissolution de l'Assemblée nationale, due à la crise provoquée par la modification de la Constitution.

plus riche et plus prospère que par le passé, ce n'était pas le cas pour beaucoup de travailleurs.

Un nouveau Premier ministre ?

Mollet a dit que Georges Pompidou, dont on parle actuellement comme d'un possible successeur de Debré, était un homme intelligent, mais il a continué en ajoutant : « Pourquoi de Gaulle irait-il lâcher Debré ? » Joxe était lui aussi un homme intelligent, « mais son heure est passée ».

Un socialiste scrute l'avenir

Mollet a déclaré qu'à long terme, l'avenir du socialisme en France était lumineux. Le parti est fermement implanté dans le pays, et à la différence de l'UNR, il possède de solides bases idéologiques. L'une des raisons qui permet de regarder l'avenir avec confiance, a-t-il dit, est le fait que dans quatre ou cinq ans, la situation démographique de la France va changer. Les Français ont eu très peu d'enfants entre 1940 et 1945 ; les très nombreux enfants qui sont nés après la guerre vont atteindre la majorité dans quatre ou cinq ans. L'accroissement de la population active qui en résultera, a-t-il dit, rendra la planification socialiste encore plus nécessaire qu'aujourd'hui.

En discutant avec des jeunes gens, Mollet est frappé par le fait qu'ils sont avant tout intéressés par l'Europe, la planification et l'établissement de solides institutions politiques, tous sujets qui constituent les préoccupations centrales des socialistes.

Espagne

Mollet s'est exprimé avec véhémence sur la question de l'Espagne. Il ne comprend vraiment pas comment l'on peut suggérer que l'Espagne soit autorisée à adhérer à l'OTAN. Il serait dans ce cas aussi logique, a-t-il dit, que l'URSS adhère au Marché commun. Il y a après tout dans le traité de l'OTAN un article qui exclut les dictatures. Abaisser les conditions d'entrée pour que tout le monde puisse adhérer, « c'est ce qui a tué les Nations Unies ».

Chine

En parlant du communisme mondial, Mollet a insisté sur l'importance du « retard de trente ans » de la Chine communiste sur l'URSS. Les Chinois, a-t-il dit, sont amers à cause de la renonciation des Russes aux méthodes de Staline, qu'ils jugent nécessaires pour un pays sous-développé. Une des causes importantes de l'influence de la Chine communiste dans les pays sous-développés, a dit Mollet, est le fait qu'elle est désormais le principal avocat des méthodes fortes. Alors que l'URSS est maintenant une nation « riche », la Chine est encore une nation « démunie » et a donc beaucoup de choses en commun avec les nombreuses autres nations « démunies » du monde.

Afrique

En développant le thème « notre décolonisation va bien », Mollet a déclaré que c'était particulièrement vrai, bien sûr, pour l'Afrique noire. La manière dont de Gaulle a traité la Guinée a été une erreur, mais c'est maintenant réglé[212] ; il y a des problèmes au Mali, mais ailleurs en Afrique noire, les perspectives pour la France sont très satisfaisantes. Se tournant vers le participant israélien au déjeuner, Mollet a déclaré : « Nous pouvons tous nous réjouir du rôle qu'Israël joue en Afrique ».

Mollet a dit qu'il prévoyait de se rendre à Dakar en avril, « si tout va bien » en France, et de voyager alors une dizaine de jours en Afrique noire.

La Grande-Bretagne et le Marché commun ; Tito ; Adenauer

Mollet a déclaré que les pragmatiques Anglais, après avoir constaté que le Marché commun fonctionnait, voulaient maintenant y adhérer. Cela lui a rappelé une visite qu'il avait faite à Tito au Monténégro. Tandis que Tito lui faisait découvrir des coopératives agricoles, Mollet avait remarqué un vieux paysan. Lorsqu'il lui a demandé s'il était membre de la coopérative, le vieil homme lui a répondu par la négative, en disant qu'il prévoyait d'y adhérer « seulement quand il verrait si ça fonctionne ».

---

212 Le général de Gaulle n'a pas accepté le rejet de la Constitution de 1958 par la Guinée de Sékou Touré ; elle devint donc immédiatement indépendante.

En affirmant avec optimisme que l'on trouverait un moyen pour que la Grande-Bretagne adhère au Marché commun, Mollet a déclaré que les experts pouvaient toujours trouver des sujets sur lesquels être ou ne pas être d'accord ; mais d'un autre côté, ils peuvent toujours s'adapter aux décisions politiques. Il a rappelé une conversation qu'il a eue avec Adenauer sur le Marché commun, lorsqu'il était président du Conseil en 1956. Alors que leurs experts respectifs discutaient à Matignon, lui et Adenauer sont allés se promener dans le parc. Adenauer lui a demandé si les Français ne pouvaient vraiment pas céder et Mollet lui a répondu que ce n'était pas possible. Adenauer a alors bien voulu accepter la position française et tous les experts en ont fait autant. Mais Erhardt était furieux.

Pour l'Ambassadeur :
Randolph A. Kidder
Conseiller

AIRGRAMME n° A-1609. 7 mars 1962.

«Les forces de l'ordre, la police et la justice» poursuivent la lutte contre l'OAS en France métropolitaine

Avec la réouverture des négociations entre la France et le FLN prévue pour le 7 mars près de la frontière suisse[213], et la montée des spéculations au sujet d'un cessez-le-feu qui pourrait être annoncé à la mi-mars[214], les préparatifs du gouvernement français pour la confrontation à venir avec l'OAS suscitent de plus en plus intérêt et inquiétude. Bien que, de toute évidence, la violence et l'intimidation exercées par l'OAS atteignent de nouveaux sommets en Algérie, la lutte quotidienne du gouvernement français contre les activistes de l'OAS en métropole a récemment rencontré un plus grand succès que par le passé, même si les personnes arrêtées appartiennent au bas de la hiérarchie de l'OAS.

Au cours de la seconde moitié du mois de février, la Sûreté nationale a mené un total de 70 perquisitions en métropole, arrêté 42 personnes et placé 31 autres en détention ; pendant la même période, la Préfecture de Police a mené 64 perquisitions et interrogé 50 personnes dont 14 ont été arrêtées et 33 emprisonnées.

Parmi les personnes arrêtées figuraient les auteurs de deux des actes criminels de l'OAS les plus retentissants : l'attentat du 7 février contre le domicile du ministre André Malraux, dans lequel une fillette a été défigurée et rendue au moins partiellement aveugle, et la tentative d'assassinat du 18 février contre Yves Le Tac qui se trouvait à l'hôpital, attentat au cours duquel un jeune gendarme a été tué. Arrêté le 26 février pour avoir organisé l'attentat contre le domicile de Malraux, Jean-Marie Vincent a par la suite été reconnu comme le chef d'un groupe responsable de plus de 50 plasticages dans la région parisienne et de vols de plastic dans les bases américaines de Toul et d'Evreux en janvier.

En métropole, l'action anti-OAS actuelle la plus spectaculaire est dirigée contre le réseau OAS de Bretagne, où durant les trois dernières semaines, la police a arrêté 47 membres présumés de l'OAS et confisqué 70 kg de documents. Les recherches ont commencé quand une vieille

---

[213] A Evian.

[214] Les accords sont signés le 18 mars 1962.

161

dame, qui avait accepté de servir d'intermédiaire pour transmettre des lettres d'amour adressées à son neveu (Xavier Barreau, ancien parachutiste et instructeur militaire), a remarqué que l'une des "lettres d'amour" était un paquet de documents de l'OAS. Elle a donné le paquet à son confesseur qui l'a transmis à la police. Plusieurs officiers, dont quatre officiers de l'académie militaire de Saint-Cyr (qui se trouve maintenant à Coëtquidan), font partie des personnes arrêtées : le chef du réseau, connu sous le pseudonyme de « Marceau », fait maintenant l'objet d'une recherche intensive. Le réseau aurait été établi par l'ex-capitaine Pierre Sergent[215], qui a été condamné à mort par contumace le 20 février, et *qui est l'un des chefs les plus importants*[216] de l'OAS en métropole.

Dans un autre effort destiné à mettre fin à l'action de l'OAS, le gouvernement français a suspendu le 3 mars toutes les classes de préparation militaire pour le restant du mois, après que des enquêtes eurent révélé que l'OAS recrutait parmi les élèves. Le même jour, le ministre de l'Education nationale a suspendu les bourses des élèves préparant le concours d'entrée des académies militaires, après les manifestations pro-OAS du soir précédent dans deux lycées parisiens, au cours desquelles les étudiants ont accroché le drapeau de l'OAS à une fenêtre, lancé des fusées depuis la cour et crié des slogans. Le drapeau a été brûlé par des contre-manifestants.

Le jour suivant, le 4 mars, lors d'un contrôle de routine sur l'autoroute près de Troyes, la police a arrêté deux chefs de moyenne importance de l'OAS : Serge Palmier, assistant de l'ancien député poujadiste Marcel Bouyer, le chef de l'OAS pour le Sud-Ouest de la France, qui a été arrêté ; et Georges Call, qui était récemment arrivé de Madrid pour réorganiser le réseau après l'arrestation de Bouyer et de Castille (cf. airgramme n° A-1197).

Commentaire

Bien que les « forces de l'ordre, la police et la justice » (desquelles, a dit de Gaulle dans son discours du 5 février, relève le destin de ceux qui mènent des « entreprises subversives et criminelles ») aient remporté des succès incontestables en France métropolitaine ces dernières semaines, les principaux chefs des réseaux de l'OAS sont toujours en

---

[215] Ancien membre du 1er REP. Cf. note 29, p. 45, dépêche du 16 février 1960.
[216] Souligné dans le texte.

liberté. Il est également malheureusement vrai que la plupart des enquêtes anti-OAS, bien qu'elles portent leurs fruits, servent aussi à illustrer l'étendue des ramifications des activités subversives de l'OAS.

GAVIN

AIRGRAMME n° A-1784. 30 mars 1962.

Sujet

Le maréchal Juin "fait une gaffe".

Au moment où l'indignation face aux violences perpétrées par l'OAS atteint de nouveaux sommets en France, le seul maréchal de France encore en vie a fait parler de lui, avec la publication d'une lettre amicale qu'il aurait envoyée à Salan, le chef de l'OAS, il y a deux mois.

Après qu'une photocopie de la lettre de Juin eut été distribuée sous forme de tract par l'OAS à Alger, une traduction anglaise a été publiée le 22 mars par le quotidien londonien *Daily Telegraph* et citée par la suite dans la presse française. Dans ce document qui serait une lettre destinée à Salan, Juin fait allusion « aux idées et aux sentiments qu'[ils] partag[ent] » et continue en donnant l'avis suivant : « Je ne pense pas que l'armée en Algérie, bien qu'elle ait été soumise à une forte pression depuis les événements d'avril dernier, accepte de gaieté de cœur de réagir avec violence contre la résistance. Hormis quelques exceptions, poursuit Juin, l'armée en Algérie aura tendance à être neutre, mais je vous demande instamment d'éviter de votre côté de recourir à la violence en France même. Cette violence, conclut Juin, n'a servi qu'à discréditer votre mouvement généreux et à vous exposer à de fausses accusations de fascisme. Beaucoup d'entre nous admirent votre courageux effort. Que Dieu vous aide et vous protège. »[217]

Depuis la soirée du 23 mars, Juin serait toujours consigné à son domicile. D'après le compte rendu publié le 26 mars dans le quotidien parisien de droite *L'Aurore* (commentateur le plus appliqué des activités de Juin depuis longtemps et support occasionnel de ses déclarations), Juin « n'est pas gardé - au moins officiellement - mais il a donné sa parole de ne pas quitter les lieux et de s'abstenir d'y recevoir qui que ce soit ou encore de faire la moindre déclaration ». *L'Aurore* a également rapporté qu'il ne semblait pas que le maréchal serait traduit par un tribunal ou autrement sanctionné (bien que l'on ait remarqué, dans « certains milieux », que cette lettre pouvait être considérée comme un

---

[217] *L'Aurore* du 26 mars 1962.

encouragement à la subversion) ; en revanche, il « pourrait très bien se voir retirer les quelques privilèges que lui vaut sa position, appartement, voiture avec chauffeur... » Le 27 mars, *L'Aurore* a donné les mêmes informations et déclaré que Juin, « qui souffre d'une angine, a dû s'aliter ».

Commentaire

Juin ne s'attendait sans doute pas à ce que ces conseils donnés amicalement à Salan soient un jour rendus publics. Sa lettre, bien qu'elle ne soit pas surprenante au vu de ses déclarations passées (cf. dépêche n° 699, 8 décembre 1961[218]) et de l'état d'esprit de beaucoup d'officiers, fort abattus, était pour le moins imprudente. Le fait que cette lettre ait été publiée la veille du jour où des membres de ce « mouvement généreux » ont ouvert le feu sur des appelés à Bab el-Oued[219] a été un mauvais coup pour l'infortuné Juin, et a servi de manière dramatique à le discréditer aux yeux du public.

LYON

---

218 Cf. p. 119.

219 Le 23 mars 1962, un commando de l'OAS tue six appelés à Bab el-Oued, quartier pied-noir populaire, déclenchant ainsi la « bataille de Bab el-Oued » qui oppose l'armée et les gendarmes mobiles à l'OAS et des habitants du quartier.

DEPECHE n° 1287. 6 avril 1962.

Sujet

Charles Hernu s'exprime sur le cinquième "Colloque juridique", sur les chances électorales de Mendès France, sur le référendum du 8 avril 1962, sur le PSU et sur Pierre Poujade.

Se trouve ci-joint le mémorandum d'une conversation qui s'est tenue le 4 avril 1962 entre Charles Hernu, ancien député mendésiste de la Seine et président du Club des Jacobins depuis sa fondation en 1953[220], et un membre de l'ambassade. La liste ci-dessus ne comprend qu'une partie des sujets abordés.

La conversation a eu lieu trois jours après la fin du cinquième "Colloque juridique", qui s'est tenu du 30 mars au 1er avril 1962 au siège de l'UNESCO à Paris. Hernu en est l'un des organisateurs. Ce colloque mérite l'attention, notamment car cet ensemble très hétérogène d'environ 400 leaders politiques et syndicaux, avocats, professeurs, etc. (dont des membres de l'UNR, du MRP, de l'UDT, de la CFTC, de la CGT, de la FEN, des socialistes, des radicaux et des communistes) a voté à la quasi-unanimité la motion finale. Celle-ci va dans la direction proposée par Mendès France en septembre dernier[221] : la formation d'un « gouvernement de transition » qui s'efforcerait d'assurer, sur les bases d'un programme resserré et limité, la transition entre le régime français actuel et ce que la motion appelle un « futur régime démocratique ».

Hernu était visiblement content de l'issue du colloque et particulièrement satisfait du rôle joué par les socialistes ; mais il a souligné avec prudence que c'était aller trop loin que de dire (comme certains l'ont fait) que les socialistes et les communistes participeraient bientôt à un « gouvernement de transition » conduit par Mendès France.

Abandonnant les cimes des spéculations gouvernementales (qui, étant donné le contexte politique français actuel, sont très irréalistes) pour redescendre vers les froides réalités électorales, Hernu s'est montré

---

[220] Le Club des Jacobins a été fondé en 1951.
[221] Cf. p. 87, airgramme du 27 septembre 1961.

166

sensiblement pessimiste quant aux chances de Mendès France de retrouver son siège à l'Assemblée nationale aux prochaines élections législatives (un avis d'ailleurs récemment partagé par d'autres personnes proches de Mendès France ; cf. dépêche de l'ambassade n° 1289).

Les remarques de Hernu au sujet du PSU, un parti dans lequel il s'est longtemps efforcé de représenter les intérêts de Mendès France, étaient particulièrement intéressantes. La description des circonstances dans lesquelles il a quitté le Bureau national du PSU reflète la désaffection croissante que les mendésistes éprouvent pour un parti auquel certains ont refusé d'adhérer, et que d'autres ont commencé à quitter. Le fait que Hernu puisse réfléchir sérieusement à la possibilité de son adhésion éventuelle à un parti socialiste dont Guy Mollet serait toujours, si ce n'est le dirigeant, du moins membre, illustre avec éclat l'étendue des désillusions des mendésistes et de leur déception vis-à-vis du PSU.

Pour l'Ambassadeur :
John A. Bovey, Jr.
Premier Secrétaire

MEMORANDUM DE CONVERSATION. 4 avril 1962.

Participants

Charles Hernu, ancien député, président du Club des Jacobins.
Francis De Tarr, ambassade américaine.

Lors d'un déjeuner aujourd'hui même, Charles Hernu a parlé des sujets suivants :

Cinquième "Colloque juridique"

Après avoir dit que la motion finale, votée à l'issue du Colloque juridique, semblait très mendésiste dans son ton et dans son contenu, et évoqué les spéculations des journalistes sur la motion qui signifierait, selon eux, que les socialistes et les communistes sont prêts à participer à un gouvernement « de transition » conduit par Mendès France, j'ai demandé à Hernu comment lui et ses amis s'étaient arrangés pour que la motion soit adoptée par un groupe si disparate ; je lui ai également demandé quelle importance cette motion revêtait-elle à ses yeux.

Hernu a dit qu'il était allé voir Mollet la veille de l'ouverture du colloque. (Malgré certains dires de la presse, Mendès France n'a pas vu Mollet dernièrement, mais ils communiquent de façon régulière grâce à des intermédiaires, notamment Hernu). Mollet lui a dit que les socialistes soutiendraient une motion finale, telle que celle envisagée (et éventuellement votée), à condition qu'elle ne fasse pas écho à l'appel répété des communistes en faveur de l'établissement d'une Assemblée constituante, et tant qu'elle ne refléterait en aucune manière les positions communistes.

Les discussions qui ont précédé le vote de la motion, a-t-il souligné, furent très animées et durèrent jusqu'à quatre heures du matin dimanche. Seules quatre personnes ont voté contre la motion (dont, ce qui est compréhensible, le député UNR Lucien Neuwirth[222]), quatre se sont abstenues et tous les autres participants (400 environ) ont voté pour. L'attitude des socialistes a été particulièrement intéressante, pense-t-il.

---

[222] Député de la Loire.

Francis Leenhardt (influent député de Marseille[223]) s'est exprimé (« *à titre personnel* » [224]) lors du colloque, et lui et Hernu ont également eu des contacts avec Georges Brutelle, secrétaire général adjoint du parti socialiste. Beaucoup de socialistes, pense-t-il, en viennent maintenant à l'idée d'accepter Mendès France comme leader de la gauche en France. D'un autre côté, bien que l'issue du colloque soit « encourageante », c'est aller beaucoup trop loin que de dire qu'il existe une possibilité réelle de voir bientôt les socialistes et les communistes participer à un gouvernement de transition conduit par Mendès France.

Hernu a rappelé le rôle qu'il avait joué dans l'organisation des précédents colloques et en a profité pour dire qu'il avait soulevé la question d'un « gouvernement de transition » longtemps avant que Mendès France en fasse le leitmotiv de ses activités politiques à sa conférence de presse du 25 septembre dernier. Au printemps 1960, a-t-il rappelé, il était allé voir Gaston Monnerville, qui, en tant que président du Sénat succèderait temporairement à de Gaulle si ce dernier venait à disparaître de la scène. Il avait dit à Monnerville que dans un pareil cas, il serait rapidement entouré par des « hommes de la droite » et lui avait suggéré d'organiser un colloque pour discuter des problèmes fondamentaux rencontrés par la France et faire des propositions concrètes. Deux jours plus tard, Monnerville lui téléphona pour lui proposer que René-William Thorp, ancien bâtonnier et figure relativement apolitique[225], soit l'organisateur officiel du colloque. Hernu déclara qu'il approuvait avec plaisir (Thorp étant un ami), et un colloque très fructueux fut tenu à Royaumont peu de temps après (30 juin - 2 juillet 1960)[226].

---

[223] Député SFIO des Bouches-du-Rhône, président du groupe socialiste, membre du Bureau de la SFIO.

[224] En français dans le texte.

[225] Ancien député radical de 1936 à 1940.

[226] Les Colloques juridiques remplacent l'« Association pour la sauvegarde des institutions judiciaires et la défense des libertés individuelles », dont Charles Hernu était l'un des trois secrétaires. Ils constituent l'« embryon d'un mouvement qui aboutira quelques années plus tard au rassemblement, sous l'égide de François Mitterrand, de cette multitude de clubs et de groupes de réflexion qui commencent à voir le jour » (Jean Guisnel, *op. cit.*, p. 287).

Hernu a mentionné que le colloque à l'UNESCO avait coûté 500 000 francs environ, sur lesquels 400 000 ont déjà été payés par les participants ; les 100 000 francs restants sont en cours de collecte[227].

Référendum du 8 avril 1962

Hernu a déclaré qu'il pensait voter « oui » au référendum du 8 avril. Il n'approuve pas la position adoptée par Mendès France et le PSU en faveur du vote nul. Il pense que les gens vont voter « oui, bien sûr », dans une grande indifférence, sans attacher au référendum plus d'importance qu'il n'en a. C'est beaucoup trop attendre des électeurs qu'ils écrivent ce qu'ils pensent sur leur bulletin[228].

Hernu a également dit qu'il pensait que de Gaulle faisait montre d'une grande sagesse en organisant un référendum pour que le peuple français puisse "ratifier" sa solution pour l'Algérie. Dans deux ans, a-t-il prédit, beaucoup de gens haïront de Gaulle pour avoir "perdu" l'Algérie, de la même manière qu'ils ont haï Mendès deux ans après qu'il eut "perdu" l'Indochine. Il aurait seulement aimé que Mendès eût organisé un référendum après les négociations de paix en Indochine (il aurait eu au moins une aussi grande majorité que celle que de Gaulle va remporter sur l'Algérie).

Projets électoraux de Mendès France

J'ai demandé à Hernu si Mendès France prévoyait d'être candidat aux prochaines élections législatives. Il a dit que Mendès pourrait se présenter, sans doute à Evreux (plutôt qu'à Louviers). Mais il a reconnu que Jean de Broglie tirerait un gros avantage de sa participation aux négociations d'Evian et qu'il serait un candidat difficile à battre[229].

---

[227] Charles Hernu s'exprime ici sans aucun doute en anciens francs.

[228] Le PSU, partagé, a décidé d'appeler à voter nul, car voter « oui » serait approuver l'ensemble de la politique gaulliste et renforcerait le pouvoir personnel de de Gaulle. Le PSU diffuse ainsi des bulletins « Oui à la paix, non au pouvoir gaulliste ». Le « nul » atteint finalement 5,3 % des votants (90,70 % des suffrages exprimés pour le « oui ») ; cf. Marc Heurgon, *op. cit.*, p. 380.

[229] Mendès France se présente donc à Evreux, mais Jean de Broglie, « Indépendant », ancien secrétaire d'Etat chargé du Sahara et négociateur des accords d'Evian, est réélu.

En parlant de Louviers, il a déclaré que Rémy Montagne[230] (qui a battu Mendès France en 1958) avait réussi à s'implanter assez solidement et serait dur à battre. La seule autre circonscription de Normandie[231] possible pour Mendès France est celle des Andelys, qui est une circonscription très à droite (représentée actuellement par René Tomasini[232]).

Hernu a déclaré que Mendès attachait une grande importance au fait d'être député ; il ne pourrait pas supporter, ni professionnellement, ni personnellement, d'être battu. Il serait très difficile pour Mendès de tenir le choc d'une nouvelle défaite.

Hernu s'est montré très dubitatif quant à sa propre candidature. Il a déclaré qu'il ne pourrait gagner que s'il était le seul candidat de centre-gauche de sa circonscription, et c'est là trop en demander[233].

Le PSU

Hernu a raconté en détail sa malheureuse expérience de membre du PSU. Il a dit qu'il avait adhéré au PSA avec beaucoup d'hésitations en janvier 1960 (parti socialiste autonome, qui, en avril 1960, a fusionné avec l'Union de la gauche socialiste et le mouvement trotskiste Tribune du communisme pour former le parti socialiste unifié), presque quatre mois après Mendès France, qui y avait adhéré en septembre 1959. Dès le commencement, a-t-il dit, les mendésistes ont constitué une minorité insatisfaite à l'intérieur du PSU ; certains membres quittent maintenant discrètement le parti. Léon Hovnanian (ancien député mendésiste[234], comme Hernu) par exemple, a décidé de ne pas renouveler sa carte cette année ; Paul Anxionnaz (ancien secrétaire général du parti radical et

---

[230] Député MRP. Il est réélu en 1962.

[231] Les trois circonscriptions d'Evreux, de Louviers et des Andelys sont dans l'Eure.

[232] Député UNR élu en 1958 et réélu en 1962, secrétaire général adjoint de l'UNR.

[233] Battu à Saint-Denis en 1958, Charles Hernu se présente à Lyon en 1962, où il est battu.

[234] De 1956 à 1958.

ancien ministre[235]) ne renouvellera probablement pas sa carte. Lui, Hernu, y reste seulement parce que Mendès France le souhaite.

Lorsque j'ai demandé à Hernu pourquoi il avait quitté le Bureau national du PSU (à la fin de 1960), il m'a raconté une histoire que je n'avais jamais entendue auparavant. En 1960, a-t-il dit, certains éléments pro-FLN du PSU voulaient que le PSU publie un communiqué commun avec le FLN, projet que Hernu et ses camarades mendésistes estimaient complètement irréaliste et imprudent. Dans le but de "coordonner" la publication des déclarations, Claude Bourdet se rendit à New York où il rencontra Chanderli, le représentant du FLN aux Nations Unies. Au même moment, Gilles Martinet décida d'aller à Tunis pour parler du communiqué avec les leaders du GPRA. Agissant très rapidement, Hernu s'envola le premier pour Tunis, le 28 septembre 1960, et, en tant qu'ami de Mendès France, fut reçu immédiatement par le président Bourguiba. Quand ce dernier apprit que Mendès France n'approuvait pas l'initiative du PSU, il fut d'accord pour faire capoter toute l'affaire. Pendant ce temps, Martinet était arrivé à Tunis et fut reçu par plusieurs membres du GPRA. Grâce à des intermédiaires, Hernu réussit à "saboter" Martinet. Il quitta le Bureau national peu de temps après, et ses relations avec beaucoup des dirigeants du PSU se sont rafraîchies depuis lors.

Hernu a dressé un sombre tableau des projets à venir du PSU. Quand j'ai dit que certains de ses leaders aimaient rappeler les liens étroits du PSU avec les syndicats et les mouvements étudiants (par exemple Gilles Martinet ; cf. dépêche de l'ambassade n° 626[236]), Hernu a parlé d'un groupe important d'étudiants du PSU de la faculté de Droit de Paris qui, « espérant bien faire », ont récemment rejoint une organisation étudiante communiste. Il a également déclaré que 250 membres du PSU à Lyon avaient récemment adhéré au parti socialiste. Il y a toujours des gens qui adhèrent au PSU, mais à peu près autant quittent le parti. On sort, on entre : à l'instar du parti radical aux derniers jours de la Quatrième République, le PSU ressemble maintenant beaucoup à une gare.

---

[235] Paul Anxionnaz, député de la Marne de 1946 à 1951 et de 1956 à 1958, a été secrétaire général du parti radical de 1955 à 1957, au moment de la prise en main par Mendès France. Il l'avait déjà été quelque temps, avant et après la guerre.
[236] Cf. p. 113.

Quand j'ai déclaré que l'état critique actuel du PSU semblait être le résultat direct et facilement prévisible de son caractère de "parti de dissidents", tel qu'il a été créé en 1960, Hernu m'a approuvé et a exprimé l'accablement qu'il ressentait à travailler avec des trotskistes, des anciens communistes, etc. (notamment Jean Poperen[237]). Dans le comité aux affaires européennes du parti, par exemple (dont Hernu est membre), les plus extrêmes tentent sans cesse de faire voter des motions condamnant le pacte atlantique.

Bien que le PSU ait été décevant, a dit Hernu, il a servi de « ferment » utile sur la scène politique française, en tant que « parti de transition ». Les dirigeants du PSU, a-t-il remarqué, peuvent, en téléphonant, rassembler très rapidement 2 000 personnes dans la rue, bien qu'ils ne puissent pas mobiliser 400 000 personnes pour aller aux urnes.

Lorsque j'ai demandé à Hernu où donc lui et ses amis pourraient-ils aller après leur expérience malheureuse au PSU, il a répondu qu'il pensait que le parti socialiste serait la meilleure destination, mais seulement après le départ de Guy Mollet du poste de secrétaire général. Si Albert Gazier[238], par exemple, devait devenir secrétaire général du parti socialiste, le PSU perdrait rapidement beaucoup de ses membres. Quand j'ai exprimé mon grand scepticisme quant à l'intention de Mollet de satisfaire leurs désirs en se retirant, il a déclaré qu'un « geste » pourrait faire avancer les choses, comme l'exclusion de Max Lejeune et de Robert Lacoste[239]. En tout cas, a-t-il dit, d'un point de vue historique, il n'y a de la place en France que pour le seul parti socialiste.

Escapade hongroise

Après avoir mentionné qu'il allait, ce soir, à une réception à l'ambassade de Hongrie, Hernu a souligné le fait que c'était la première invitation qu'il acceptait depuis le soulèvement de Budapest. Il a rappelé

---

[237] Dirigeant du mouvement Tribune du communisme.

[238] Ancien député de la Seine, ancien ministre, membre du comité directeur du parti socialiste.

[239] Max Lejeune était secrétaire d'Etat à la Défense du gouvernement de Guy Mollet en 1956-1957, et Robert Lacoste ministre résidant à Alger.

qu'en 1957, lui et un de ses amis députés, Pierre de Léotard[240], avaient décidé de passer le premier anniversaire du soulèvement sur le sol hongrois, pour exprimer leur sympathie envers ceux qui avaient été tués, ainsi que pour voir comment les Hongrois abordaient cet anniversaire. Après s'être vus refuser les visas par l'ambassade de Hongrie à Paris, ils partirent à Vienne, où on leur refusa également les visas. Pas découragés pour autant, les deux députés se débrouillèrent alors pour passer clandestinement la frontière dans un train plombé. Après avoir erré dans la campagne et avoir reçu un bon accueil des paysans de la région, ils furent finalement bien évidemment arrêtés par la police. Les premiers qui les interrogèrent, incapables de lire leur carte de l'Assemblée nationale, s'imaginèrent avoir affaire à des espions. On finit tout de même par trouver un fonctionnaire parlant anglais et ils furent traités très poliment et rapidement raccompagnés à la frontière. De retour à Paris, ils se virent finalement offrir des visas, mais comme ils avaient déjà atteint leur but, ils les refusèrent. Lui et Léotard, a dit Hernu, ont été « discrets » à propos de cette affaire et « il n'y a pas eu d'écho dans la presse ».

Pierre Poujade

A la fin de notre conversation, Hernu a dit en souriant que lui et ses amis songeaient à tenir leur prochain colloque à Versailles. Je lui ai fait remarquer que l'expression « Etats Généraux » avait malheureusement déjà été récemment utilisée (par Poujade). Hernu a répondu qu'en tant que « Jacobin », il pensait qu'il avait plus que quiconque le droit d'utiliser l'expression. De plus, a-t-il ajouté, c'est lui qui a suggéré cette expression à Poujade. En 1954, quand Poujade était encore vaguement radical, une connaissance commune les avait présentés. Hernu l'avait trouvé très démagogue, a-t-il dit, mais il l'avait invité à une réunion du Club des Jacobins (où Poujade ne s'était pas rendu) et avait mentionné en passant l'expression « Etats Généraux ». Poujade, a-t-il dit, a acheté sa papeterie à Saint-Céré simplement pour faire un geste politique, sachant que ce serait un échec financier. Selon lui, Poujade est maintenant politiquement « mort ».[241]

---

[240] Pierre de Léotard a été député RGR (Rassemblement des gauches républicaines, créé en 1946, qui regroupe des radicaux modérés) de la Seine de 1951 à 1958.

[241] Pierre Poujade, devenu papetier à Saint-Céré (Lot) a pris la tête d'un mouvement corporatif de protestation contre l'Etat et le régime de la Quatrième République. Après avoir disposé de 52 sièges à la Chambre des députés aux

DEPECHE n° 1600. 8 juin 1962.

Sujet

Le verdict du procès Salan : pourquoi ?

Résumé[242]

Le 23 mai 1962, la majorité des juges du haut tribunal militaire a jugé le chef de l'OAS, Salan, coupable de la longue série de crimes dont il était accusé, mais, de façon surprenante, les juges lui ont accordé les « circonstances atténuantes » et lui ont laissé la vie sauve. Il y a moins de six semaines, le même tribunal avait condamné à mort le second de Salan, l'ex-général Jouhaud. Certains ont attribué cette clémence inattendue du tribunal aux menaces de mort prononcées par l'OAS contre les juges, aux solidarités maçonniques ou à une légère modification de la composition du tribunal. Plus pertinentes sans doute sont les explications qui prennent en considération le désir de de Gaulle de gracier Jouhaud, la préoccupation grandissante des Français liée à la détérioration de la situation en Algérie, ou le dépôt d'une proposition de loi d'amnistie générale à l'Assemblée nationale. Cependant, il est bien plus intéressant de remarquer que le verdict peut sous-entendre que les juges ont prêté foi aux arguments de la défense - à savoir que Salan a mené une insurrection politique en partie comparable à celle qui a amené de Gaulle au pouvoir en 1958, que de Gaulle a montré une grande duplicité dans la conduite de sa politique algérienne, et qu'on demande maintenant à un honorable général de sacrifier sa vie pour avoir tenu les promesses faites au nom de la France. Il a été fait particulièrement peu cas, durant le procès, des nombreux crimes commis par l'OAS, mais beaucoup de temps a été consacré à dire que de Gaulle avait lui-même créé une situation dans laquelle de tel crimes étaient devenus inévitables, de nombreux témoins faisant part de leur compréhension et de leur sympathie pour le choix fait par Salan. L'argument selon lequel le gouvernement aurait conclu un

---

élections du 2 janvier 1956 (12,8 % des voix), sa formation politique s'est effondrée en 1958.

[242] Sur la première page de la dépêche, au-dessus du résumé, un lecteur (à Washington) a ajouté le mot *« outstanding ! »* (« formidable !», « remarquable ! »).

175

"arrangement" avec Salan - son silence contre la vie sauve - paraît peu vraisemblable, et les témoignages souvent incertains au sujet de l'« affaire du bazooka » n'ont sans doute affecté l'issue du procès que par le fait qu'ils ont accru l'obscurité déjà grandissante du tableau des événements qui ont précédé l'effondrement de la Quatrième République. Le procès a été bien plus politique que judiciaire et le verdict reflète la grande (quoique prématurée) volonté d'encourager la réconciliation à l'intérieur du corps politique français déjà profondément divisé.

Introduction

A 23h35, le 23 mai 1962, après deux heures et demie de délibération et d'examen de conscience, les neuf juges chargés du cas de l'ex-général Raoul Salan, le chef autoproclamé de l'OAS, ont annoncé leur verdict. Comme il était attendu, ils ont jugé qu'il était coupable de tous les crimes dont il était accusé. A la joie des uns, à la consternation des autres, mais à la surprise de presque tous, le président du tribunal a alors déclaré qu'une majorité de juges avait convenu que Salan bénéficiait des « circonstances atténuantes ». Au lieu de la condamnation à mort que tout le monde attendait, Salan a été condamné à la prison à perpétuité.

Moins de six semaines plus tôt, le 13 avril, le même tribunal que celui qui a laissé la vie sauve à Salan avait condamné à mort son second, l'ex-général Edmond Jouhaud ; ce dernier, né en Algérie, avait au moins une "circonstance atténuante" que n'a pas Salan. Les neuf juges, qui détiennent tous de hautes positions dans l'administration, la justice ou l'armée, avaient été soigneusement choisis par le gouvernement. Il appartiennent à un haut tribunal militaire, mis en place par décret à la suite du putsch d'avril 1961, pour juger les principaux chefs de la révolte manquée. L'un des chefs du putsch, Salan, a ouvertement poursuivi le mouvement de révolte en prenant la tête de l'OAS. Dans son discours du 5 février 1962, le général de Gaulle a résumé l'attitude du gouvernement envers l'OAS, en affirmant que « des Français indignes [s'étaient] lancés dans des entreprises subversives et criminelles », et en déclarant avec fermeté que le destin de tels Français ne relevait que « des forces de l'ordre, de la police et de la justice ». Capturé par les forces de l'ordre[243], reconnu comme le chef d'une organisation subversive et criminelle en guerre ouverte contre le gouvernement (« Je suis le chef de l'OAS. Ma responsabilité est donc entière. Je la revendique. »), et reconnu par ses

---

[243] Salan a été arrêté en Algérie le 20 avril 1962.

juges responsable de 7 000 plasticages et 2 000 tentatives d'assassinat qui ont tué 415 personnes et blessé 1 145 autres, Salan s'est néanmoins vu accorder, par au moins cinq de ses neuf juges, des « circonstances atténuantes », et sa vie a ainsi été épargnée.

Pourquoi ?

En marge de la question

Comme les juges eux-mêmes n'ont pas fourni de détails sur la nature des « circonstances atténuantes », et comme la délibération et leurs discussions demeurent couvertes par le secret professionnel, ce n'est qu'avec des spéculations que l'on peut tenter d'expliquer leur décision. Ainsi, les commentateurs ont eu le champ libre pour donner libre cours à leurs diverses "explications".

Il est une explication, immédiatement et inévitablement avancée, qui a eu beaucoup de succès parmi ceux qui étaient hostiles à la clémence des juges : ces derniers, a-t-on affirmé, ont craint pour leur vie. Cette explication facile et peu flatteuse a été particulièrement populaire dans les milieux proches du gouvernement. A un moment donné du procès, lorsqu'un témoin de la défense a parlé de l'« humanité » de l'ex-colonel Godard[244], l'avocat général a signalé que lui-même, ainsi que toute la cour, avaient reçu des lettres de menace, signées de Godard, leur promettant la mort si Salan était jugé coupable. Mais de telles menaces ne sont malheureusement pas rares dans la vie politique française actuelle. Il est trop facile d'entretenir une polémique en s'attaquant aux raisons d'agir de l'adversaire. Après tout, le même tribunal a condamné Jouhaud à mort. Il est pour le moins probable qu'il faille chercher l'explication ailleurs.

Une autre explication, toujours facile, mais pas aussi évidente, a également été avancée : le verdict serait le résultat de mystérieuses machinations (ou de liens fraternels) maçonniques. Salan est, à ce qu'on dit, franc-maçon ; certains de ses juges le sont aussi ; donc... Les partisans de cette théorie ont trouvé confirmation de leurs propos dans une phrase prononcée devant le tribunal par le frère (sans doute maçon) de Salan, un gaulliste, le docteur Georges Salan : « Dans notre famille, les frères ne se

---

[244] Cf. note 96, p. 84, dépêche du 22 septembre 1961.

renient pas l'un l'autre ». Toutefois, les observateurs ont pour la plupart jugé cette explication peu suffisante.

D'autres commentateurs ont prêté attention à la composition du tribunal. Le bruit a couru que la condamnation à mort de Jouhaud avait été votée par cinq des neuf juges du tribunal. L'un des juges a été remplacé avant le procès de Salan ; on s'est figuré que ce changement avait eu pour conséquence le vote des circonstances atténuantes par cinq voix contre quatre. On a également dit que l'un des juges, Louis Pasteur Valléry-Radot[245] (le petit-fils de Louis Pasteur), était opposé à la peine de mort et que malgré son long passé gaulliste, il avait donc fait pencher la balance du côté de la clémence lors des deux procès. Pareillement, on a également dit qu'il avait fait pression en faveur de la peine capitale. Mais le vote d'un seul individu n'a, par définition, qu'une signification marginale ; le vote d'un seul des juges peut certes avoir fait, à la fin, toute la différence, mais seulement si on l'ajoute aux votes d'au moins quatre des autres juges.

L'affaire se corse

Il nous faut donc regarder plus loin. Quittant le domaine des explications "faciles" et numériques rapportées ci-dessus, il faut évoquer plusieurs autres facteurs sans doute plus significatifs.

Bien que le 13 avril, une majorité de juges eût condamné Jouhaud à mort, ils l'auraient fait, a-t-on avancé, en s'attendant à ce que de Gaulle le graciât par la suite. Mais durant les semaines qui suivirent, le destin de Jouhaud est cependant resté incertain. Au moment où le procès de Salan commençait, le sentiment que de Gaulle n'épargnerait pas Jouhaud grandissait. Aucun juge ne pouvait plus voter pour la condamnation à mort en s'imaginant que la sentence ne serait pas appliquée. La seule manière relativement certaine pour les juges de pouvoir condamner Salan, tout en épargnant encore sa vie, était donc de se saisir du droit de grâce de de Gaulle, c'est-à-dire voter en faveur des « circonstances atténuantes ». De plus, en l'absence de grâce présidentielle en faveur de Jouhaud, le moyen le plus efficace de sauver ce dernier était d'essayer de forcer la main de de Gaulle, en épargnant la seule personne qui fût supérieure à Jouhaud dans la hiérarchie de l'OAS. Ainsi, on a avancé que, si le nouveau juge, le général de l'armée de l'air

---

[245] Ancien député RPF, académicien, membre du Conseil constitutionnel.

Max Gelée, faisait partie des partisans de la clémence, c'était moins pour sauver Salan que pour essayer d'obliger de Gaulle à gracier l'ancien général de l'armée de l'air, Jouhaud.

L'évolution de la situation en Algérie depuis la condamnation de Jouhaud le 13 avril a sans doute également influencé les juges. Quand Jouhaud a été condamné à mort, l'euphorie qui avait accompagné la signature des accords d'Evian le 19 mars[246] était encore un peu dans l'air en France. Mais en revanche, au moment du verdict du procès Salan, le 23 mai, l'espoir d'une coopération fructueuse à venir entre la France et l'Algérie s'était beaucoup amenuisé. De nombreux Français ont attribué (à des degrés divers) la responsabilité de cette évolution à l'OAS ; mais beaucoup d'entre eux ont, en outre, également été choqués par le récit des brutalités commises par le FLN, et sont de plus en plus ébranlés par la situation dramatique vécue par leurs compatriotes en Algérie. L'annonce de l'exécution de prisonniers français par le FLN, longtemps après leur capture, a accru la colère et donné libre cours aux accusations de manque de compétence portées contre les négociateurs des accords d'Evian ; elle a également accentué la méfiance et le scepticisme envers ceux qui ont reçu le pouvoir en Algérie. L'impact de la découverte dans un parking vide de la banlieue d'Alger, le 21 mai, des corps de dix-sept Européens torturés, tués et mutilés, a été encore plus grand. Une telle évolution, ajoutée aux enlèvements et aux bains de sang, et le récit dramatique de la fuite des Européens d'Algérie vers la métropole, ont constitué une atmosphère plus propice à la "clémence" et à la "compréhension" que celle qui prévalait au moment de la condamnation de Jouhaud.

Les juges ont sans doute également été influencés par un événement supplémentaire qui a eu lieu entre les procès de Jouhaud et de Salan. Dans sa plaidoirie finale, l'avocat de la défense, Jean-Louis Tixier-Vignancour[247], a souligné le fait que plus de deux cents députés soutenaient une proposition de loi d'amnistie générale, alors examinée par la commission concernée de l'Assemblée nationale. Si une loi d'amnistie devait être adoptée après l'exécution de Salan, a-t-il déclaré, une « vie entière ne serait pas suffisante pour éponger le remords qu'une telle situation » aurait causé.

---

[246] Les accords sont signés le 18 mars 1962 et le cessez-le-feu entre en vigueur le 19 mars.

[247] Ancien député d'extrême-droite des Basses-Pyrénées, ancien maréchaliste, il a été l'avocat de nombreux officiers révoltés et de membres de l'OAS.

Le cœur du sujet

Mais des questions plus fondamentales étaient en jeu. On peut tirer du verdict des juges la conséquence implicite et fâcheuse qu'ils auraient prêté foi, en partie du moins, aux arguments de la défense - à savoir que Salan a mené une insurrection politique en partie comparable à celle qui a amené de Gaulle au pouvoir en 1958. Implicite également est l'acceptation, au moins partielle, de l'argument selon lequel de Gaulle a fait preuve d'une grande duplicité dans la conduite de sa politique algérienne, avec pour conséquence immédiate de maintenant demander à un honorable général de sacrifier sa vie pour avoir tenu les promesses faites au nom de la France. Implicite encore, aux yeux de certains, est l'expression, sinon de l'approbation des juges, du moins d'une certaine compréhension envers une population en proie au désespoir et à la panique, et qui s'est précipitée dans les bras de l'OAS, pensant que c'était là son dernier moyen de se battre pour sa terre natale.

Il a été fait particulièrement peu cas, durant le procès, des nombreux crimes commis par l'OAS ; on a consacré beaucoup plus de temps à dire que de Gaulle avait lui-même créé une situation dans laquelle de tels crimes étaient devenus inévitables. L'évolution de la politique algérienne de de Gaulle, depuis son *« Je vous ai compris »* à Alger le 4 juin 1958, et son *« Vive l'Algérie française »*[248] (la langue lui a-t-elle fourché ?) à Mostaganem trois jours plus tard, jusqu'à sa décision de remettre l'Algérie au FLN, a été décrite avec beaucoup de détails et de précisions.

De Gaulle, a-t-on affirmé, a trompé l'armée française, les Français d'Algérie et les musulmans fidèles à la France : il est donc, en partie du moins, responsable de tout ce qui a inévitablement suivi. Le frère gaulliste de Salan a eu ces mots : « De Gaulle a comblé tous mes vœux. Mais il a, par là même, abusé et ulcéré ceux qui, tel mon frère, avaient vu en lui le maineteur de l'Algérie française. » Dans sa plaidoirie finale, Tixier-Vignancour a donné lecture d'une lettre personnelle de de Gaulle à Salan, du 24 septembre 1958, dans laquelle de Gaulle déclarait : « On ne doit pas lâcher l'Algérie » et assurait Salan que si un jour « l'organisation de Ferhat Abbas » demandait à envoyer des délégués en métropole, seuls des représentants militaires seraient reçus ; ils ne seraient admis qu'à parler des conditions d'un cessez-le-feu et celui-ci

---

[248] En français dans le texte.

comporterait « nécessairement la remise des armes des rebelles à l'autorité militaire ». Salan a donc été conduit à prendre des engagements précis auprès de ses officiers et des populations européennes et musulmanes d'Algérie. En prenant ensuite le maquis, a-t-on souligné, il luttait pour défendre son honneur, l'honneur de son pays et les légitimes aspirations d'un peuple trompé.

Dans son unique déclaration de tout le procès, Salan a résumé ce qu'il pensait du prix de l'indépendance de l'Algérie pour la France. « Pour combattre l'Algérie, province française, il a fallu violer la Constitution, briser l'armée, incarcérer les meilleurs des siens, répandre la haine et la délation. C'est le gouvernement qui, reniant se origines, est responsable du sang qui coule et au-dessus de quiconque, celui à qui j'ai donné le pouvoir. » C'est plus finement que Tixier-Vignancour, dans sa plaidoirie finale, a crédité de Gaulle d'un grand machiavélisme, pour son habileté à atteindre son but - une Algérie indépendante ; mais il a continué en ajoutant : « Machiavel n'a jamais demandé qu'on exécutât ceux qui n'avaient pas deviné son jeu ».

Un large écho a accueilli l'argument selon lequel Salan était jugé pour avoir essayé d'abattre un régime, par ceux qui avaient abattu le régime précédent en lui faisant croire qu'il leur apportait son aide. Salan n'a pas seulement été trompé par de Gaulle : il a été trompé après qu'il l'eut amené au pouvoir. De nombreux témoins ont confirmé le fait que de Gaulle avait eu des contacts avec les insurgés d'Alger, avant et pendant le mois de mai 1958, et deux généraux ont fait référence à des contacts qu'ils avaient eus avec le général de Gaulle, au cours desquels ce dernier avait, selon eux, laissé entendre qu'il approuvait une éventuelle invasion de la métropole. Le général André Dulac[249], qui a rendu visite à de Gaulle au nom de Salan, à la demande de de Gaulle lui-même, a déclaré que le 28 mai 1958, de Gaulle lui avait dit : « Vous direz au général Salan que ce qu'il a fait et ce qu'il fera, c'est pour le bien de la France » ; Dulac a ajouté : « Dans cette soirée du 28 (…), le général Salan était donc seul en mesure de décider s'il y aurait ou s'il n'y aurait pas une action militaire sur Paris ». Le général Miquel[250], qui avait eu la tâche de déterminer le jour où le débarquement pourrait avoir lieu, a déclaré que lorsqu'il avait envoyé un officier à Paris pour savoir si de Gaulle

---

[249] Général André Dulac, chef d'état-major du général Salan en mai 1958.

[250] Général Roger Miquel, commandant de la région militaire du Sud-Ouest ; il a participé à la préparation du 13 mai 1958.

approuvait un tel débarquement, l'officier avait vu le collaborateur de de Gaulle, Olivier Guichard[251], qui lui avait dit : « Le général de Gaulle ne souhaite pas de débarquement à Paris, mais il prendra la situation telle qu'elle se présentera ».

On a également largement mis l'accent sur l'argument selon lequel Salan a, en 1958, respecté plus que les gaullistes les institutions de la République ; mais il a été induit en erreur par les vagues d'émissaires gaullistes retors (dont Jacques Soustelle[252], Léon Delbecque[253] et Roger Frey) qui l'ont convaincu que le meilleur moyen d'éviter la guerre civile et de conserver l'Algérie française était d'aider de Gaulle à prendre le pouvoir. Sa réputation de « général républicain », acquise de longue date, a été évoquée par de nombreux témoins. L'un des témoins, le journaliste Serge Groussard, est remonté dans le temps jusqu'à rappeler une conversation qu'il avait eue avec Salan à Vichy en 1940, au cours de laquelle ce dernier avait parlé de ses scrupules à rejoindre la France libre : je suis un officier, « nourri de l'emprise de la discipline militaire ». Quand la Quatrième République était menacée par les comploteurs dans les jours précédant le 13 mai 1958, a poursuivi Groussard, Salan lui a dit : « Je suis pour le respect de la République. Je suis un général républicain. » Un autre témoin, le député Jean-Baptiste Biaggi[254], après avoir retracé avec fierté sa longue carrière de comploteur, a déclaré : « Au moment du 13 mai, le général Salan était opposé à notre complot. Mais à Alger, en tant que républicain, il était isolé au milieu de ses officiers. »

---

[251] Il était le chef de cabinet de de Gaulle.

[252] Gouverneur général à Alger en 1955, il est devenu partisan convaincu de l'Algérie française. Gaulliste, fondateur de l'Union pour le salut et le renouveau de l'Algérie française (USRAF) en 1957, il prépare à Alger le retour de de Gaulle et devient le chef politique du mouvement du 13 mai.

[253] Avec le « Comité de vigilance » qu'il a créé à Alger, Léon Delbecque a multiplié les contacts avec les activistes, puis fait partie du Comité de salut public d'Alger, constitué le 13 mai 1958 et présidé par le général Salan. C'est lui qui invite Salan à lancer « vive de Gaulle ! » le 15 mai, le faisant basculer dans l'illégalité.

[254] Gaulliste, organisateur de la manifestation du 6 février 1956 contre Guy Mollet, son nom a été cité dans l'« affaire du bazooka » dirigée précisément contre Salan. Il a participé à la préparation du retour de de Gaulle. Député UNR de la Seine (il a quitté le groupe UNR).

On aurait pu penser qu'il est pourtant difficile d'avoir le beurre et l'argent du beurre. Salan était un « général républicain », mais par ailleurs, il a fait s'effondrer une République. Mais c'est mû par de nobles motifs qu'il l'a fait. Ses actes, a-t-on affirmé, ont toujours relevé des plus nobles causes : de nombreux témoins ont mis en valeur la longue série de services qu'il a rendus à la France. Il a combattu dans les tranchées durant la Première Guerre Mondiale à l'âge de dix-sept ans ; il s'est ensuite battu en Syrie et en Indochine, en France avec de Lattre ; il a été commandant en chef en Indochine et en Algérie, et peu à peu au fil de sa carrière, il est devenu l'officier le plus décoré de France et général à cinq étoiles (de Gaulle en a deux). Il a facilité le retour au pouvoir de de Gaulle, mais seulement une fois qu'il a été convaincu que c'était là le meilleur moyen d'éviter la guerre civile et de conserver l'Algérie française ; il n'a pris cette décision qu'une fois qu'il eut reçu de de Gaulle ce qu'il considérait comme des assurances précises.

Quand Salan s'est finalement rendu compte qu'il avait été trompé, il a essayé de sauver son "honneur" et celui de la France, en partageant le sort de ceux à qui il avait, au nom de la France, promis sa protection. Quand le putsch d'avril 1961 a éclaté (on a dit que Salan n'avait pas participé à sa préparation), Salan s'est rendu à Alger pour rejoindre ceux qui poursuivaient le combat qu'il avait mené auparavant, en tant que commandant en chef[255]. Quand les autres se sont rendus après l'effondrement de l'insurrection, il est resté en Algérie pour organiser la lutte à la tête de l'OAS.

De nombreux témoins ont fait part de leur compréhension et de leur sympathie pour le choix que Salan avait fait. Le général de Pouilly, qui commandait la région d'Oran au moment du putsch d'avril, et qui a joué un rôle-clé dans son échec en refusant de prendre parti pour les généraux rebelles, a déclaré devant le tribunal : « J'ai choisi la discipline en avril 1961 ; mais choisissant la discipline, j'ai également choisi de partager avec mes concitoyens et la nation française la honte d'un abandon ». Je ne suis pas sûr que l'Histoire ne trouvera pas que les crimes de Salan étaient « moins graves que le nôtre ». Le capitaine Pierre de Boisanger, qui est également resté fidèle pendant le putsch, a dépeint la position critique des musulmans harkis d'Algérie ; et après avoir

---

[255] Les officiers qui fomentaient le complot ne voulaient d'abord pas de Salan comme chef du putsch, qui a été mené par Challe. Salan n'est arrivé à Alger que le deuxième jour, le dimanche 23 avril 1961, pour diriger le mouvement avec lui.

désapprouvé l'alternative que leur laissent les accords d'Evian, il a ajouté : « Je comprends parfaitement les camarades de ma promotion qui ont choisi de ne pas avoir honte et de défendre ces gens-là ». Le vice-amiral Ploix, qui a servi dans les Forces navales françaises libres, sous les ordres de de Gaulle, et qui est toujours en service actif, a déclaré au tribunal qu'il n'approuvait pas le comportement de Salan, mais qu'il était convaincu que « si le général Salan avait voulu suivre le chemin de la rébellion, c'était dans le but de suivre celui de l'honneur, et non pas du parjure ». Le général Gracieux[256] a fait part de ses convictions : « Connaissant le général Salan et l'aimant comme le chef qu'il a toujours été pour moi, j'estime que le mobile de ses actes est un mobile noble ». Un autre témoin, Thomas Fondo, qui est devenu quasiment aveugle en combattant en Algérie, a déclaré au tribunal que malgré sa générosité, la jeunesse « n'accepte pas d'être sacrifiée pour rien ». Affirmant que Salan resterait pour la jeunesse française « l'exemple du courage, du sacrifice, de la fidélité à la parole donnée et à l'honneur », il s'est mis à avancer à tâtons vers Salan en disant qu'il tenait à lui donner « le drapeau [qu'il avait] pris à l'ennemi en perdant la vue ».

Une telle atmosphère n'encourage pas la réflexion sur les exigences de la raison d'Etat. Aux témoignages soulignant l'état d'abattement complet d'une armée amère, sont venus s'ajouter les vives descriptions du désespoir d'une population européenne aux prises avec le chaos. René Vinciguerra[257], député d'Alger, a parlé d'un million et demi de personnes courant « un péril de mort ». Edme Canat, député de Constantine, a déclaré que l'administration française avait pratiquement abdiqué son pouvoir « entre les mains de l'ALN », et que « ce que l'on appelle l'OAS, c'est toute une population qui se dresse contre l'ennemi commun ». Dans une présentation émouvante, mais relativement retenue (pour lui), Pierre Portolano, député de Bône et président du groupe « Unité de la République » à l'Assemblée nationale, a décrit la peur et la panique qui résultent du retrait des forces françaises (« Il y a des endroits où l'armée française évacue la nuit pour qu'on ne la voit pas fuir ») et « l'abdication » des autorités civiles françaises. Devant le tribunal, Portolano a déclaré : « Je m'adresse à vous qui êtes dans un univers raisonnable sous la protection de cette grande France qui s'étend encore sur vous et qui ne s'étend plus sur nous ». Dans sa plaidoirie finale, l'avocat général, André Gavalda, a déclaré avec émotion : « Je m'adresse

---

[256] Cf. note 36, p. 47, dépêche du 16 février 1960.
[257] Cf. note 156, p. 130, dépêche du 9 janvier 1962.

aux Algériens de souche française et européenne (...) : votre drame est le nôtre, puisque tout ce qui est national est nôtre. J'ai déjà exprimé ce sentiment (...) à M. Portolano et je le lui répète : Vous étiez au centre du drame. (...) Vous avez écrit une page d'Histoire, votre déposition a touché, elle restera dans notre souvenir. » De pareils témoins ont donc ému l'avocat général ; il ne fait pas de doute qu'ils ont également ému les juges.

Plus que les crimes eux-mêmes, ce sont donc les motivations que l'on a jugées. De Gaulle est passé en jugement, autant que Salan : Salan a été jugé coupable, mais le régime n'a pas été absout des charges de complicité et de duplicité qui pesaient contre lui. De plus, aussi bien que la genèse de son régime et la nature de ses méthodes, la politique algérienne de de Gaulle elle-même s'est retouvée sur le banc des accusés, et le procès a eu lieu à un moment où le stade le plus difficile et le plus dramatique de sa mise en œuvre était atteint. Le déroulement du procès a largement mis en évidence le prix très élevé que la France paye pour l'indépendance de l'Algérie. En accordant les « circonstances atténuantes » à Salan (et implicitement aux Européens d'Algérie, dans la mesure où l'OAS les « représente », aussi bien qu'aux "soldats perdus" qui ont rejoint l'OAS par désespoir), les juges ne se sont pas simplement abstenus d'ôter la vie de celui qui serait devenu une victime de plus du "drame national" de le France : ils ont également pris part à la responsabilité de ces crimes.

Retour à la marge du sujet ?

Certains esprits cyniques (ou réalistes ?) ont affirmé que « le vrai procès avait eu lieu en dehors du tribunal », qu'un arrangement avait été conclu avec Salan - son silence contre la vie sauve. Une telle explication, pourtant concevable, est peu vraisemblable. Il est difficile d'imaginer comment ceux qui auraient profité d'un tel arrangement auraient pu réussir à influencer les juges, qui, loin de montrer une inclination à suivre les ordres extérieurs, semblent avoir fait preuve d'une grande indépendance d'esprit. Le comportement de de Gaulle à la suite de l'énoncé du verdict n'a pas permis, en ce qui le^{258} concerne, de prouver une telle explication[259].

Au cours du procès, beaucoup de temps a été consacré à l'« affaire du bazooka », et les témoignages souvent incertains qui ont été apportés n'ont sans doute eu une influence sur l'issue du procès que dans la mesure où ils ont accru l'aspect de plus en plus sombre des événements qui ont précédé la chute de la Quatrième République en mai 1958. En janvier 1957, dans son quartier général à Alger, Salan a manqué d'être tué par une fusée de bazooka, qui a tué l'un des membres de son cabinet[260]. Le bruit a longtemps couru que l'ancien Premier ministre Michel Debré[261], alors partisan intransigeant de l'Algérie française[262] (ses déclarations de 1957, affirmant que quiconque s'opposait à l'indépendance de l'Algérie était « en situation de légitime défense », ont été citées plus d'une fois lors d'un procès), avait été l'un des organisateurs de l'attentat, premier pas dans le complot contre le régime. Mais dans une déposition très habile devant le tribunal, Debré a nettement nié tout lien avec l'affaire du bazooka, a répondu à toutes les questions posées par les avocats de Salan et déclaré, après avoir décrit sa capacité d'adaptation aux exigences changeantes du problème algérien, qu'il ne pouvait pas comprendre comment un homme comme Salan, qui avait accès aux mêmes informations que les autres, avait pu choisir la route qu'il a choisie. Etant donné la teneur des échanges qui ont suivi et l'absence de preuves de la défense, l'avocat général a mis fin à la déposition de Debré en déclarant que l'affaire du bazooka était « définitivement classée ».

---

258 Souligné dans le texte.

259 Le général de Gaulle s'est montré indigné et très choqué par le verdict. Il a déclaré : « Ce n'est pas le procès de Salan qu'a fait ce tribunal, c'est celui de de Gaulle ! » (Jean Lacouture, *De Gaulle*, t. III, *Le souverain*, p. 268).

260 L'attentat a eu lieu le 16 janvier 1957 et a causé la mort du commandant Rodier. Cf. p. 81, dépêche du 22 septembre 1961.

261 Georges Pompidou a remplacé Michel Debré à la tête du gouvernement le 14 avril 1962.

262 Dans le *Courrier de la colère*, Michel Debré appelait à conserver l'Algérie française, objectif nécessairement lié au renversement de la Quatrième République. Au début de 1958, il prépare de plus en plus le terrain pour le recours à de Gaulle.

Mais lors de l'audience suivante, les avocats de Salan sont cependant revenus à l'affaire du bazooka, en conduisant une attaque bien plus violente. Il n'y a pas eu de révélations stupéfiantes, mais les dépositions des témoins appelés à la barre n'ont pas dissipé la confusion de certains pans de l'affaire, notamment un séjour en Algérie de Christian de La Malène[263], collaborateur de longue date de Debré (jusqu'à ce qu'il devienne récemment secrétaire d'Etat à l'Information), en septembre 1958, époque où Debré était ministre de la Justice[264]. Selon un mémorandum écrit par le général Gratien Gardon, alors conseiller juridique de Salan, La Malène a parlé de l'affaire du bazooka au cours d'une conversation avec le général Dulac, chef d'état-major de Salan. Les dépositions de Dulac, Gardon et La Malène comme témoins au procès n'ont pas permis d'éclaircir les événements. Dulac a réitéré ses affirmations selon lesquelles il ne se rappelait pas avoir parlé de l'affaire du bazooka avec La Malène, mais il a ajouté que si Gardon avait écrit qu'il lui avait dit qu'il l'avait fait, il n'avait pas de raison de douter de sa sincérité. Gardon a confirmé la version de la conversation telle que Dulac la lui avait donnée et telle qu'il l'avait ensuite notée dans son mémorandum (écrit quatre jours après la conversation, à la demande de Salan). La Malène a dit qu'il ne se souvenait pas d'avoir parlé de l'affaire à Dulac et qu'il n'avait jamais parlé de l'affaire à Debré ; il a affirmé qu'à cette époque, il ne faisait pas partie du cabinet personnel de Debré tel que le dit Gardon dans son mémorandum, mais qu'il était simplement « observateur politique » ; et pour conclure, il a déclaré qu'il n'avait jamais, « dans une affaire judiciaire, donné des instructions d'ordre gouvernemental ». Cependant, quelques observateurs ont apprécié le fait que toute l'histoire ait été placée en pleine lumière, et les témoignages souvent incertains n'ont servi qu'à compliquer un peu plus un procès déjà complexe.

Le corps politique français

Le procès Salan a été bien plus politique que judiciaire. Dans une certaine mesure, le procès a eu lieu dans une atmosphère de guerre civile, une guerre civile qui, espérons-le, va vers sa fin, et qui, espérons-le, sera suivie, en partie du moins, par la réconciliation générale. Il est évident que les juges de Salan ont hésité à lui infliger la peine capitale pour des

---

[263] Député UNR de la Seine.

[264] Michel Debré était ministre de la Justice dans le gouvernement du général de Gaulle.

crimes aux mobiles politiques ; il est manifestement plus difficile d'exécuter quelqu'un qui est prêt à mourir pour un idéal (quelque perverti qu'il soit) qu'un criminel ordinaire. Après tout, de nombreux terroristes du FLN condamnés n'ont jamais été exécutés, et sont maintenant sortis de prison.

Le long drame algérien a laissé de profondes divisions dans le corps politique, qui se sont ajoutées à une longue série de conflits entre les Français. Les cicatrices de ces affrontement, parfois soigneusement entretenues, subsistent souvent, malgré le passage des ans. Le dimanche suivant le verdict du procès Salan, par exemple, des milliers de communistes (criant « Salan et Jouhaud au poteau ! » et « Unité contre le fascisme ! ») ont célébré le quatre-vingt-onzième anniversaire de la Commune de Paris en traversant le cimetière du Père Lachaise jusqu'au Mur des Fédérés, où un grand nombre de Communards furent fusillés pendant la "Semaine sanglante", du 21 au 28 mai 1871 (le PSU a organisé sa propre cérémonie, plus modeste, au même endroit, l'après-midi suivant).

Dans sa plaidoirie finale, l'avocat général, André Gavalda, a cité un livre récent d'Albert Bayet[265], récemment décédé : « Il faut éviter la guerre civile à tout prix ». Retournant plus arrière dans le passé, il a également dit que Montaigne et Pascal, pourtant si différents l'un de l'autre, considéraient tous deux la guerre civile comme le plus grand des maux. Bien que Gavalda ait fait ces remarques dans le but de condamner Salan, ce général qui a « tiré son épée contre la nation », les juges de Salan (aussi bien que Gavalda lui-même, sans doute, qui, « sous réserve d'une grâce », a appelé à une « peine irréversible » pour Salan sans utiliser le mot "mort") ont semble-t-il été amenés à penser en termes de facilitation (pourtant prématurée) d'une future réconciliation plutôt qu'en termes de punition des crimes du passé.

Dans une telle atmosphère, les considérations plus directes sur la raison d'Etat ont pris la seconde place. Le procès Salan a été, avant tout, une affaire entre Français (et pas limitée aux seuls franc-maçons). Pour réfuter les arguments des Français de gauche selon lesquels Salan et Jouhaud devraient être exécutés pour que les Algériens ne suspectent pas

---

[265] Intellectuel de gauche acquis aux thèses de l'Algérie française. Il fut membre de l'USRAF et du Comité de Vincennes, fondé en 1960, autour de Bidault et Soustelle.

la bonne foi des Français, un journaliste français de gauche, Bernard Frank, qui écrit (entre autres) dans l'hebdomadaire de gauche *France-Observateur*, a eu cette conclusion ironique : « Heureux Algériens, on vous aura gâtés jusqu'à la gauche : les routes, les hôpitaux, les chemins de fer, les écoles et des têtes de généraux français »[266]. Il apparaît donc que la répugnance française à ôter la vie du général le plus décoré de France n'est pas réservée, et de loin, aux seuls juges du haut tribunal militaire.

Pour l'Ambassadeur :
Randolph A. Kidder
Conseiller

---

[266] *France-Observateur* du 17 mai 1962, « l'Observateur littéraire », p. 19.

MEMORANDUM DE CONVERSATION. 26 juillet 1962.

Participants

George Ratiani, correspondant de la *Pravda* à Paris.
Francis De Tarr, ambassade américaine.

Hier soir, lors d'une réception donnée par l'attaché de presse de l'ambassade, M. Ratiani m'a demandé, au cours de la conversation, quelle était la position des Etats-Unis au sujet de la reconnaissance de l'Algérie.

J'ai répondu que nous avions reconnu l'indépendance de l'Algérie, mais j'ai dit qu'il était parfois difficile de savoir à quelle porte frapper.
_ « Vous avez un consulat à Alger ? », m'a-t-il demandé.
_ « Oui, un consulat général plus exactement. Et vous ? »
_ « Oh, nous avons envoyé à Alger un premier secrétaire de l'ambassade de Tunis la semaine dernière, pour sonder le terrain ; mais la situation est très confuse. »
J'ai marqué mon approbation et déclaré qu'il devait être rare de voir un pays craindre un coup d'Etat avant même qu'il y ait un Etat.

Il a souri et fait cette remarque : « Et bien, c'est au moins le seul endroit au monde où l'on ne peut pas dire que les Américains sont d'un côté et que nous sommes de l'autre ».

Ratiani m'a dit qu'il se trouvait à Alger en 1943 et 1944 et qu'il avait passé l'essentiel de son temps en France depuis la Libération. Il a passé un an à New York, mais a oublié presque tout son anglais. Son français est excellent.

COMMENTAIRE

INTRODUCTION

Francis De Tarr, jeune diplomate américain à Paris, est confronté aux affaires politiques françaises sur lesquelles la guerre d'Algérie pèse lourdement. Connaissant bien le fonctionnement du système politique, et plus encore celui de l'un de ses - anciens - rouages fondamentaux, s'étant trouvé à Alger plongé dans l'un des épisodes majeurs de la guerre d'Algérie, et ayant suivi les affaires françaises au Département d'Etat pendant plus d'un an et demi, Francis De Tarr, qui arrive à Paris en août 1961, sait à quoi s'attendre. Il n'est pas de ces diplomates, obligés de compulser de lourds dossiers avant de rejoindre leur poste, ignorants du pays où ils se rendent. Pour sa part, il ne fait simplement, en quelque sorte, que changer de bureau.

D'une rive à l'autre de l'Atlantique, le bureau est cependant bien différent. A Paris, Francis De Tarr ne retrouve sans doute pas exactement la même ville qu'en 1956. La guerre d'Algérie avait certes alors déjà commencé, et les jeunes soldats étaient de plus en plus nombreux à partir pour l'Afrique du Nord. Mais le temps était encore à la Quatrième République, et le Front républicain était le sujet majeur de préoccupation durant l'hiver 1955-1956. En revanche, le Paris de 1961 est rattrapé par une certaine forme de la guerre. Ce n'est bien sûr pas Alger ni Oran, mais on meurt aussi à Paris. L'atmosphère est lourde et tendue, et Francis De Tarr la traduit dans ses dépêches et télégrammes, la donnant à sentir à ses lecteurs. Il avait les informations. Il a maintenant le contexte. Et cette tension et cette atmosphère ressentis en lisant ces documents constituent l'un de leurs aspects les plus intéressants.

Mais de ce Paris en proie aux traductions métropolitaines bien réelles de la guerre d'Algérie, Francis De Tarr tire avant tout des observations et des analyses sur l'état de la France et de ses chances de passer ce cap difficile, ce tournant décisif dont il dit qu'il n'est toujours pas en vue. Le président de la République est le principal objet d'attention du diplomate américain, car c'est de lui que se soucient les Etats-Unis, puisque c'est de lui que peuvent provenir des changements sur la scène internationale. Francis De Tarr se fait cependant une spécialité de suivre les mouvements des opposants à de Gaulle, tout particulièrement lorsqu'ils se recrutent dans les rangs de la gauche non communiste. Certes tous les mendésistes, ni même tous les socialistes unifiés, ne se rejoignent pas pour critiquer le général. Charles Hernu et Gilles Martinet sont d'accord, chose rare, sur le fait qu'il faut soutenir la politique algérienne du président. Quoi qu'il en soit, le diplomate américain semble donc trouver qu'à l'intérieur de son champ d'observation, dans lequel il juge tout intéressant, certains sujets le sont plus que d'autres ; à moins qu'il veuille simplement là encore endosser l'habit de témoin, témoin des événements dramatiques de la guerre, mais également témoin des soubresauts plus bénins de la gauche, du PSU, des mendésistes et des réunions amicales de ces derniers.

Quel que soit le thème qu'il choisit, Francis De Tarr ne s'y attelle pas sans une certaine méthode et sans adopter un certain regard. Il est allé en Algérie ; il y a assisté à une démonstration de force des Français ; il s'est entretenu avec de nombreux pieds-noirs. Le diplomate connaît ainsi bien le sujet, et sait que les simplifications, toujours faciles, sont ici moins valables que jamais. S'il ne fait pas de doute pour lui que l'Algérie doive, et va, devenir indépendante, il insiste pour que l'on s'arrête sur le sort de cette communauté « profondément enracinée de plus d'un million de personnes ». Ne pas simplifier abusivement, c'est prendre en compte tous les facteurs, et tous les acteurs. La guerre d'Algérie n'est pas un problème de décolonisation comme les autres, dit-il à plusieurs reprises. Le regard du diplomate doit donc être celui d'un observateur distancié qui n'est pas partie prenante.

Distance et proximité, neutralité et amitié, analyses et impressions : tels sont les maîtres mots de ce début de séjour parisien. Le diplomate Francis De Tarr, tout attaché à son objectivité et à son désir de faire comprendre, explique avec soin les événements ; mais il ne peut omettre de rendre compte de l'atmosphère qui les entoure, et qui l'entoure lui-même.

Première partie

L'ART ET LA MANIERE : LE DIPLOMATE AU TRAVAIL

Francis De Tarr devait observer et s'informer pour le compte des diplomates américains de Washington. Tout l'intéresse, dit-il aujourd'hui, et le champ politique français était assez vaste et suffisamment troublé par la guerre d'Algérie pour lui offrir une grande variété de sujets d'étude et de réflexion. Ouvert et disponible, le diplomate et historien ne travaillait pas pour autant au hasard. Et c'est avant tout dans sa présentation des faits et des événements qu'il refuse le hasard. Sa méthode est précise et rigoureuse. Les documents eux-mêmes en témoignent, ses mots et ses tournures de phrase. Quant au reste, Francis De Tarr en parle lui-même aujourd'hui et explique dans quelles conditions il exerçait son métier. L'observateur extérieur qu'il était s'efforçait d'être neutre et c'est donc avec objectivité qu'il rend compte de la guerre d'Algérie et de ses répercussions sur la vie politique.

S'INFORMER

Francis De Tarr l'a fait remarquer à plusieurs reprises, lui-même et ses collègues disposaient de peu de temps et travaillaient souvent dans la précipitation. Le diplomate était pressé, et ses dépêches longues. Il devait chaque jour avoir des entretiens, assister aux séances à l'Assemblée nationale, lire la presse et écrire ses rapports qu'il terminait parfois chez lui à la fin de la semaine. Aussi ne faut-il pas s'étonner, dit-il, que les documents ne laissent pas tous place aux analyses et commentaires personnels. Lire, rencontrer, s'informer ; tels étaient ses premiers objectifs. Ce n'est qu'après seulement qu'il pouvait distiller quelques jugements brefs et incisifs.

La presse

La presse constitue l'un des principaux instruments de travail de Francis De Tarr et une source majeure d'information. Sa mission le conduit à lire la plupart des grands quotidiens et hebdomadaires français, ainsi que la presse étrangère. De nombreux titres apparaissent au fil des dépêches, dans lesquelles le diplomate se livre parfois à une revue de presse, en rapportant les commentaires des différents journaux.

Certaines dépêches sont fondées, presque pour l'essentiel, sur des articles de presse, reproduits dans leur quasi-totalité. Francis De Tarr, jugeant l'information sérieuse, la rapporte ; c'est alors la presse qui amène le diplomate à aborder le sujet. Ainsi, la dépêche du 31 août 1961 est-elle consacrée à l'annonce par le général de Gaulle du retrait de troupes d'Algérie. Pour traiter de ce sujet, le diplomate reproduit, en le citant explicitement, la quasi-totalité de l'article que Serge Bromberger, spécialiste des questions algériennes, a écrit dans *Le Figaro* du 29 août 1961. La traduction est toujours très proche du texte original et Francis De Tarr se permet seulement de permuter quelques lignes ou paragraphes. Mais l'article du *Figaro* n'est pas présenté seul, livré tel quel à la lecture des diplomates de Washington. Le diplomate le commente en se fondant en grande partie sur les déclarations d'un membre du Deuxième Bureau de l'armée française qu'il a rencontré. Ainsi, tel un journaliste qui vérifie ses informations avant de les dévoiler, Francis De Tarr se renseigne sur l'exactitude de l'article avant d'en rendre compte. De plus, au commentaire du militaire, il ajoute le sien, complétant ou poursuivant l'analyse du journaliste.

La dépêche du 22 septembre 1961, consacrée au « dialogue » entre Hubert Beuve-Méry, le directeur du *Monde* et l'ex-général Raoul Salan, le chef de l'OAS, repose elle aussi presque dans sa totalité sur la presse. En effet, à la suite de l'éditorial de Beuve-Méry du 12 septembre, intitulé « Le temps des assassins », qui s'en prenait aux auteurs de l'attentat du 8 septembre contre de Gaulle, Salan a fait parvenir au *Monde* une lettre dans laquelle il se défend d'une quelconque responsabilité dans l'attentat et attaque violemment le régime ; cette lettre est publiée dans le numéro du 19 septembre, accompagnée d'un nouvel éditorial de Beuve-

Méry sous le titre « Dénégations et manœuvres ». Ce dernier y justifie la publication de la réponse de Salan, tout en critiquant les propos de ce dernier et en démontant ses arguments. La défense du chef de l'OAS dans *Le Monde* pouvait cependant surprendre : François Mauriac, « durant tout un jour livré à l'indignation, à la honte, et presque au désespoir », s'en émeut d'ailleurs dans son « Bloc-notes » du *Figaro littéraire*[267], d'autant plus que *Le Monde* publiait également dans le même numéro une publicité pour le journal *Carrefour*, tribune des partisans de l'Algérie française et notamment de Jacques Soustelle[268]. Francis De Tarr reproduit les articles dans leur entier, dans une traduction proche et précise, et fait pour finir état de la publication, dans la presse encore, de documents accusant l'OAS d'être responsable de l'attentat. Là encore, le diplomate ne se contente pas uniquement de transmettre des articles de presse ; ceux-ci sont choisis pour illustrer l'état d'esprit et l'atmosphère qui règnent en France et que Francis De Tarr révèle un peu plus, en précisant que beaucoup d'événements de la scène politique prennent une « tournure digne d'*Alice au pays des Merveilles* » et basculent dans une irrationalité totale.

De même, dans la dépêche du 8 décembre 1961, consacrée au maréchal Juin et à ses déclarations hostiles à la politique algérienne de de Gaulle, Francis De Tarr traduit l'interview donnée par Juin à plusieurs journalistes étrangers et publiée dans *L'Aurore*, « commentateur le plus appliqué des activités de Juin depuis longtemps, et lieu occasionnel de ses déclarations », le 21 septembre 1961. Il cite également *Combat* du 28 novembre qui publie des extraits d'une allocution du maréchal. La presse donne ici l'occasion au diplomate de dresser un portrait de Juin, unique maréchal de France et symbole de l'unité nationale. La dépêche n'a donc pas pour seul objet l'actualité journalistique.

---

[267] Cf. Hubert Beuve-Méry, *Onze ans de règne, 1958-1969*, p. 278-280 : un « bloc-notes » de François Mauriac, paru dans le *Figaro littéraire* du 30 septembre 1961. Voir aussi les lettres que se sont échangées l'écrivain et le directeur du *Monde*.

[268] Cf. Hubert Beuve-Méry, *op. cit.*, p. 281-282. La publicité mentionnait entre autres des articles de Georges Bidault et de Jacques Soustelle (« Voici l'Algérie à l'heure de la désintégration »).

Dans quelques autres dépêches, consacrées à des sujets divers, Francis De Tarr mentionne rapidement des articles de presse, des commentaires qui viennent appuyer les siens ou simplement donner une idée des conséquences d'une déclaration ou d'un événement. Il cite ainsi, dans le télégramme du 28 août 1961 consacré au remaniement du Gouvernement provisoire de la République algérienne (GPRA) les commentaires de Serge Bromberger du *Figaro*, qui minimise l'importance de la présidence du GPRA dans ce système collégial, et ceux du *Monde* et de *Combat*, qui soulignent l'orientation gauchisante donnée par le nouveau président Ben Khedda. Dans la dépêche du 2 novembre 1961 sur la scène politique française, le diplomate cite *Le Populaire*, journal de la SFIO, du 8 septembre, dont l'éditorial de Mollet inaugure la campagne d'opposition menée par les socialistes contre de Gaulle. Il évoque également une interview de Guy Mollet dans *France-Observateur* du 14 septembre, dans laquelle ce dernier s'explique sur sa position gaulliste de 1958 et sur son évolution. Enfin, c'est encore du *Populaire* qu'il extrait le texte de la résolution du Conseil national de la SFIO. Dans le compte rendu d'une conversation avec Gilles Martinet, l'un des deux directeurs de *France-Observateur*, Francis De Tarr rapporte les propos de ce dernier sur son hebdomadaire et sur *L'Express*. L'airgramme du 3 février 1962, consacré aux « futurs fossoyeurs du régime », fait référence à un numéro de *L'Aurore* dans lequel le maréchal Juin s'oppose à l'accroissement des retraits de troupes. L'airgramme du 30 mars 1962, intitulé « Le maréchal Juin "fait une gaffe" », s'appuie également sur *L'Aurore*, qui a publié la lettre de soutien de Juin à Salan à l'origine du scandale, et qui fait état des sanctions prises contre le maréchal. Enfin, dans la dépêche du 8 juin 1962, sur le procès Salan, Francis De Tarr rapporte en conclusion les mots de Bernard Frank dans *France-Observateur* du 17 mai 1962, fort ironique envers les partisans de l'indépendance de l'Algérie et la gauche en général, favorables à la condamnation à mort de Salan.

Les entretiens

Six dépêches parmi les documents écrits par Francis De Tarr sont des comptes rendus de conversations qu'il a tenues avec des hommes politiques. Le diplomate rapporte les propos qu'il a entendus, tels quels, sans les commenter ni les juger. Il introduit rapidement ses interlocuteurs et se met très peu en avant, sans faire état de ses propres paroles. La plupart des rencontres sont officielles : c'est en tant que diplomate, représentant de l'ambassade des Etats-Unis, que Francis De Tarr s'entretient avec une personnalité du monde politique. Il peut alors être accompagné d'autres diplomates. C'est là l'occasion pour Guy Mollet ou Gilles Martinet de s'exprimer officiellement et de se faire entendre à l'étranger. Ils organisent d'ailleurs eux-mêmes ces rencontres et convoquent les diplomates qui n'ont qu'à écouter et poser quelques questions. L'entrevue avec Gilles Martinet a lieu au cours d'un dîner le 23 novembre 1961 en compagnie de « six diplomates des services politiques d'ambassades occidentales »[269], et l'entretien avec Guy Mollet se déroule autour d'un déjeuner le 20 février 1962, avec huit diplomates des ambassades d'Autriche, de Belgique, de Grande-Bretagne, du Canada, des Pays-Bas, d'Israël, de Yougoslavie et des Etats-Unis[270]. L'éclectisme de ce choix qui réunit autour de la même table Américain, Britannique et Yougoslave est assez surprenant et n'a pas manqué d'étonner l'un des lecteurs de Washington qui a souligné les noms de l'Autriche, d'Israël et de la Yougoslavie. (Francis De Tarr ne l'a découvert qu'en recevant la copie du document en 1988). Guy Mollet a sans doute réuni des représentants de pays qui recueillent sa sympathie et qu'il juge être intéressés par ses opinions.

A deux reprises Francis De Tarr a pu obtenir des entretiens particuliers avec Jacques Chaban-Delmas, président de l'Assemblée nationale, et Pierre Brousse, secrétaire général du parti radical, dans leurs bureaux respectifs au palais Bourbon et au siège du parti radical. Ces

---

[269] Cf. p. 112, dépêche du 27 novembre 1961.
[270] Cf. p. 152, dépêche du 23 février 1962.

rencontres, toujours officielles, ont cependant un caractère plus privé que les autres. Mais là encore, il s'y rend en tant que diplomate américain qui fera état de ce qu'il a entendu. Qu'un membre du service politique de l'ambassade américaine, pas le plus haut placé dans la hiérarchie du personnel diplomatique, ait une entrevue avec le président de l'Assemblée nationale, en privé, dans son bureau, peut paraître surprenant. Mais Francis De Tarr et Jacques Chaban-Delmas s'étaient déjà rencontrés au cours d'un voyage officiel de ce dernier aux Etats-Unis, en 1960 ; le diplomate américain avait alors été chargé de l'escorter et de l'accompagner tout au long de son séjour. C'est ainsi qu'il a pu plus tard, à Paris, revoir le président de l'Assemblée nationale, fort content d'évoquer et de se rappeler son séjour américain.

Enfin, d'autres dépêches rapportent des rencontres privées. Francis De Tarr n'est plus alors présent en tant que simple diplomate, représentant son ambassade, mais comme un véritable ami. C'est ainsi qu'il participe, le 13 février 1962, à une « soirée mendésiste » chez Paul Martinet, proche collaborateur de Mendès France, en compagnie de Laurence Martinet, Charles Hernu, Marie-Louise Hernu et Claude Nicolet. On peut estimer que dans une telle soirée qui, à ce que l'on peut en juger, s'est déroulée dans une atmosphère plutôt joyeuse et plaisante, les amis de Francis De Tarr parlaient librement sans faire particulièrement attention à lui. Et en bon diplomate, il a écouté et retenu ce qui se disait - et en a fait l'objet d'une dépêche. Celle-ci ne révèle d'ailleurs pas d'informations capitales pour le Département d'Etat. C'est simplement celle qui rend peut-être le mieux compte de l'atmosphère qui régnait alors dans certains milieux, et qui donne le mieux à voir l'originalité du diplomate, partagé entre ses fonctions de spectateur et d'acteur.

La dépêche du 6 avril 1962, consacrée à un entretien avec Charles Hernu, accompagnée d'un mémorandum de conversation, est également le fruit d'un entretien privé autour d'un déjeuner. Si le ton est plus sérieux que lors de la « soirée mendésiste », notamment sur les relations de Charles Hernu avec le PSU, la conversation a cependant sans doute eu lieu dans une atmosphère amicale, puisque Francis De Tarr et Charles Hernu se connaissaient et s'entendaient fort bien.

Reste le mémorandum de conversation du 26 juillet 1962, qui rapporte quelques phrases échangées avec le correspondant de la *Pravda* à Paris au cours d'une réception, et qui est un genre à lui seul. Cette discussion mondaine est davantage anecdotique, mettant en scène deux représentants de pays en assez grand froid, qui conversent de façon courtoise et plutôt anodine. C'est cette dernière rencontre qui, avec son caractère singulier et plaisant, marque également la fin de la période ici évoquée.

Les hommes politiques s'expriment donc librement. Ceux-ci, surtout s'ils rencontrent Francis De Tarr en privé, ne s'embarrassent pas de précautions pour parler de la situation politique ou de leurs collègues et rivaux. Le diplomate laisse entendre une voix, sans interlocuteur véritable ni contradicteur ; peut-être peut-on regretter qu'il ne fasse aucun commentaire, si ce n'est que les propos entendus sont très intéressants. Mais la source d'information demeure importante et précieuse.

EXPLIQUER

Francis De Tarr travaillait beaucoup, et devait faire vite ; mais il n'en suivait pas moins une certaine méthode. Tout son travail est placé sous le signe de la clarté, voire de la pédagogie. Le diplomate s'attache à expliquer les différentes situations et à exposer les raisons qui poussent certains à agir. Multiplier les points de vue et donner les moyens de comprendre, tel est l'objet de ces rapports.

Contexte et circonstances

Pour informer ses collègues diplomates, il est souvent indispensable pour Francis De Tarr de revenir en arrière pour rappeler les évolutions passées et mettre en valeur les mobiles de chacun des acteurs. C'est en effet une nécessité pour que le lecteur puisse se repérer dans l'ensemble des informations qu'il découvre, à une période où la situation change très vite et où les rapports de force évoluent sans cesse. Les diplomates de Washington ne sont en effet peut-être pas toujours très au fait des derniers soubresauts de l'actualité politique et algérienne ; Francis De Tarr les leur remet en mémoire. Les rappels historiques sont donc fréquents.

Ainsi, en analysant la conférence de presse du général de Gaulle du 5 septembre 1961, le diplomate esquisse un rapide rappel de l'évolution de la politique du président de la République, nécessaire pour comprendre l'intérêt de ses nouvelles déclarations sur la question du Sahara. Il retrace les tours et détours du discours de de Gaulle, l'échec de la "troisième force", les manifestations des masses musulmanes en décembre 1960, la Semaine des barricades, la tentative d'arriver à un accord direct avec le FLN par les pourparlers de Melun en juin 1960, le problème du Sahara qui paralyse les négociations et les mots du président de la République qui ont pu provoquer le putsch d'avril 1961.

De même, dans la dépêche du 2 novembre 1961, dans laquelle Francis De Tarr analyse la scène politique, et notamment l'opposition croissante des différents partis politiques à de Gaulle, il lui est nécessaire d'exposer l'évolution récente de ces partis et les premiers temps des rapports de la classe politique avec le nouveau président de la République. Il peut ensuite s'étendre longuement sur la position des socialistes et le changement d'attitude de Guy Mollet depuis 1958, avant d'évoquer, plus rapidement, le cas des autres partis, le MRP, les Indépendants, l'UNR, les radicaux et le PSU.

C'est ainsi également que le diplomate, dans la dépêche du 8 décembre 1961, consacrée aux déclarations du maréchal Juin contre la politique algérienne du général de Gaulle, se livre à un portrait de ce « maréchal dans la coulisse » et retrace le déroulement de sa carrière. Enfin, dans la dépêche du 9 janvier 1962, « analyse du conflit algérien à l'hiver 1962 », qu'il écrit quelques jours après que de Gaulle a annoncé la fin de la guerre pour l'année qui commence, il cite les précédentes déclarations du président de la République sur sa politique algérienne. Puis, avant d'exposer les positions des « acteurs récalcitrants » - l'OAS, l'armée et le FLN -, le diplomate évoque leur parcours et leur évolution.

Francis De Tarr rappelle les faits : conférences de presse et déclarations de de Gaulle, événements marquants de la scène algérienne tels que les manifestations, la Semaine des barricades ou le putsch. Mais le diplomate s'attache également aux déclarations des protagonistes, à leur état d'esprit, aux choix qui sont les leurs : ainsi décrit-il les positions - et surtout le changement de position - des socialistes, les idées des dirigeants du FLN et le programme issu du congrès de la Soummam, ou bien fait encore état de l'obligation devant laquelle se sont trouvés les militaires, depuis la Seconde Guerre mondiale, de faire des choix difficiles et dramatiques.

Objectivité et pédagogie

Francis De Tarr n'est donc pas simplement préoccupé par les faits. Si tel n'était pas le cas, son rôle ne serait pas très important ; on peut en effet penser que les Américains peuvent, et savent, s'informer facilement. Le travail du diplomate répond surtout à un besoin d'éclaircissement. S'il doit parler des événements qui se produisent en France et en Algérie, il s'attarde avant tout à les replacer dans leur contexte ou à remettre telle déclaration en perspective. Le connaisseur de la France, le spécialiste de la classe politique, le diplomate historien est là dans son domaine.

C'est ainsi que transparaît au fil de la lecture des rapports de Francis De Tarr un souci d'objectivité et de justice, ou du moins de justesse. C'est notamment par la multiplication des points de vue que le diplomate parvient à expliquer les choix de chacun. Même si sa sympathie va vers la gauche mendésiste, et même si, en ce qui concerne la guerre d'Algérie, il se fie à de Gaulle pour la terminer, il n'en comprend pas moins les sentiments des autres. C'est faire comprendre qui lui tient à cœur. Non pas justifier l'autre, mais voir par ses yeux. Et s'il faut le juger, le juger en connaissance de cause, pièces en main.

L'originalité du conflit

Francis De Tarr veut présenter la situation de façon juste, et il lui faut pour cela définir avec exactitude le rôle de chacun, et surtout ne pas simplifier. Ainsi insiste-t-il sur l'originalité du conflit algérien. Les Européens d'Algérie ne sont pas de simples colons comme ailleurs ; ils vivent là depuis parfois longtemps, et considèrent l'Algérie comme leur patrie ; ils n'en connaissent pas d'autres. Ce ne sont pas des *settlers*, des colons, mais les membres d'une « minorité » ou d'une « communauté ». Le diplomate écrit plusieurs fois qu'il faut être conscient des « problèmes particuliers [*special problems*] attachés à une région où se trouve une population européenne profondément enracinée de plus d'un million de personnes »[271], ou bien parle de la guerre qui a « menacé la longue existence d'une communauté profondément enracinée de plus d'un million de personnes »[272]. Il montre donc la spécificité de la présence européenne en Algérie, et insiste sur l'« enracinement » de cette population, mettant ainsi en valeur la complexité du problème.

Mais Francis De Tarr emploie également la même expression pour parler de l'autre communauté, plus nombreuse, d'Algérie. Il place en quelque sorte sur un pied d'égalité les deux populations. En effet, voulant toujours montrer que le problème de l'Algérie est fort particulier et sans comparaison, il revient sur la présence ancienne des deux populations. Il ne s'agit pas simplement que ceux qui n'auraient rien à faire sur cette terre partent, car, écrit-il, « le problème algérien n'est pas un problème typique de "décolonisation", mais le problème de deux communautés profondément enracinées, vivant ensemble sur le même sol »[273]. Le diplomate met donc en valeur, d'une certaine manière, la légitimité des Européens à vouloir rester en Algérie. Qu'il insiste sur une « *deeply-rooted community* » (une communauté profondément enracinée) ou bien sur deux « *deeply-rooted communities* » vivant ensemble, il explique qu'il

---

271 Cf. p. 71, dépêche du 19 septembre 1961.
272 Cf. p. 138, dépêche du 9 janvier 1962.
273 Cf. p. 75, dépêche du 19 septembre 1961, et pp. 140-141, dépêche du 9 janvier 1962.

sera difficile d'"extirper" une population dont les "racines" plongent dans cette terre même. Toutes les difficultés sont symbolisées par ces mots, qu'il écrit deux fois à quatre mois d'intervalle : la « longue existence », les profondes "racines", le « même sol » qui abrite, « ensemble », deux « communautés ». Tout est là.

La minorité européenne

Ainsi Francis De Tarr se penche-t-il à plusieurs reprises sur le sort des Européens d'Algérie, qu'il présente de façon posée et modérée. On avait en effet à l'époque - si l'on se sentait plutôt proche des idées du général de Gaulle, et plus encore si l'on était un partisan de l'indépendance de l'Algérie - vite fait de tourner en ridicule et de traiter avec mépris la population européenne. Le diplomate aborde la question avec une plus grande sagesse ; il tente d'adopter le point de vue des Européens d'Algérie, du moins de le comprendre. Lorsqu'il se livre à des rappels historiques, il n'oublie pas de dire que cette population a réellement cru que le général de Gaulle garderait l'Algérie française, et qu'elle s'est donc logiquement sentie flouée et trompée.

Dans les deux grandes dépêches d'analyse de la situation en Algérie, lorsque Francis De Tarr en vient à la minorité européenne, les mêmes mots reviennent, qui exposent les difficultés, les dilemmes et les peurs de cette « communauté ». Ainsi, le 8 septembre 1961, le diplomate parle du « désespoir d'une minorité européenne effrayée », tout en écrivant également que cette minorité est « échauffée », ou bien qu'elle a le « sang fougueux »[274]. Dans l'analyse plus longue qui suit ce télégramme, il évoque à nouveau les « membres de la minorité européenne, échauffés et effrayés » qui, en se livrant à l'insurrection des "barricades", ont ainsi « exprimé leur désespoir », mais également leur « détermination » à imposer un changement de politique[275]. Le regard du diplomate n'accable pas les Européens ; il se montre compréhensif envers

---

[274] Cf. p. 68.
[275] Cf. p. 71.

ces derniers lorsqu'il utilise les mots « effrayés » (*frightened*) et
« désespoir » (*despair*), mais il dit également d'eux, ce qui est plus
ambigu, ou moins favorable, qu'ils sont « échauffés » (*hot-blooded*) et
pleins de « détermination » (*determination*). Quelques lignes plus loin, il
écrit que l'armée peut compter sur le soutien d'une « minorité européenne
effrayée et déterminée »[276].

En janvier 1962, dressant à nouveau le tableau des événements
passés, Francis De Tarr souligne que les « membres effrayés de la
minorité européenne » ont été contents d'apprendre que des chefs
militaires avaient pris le maquis, avant d'ajouter que « se sentant
désespéré et abandonné, le gros de la communauté européenne
d'Algérie »[277] s'est lui aussi rallié à l'OAS. Utiliser les termes
« effrayés », « désespéré » et « abandonné », c'est une nouvelle fois,
sinon décharger cette population, du moins ne pas la charger ; c'est en
quelque sorte se mettre à sa place, ouvrir les yeux et ne pas nier la
complexité de la situation. Mais le diplomate poursuit en donnant une
image quelque peu différente de la communauté européenne : ainsi l'OAS
a-t-elle pu « "conditionner" l'imposante et puissante minorité
européenne ». Plus loin, il ajoute que « beaucoup des membres excités de
l'imposante et puissante communauté européenne d'Algérie »[278] sont
prêts à livrer un dur combat pour demeurer en Algérie. Le vocabulaire de
Francis De Tarr change, et la minorité européenne qui se fait « imposante
et puissante » (*large and powerful*), constituée de membres « excités »
(*aroused*), apparaît sous un autre jour ; le portrait se fait plus sévère et
renforce l'aspect menaçant de cette population. Le diplomate veut-il
corriger l'image des pieds-noirs qu'il a donnée précédemment ?
L'impression n'est pas la même, lorsqu'il présente une communauté
européenne « désespérée » ou au contraire « imposante » et « puissante ».

Ces deux facettes de la minorité européenne se suivent de près
dans la dépêche car c'est la « frayeur » et le « désespoir » qui l'ont jetée

---

[276] Cf. p. 74.
[277] Cf. pp. 129-130.
[278] Cf. p. 132.

dans les bras de l'OAS ; et cette dernière a su se servir de cette communauté « imposante » et « puissante ». C'est pourquoi Francis De Tarr revient encore une fois, en conclusion, sur la communauté européenne d'Algérie, en mêlant les deux aspects puisqu'il la qualifie de « puissante, effrayée et désespérée »[279]. Il semble finalement vouloir ici en donner une image complète et juste, ni tout à fait bonne, ni tout à fait mauvaise.

Ce point de vue multiple est bien propre à Francis De Tarr ; en effet, d'autres Américains, qui auraient pu avoir une vision tout aussi extérieure, ne se distinguèrent pas alors par leur finesse d'analyse. On pourra citer quelques lignes du magazine *Time*, écrites au même moment, en janvier 1962. Certes le journaliste ne travaille pas comme le diplomate et n'a pas les mêmes objectifs ; il s'engage parfois davantage et n'hésite pas à grossir le trait pour renforcer ses effets. Ici, l'auteur de ces lignes ne cherche en tout cas pas à comprendre ceux dont il parle. Sous le titre « Révolution et anisette » (*Revolution with Anisette*), le journaliste écrit que le caractère spécifique du million d'Européens d'Algérie explique que soit apparue « une race particulière (...) qui mêle l'assurance espagnole à l'exubérance italienne et à la rouerie levantine. Ils vouent un culte au corps, ils savourent leur vie de mer et de soleil. Ils respectent le courage et la force brute, mais la loyauté politique ne fait pas partie de leurs traditions. Les *pieds-noirs* courent après les démagogues, mais leur attention baisse bien vite et ils retournent regarder les filles en sirotant une anisette aux terrasses des cafés. »[280]

L'armée

Francis De Tarr s'exprime de manière tranquille, posée et sereine sur l'armée française. Il rappelle le parcours des militaires depuis le début de la guerre, et ne cache pas qu'ils ont été trompés et qu'ils se trouvent dans une position délicate, aux prises avec de lourds dilemmes : toutes

---

[279] Cf. p. 140.
[280] *Time Magazine*, sans signature, 26 janvier 1962, p. 16.

choses vraies - même si cela n'excuse pas les mauvais choix, et moins encore les actes criminels - parfois négligées.

Le 31 août 1961, le diplomate écrivait que « cette fière armée, engagée dans des batailles désastreuses, sur de très larges fronts, depuis plus de vingt ans »[281] verrait d'un mauvais œil une défaite politique de la France en Algérie. En janvier 1962, il ouvre la partie consacrée à l'armée avec des mots semblables : « La fière armée française souffre d'un malaise. Après avoir mené des guerres désastreuses sur de très larges fronts pendant plus de vingt ans, l'armée ne veut pas essuyer une défaite une fois de plus »[282]. Il rappelle la longue série de défaites qu'a connue l'armée - notamment 1940, puis 1954 en Indochine. Sa présentation de l'armée française est placée sous le signe du « malaise », en français dans le texte. Le diplomate cherche à montrer que les militaires se sentent égarés et écartelés, ne sachant que faire, que croire et que penser. Il rappelle que le président de la République n'a pas beaucoup aidé les militaires à y voir clair ; au contraire, il s'est montré très ambigu : « Les présentations successives et souvent sibyllines que de Gaulle a faites (...) de l'évolution de sa politique algérienne, ont embrouillé et inquiété ses interlocuteurs militaires plus qu'elles ne les ont convaincus ». Puis « la plupart des officiers furent consternés » quand de Gaulle a proposé l'autodétermination le 16 septembre 1959. Francis De Tarr ajoute : « Pour ceux qui avaient pris les slogans Algérie française au sérieux, et qui les avaient diffusés dans la campagne algérienne, c'était un atroce rebondissement ». La « sécession » d'un territoire pour lequel ils se sont battus constituerait pour eux « une trahison incompréhensible ». Aussi le diplomate songe-t-il au rôle que « l'armée française qui souffre et s'interroge depuis longtemps » sera sans doute amenée à jouer au cours du dernier acte du conflit - et il l'attend avec appréhension : les officiers sont en effet « déchirés entre leurs loyautés opposées » et « continuent de s'interroger »[283].

---

281 Cf. p. 62 et pp. 65-66.
282 Cf. p. 132.
283 Cf. p. 139.

Francis De Tarr insiste sur le fait que les militaires se sentent dans une impasse. Il met en valeur ce qui paraît être leur bonne foi, même si la bonne foi et la sincérité ne sont jamais garantes de justesse ni de choix réfléchis ; on peut être sincère et se tromper. L'armée a été habituée à un discours, façonnée par des idées et préparée à accomplir un objectif précis. Les sentiments qui étreignent les militaires français sont donc, sous la plume du diplomate, fort violents : ils apparaissent « troublés » (*confused*), « inquiets » (*worried*), « consternés » (*dismayed*), « déchirés » (*torn*) ; ils « souffrent » (*suffering*), « s'interrogent » et font leur examen de conscience (*soul-searching*). Dominée par le « malaise », l'armée se sent « trahie ». Ecrasée par les dilemmes, Francis De Tarr ne l'accable pas ; au contraire, il met en valeur l'attitude honorable des militaires qui estiment devoir tenir les promesses qu'ils ont faites à leurs « auxiliaires musulmans ». Et l'armée n'est pas l'OAS. Le diplomate prend cependant ses distances avec cette "attitude honorable", en écrivant que les militaires doivent choisir entre l'Etat et « ce qu'ils considèrent comme » leur devoir. On peut en effet objecter que leurs promesses ne sont pas les bonnes ; à quoi l'on répondra, à la décharge des militaires, qu'ils ont parfois été poussés à les faire. La surprise née du changement des objectifs imposés à l'armée est donc bien réelle, que les premiers objectifs fussent justes ou non.

La force des choses

Francis De Tarr semble à quelques reprises décharger les protagonistes du conflit de leurs responsabilités ; il révèle la force des choses, le poids inhérent à certaines situations, les conséquences inévitables, non choisies et non voulues, des événements. Ainsi écrit-il que l'opposition que subit le président de la République à l'automne 1961 est due à la « déception naturelle », ressentie par les Français qui attendaient du général qu'il mette un terme à la guerre d'Algérie, et à l'« usure naturelle affectant n'importe quel gouvernement après trois années d'exercice »[284]. Ces mouvements « naturels » expliquent que cette « évolution [ne soit] pas surprenante ». Le prolongement de la guerre est à l'origine d'une déception « inévitable ». Ce dernier terme revient à de nombreuses reprises : dès la dépêche du 19 septembre 1961, le diplomate parlait de « l'inévitable évolution gauchisante et extrémiste des nationalistes algériens »[285] ; il reprend exactement la même expression dans la conclusion de l'analyse de la situation à l'hiver 1962[286] et écrit que le FLN est « marqué par des rivalités et des divergences d'opinion qui sont inévitables dans n'importe quel groupe révolutionnaire qui sent qu'il approche du pouvoir »[287].

Si la présentation du FLN et de ses objectifs par Francis De Tarr est une constatation neutre, du moins, en qualifiant cette évolution d'inévitable, n'est-elle pas défavorable aux nationalistes. Ce qui est naturel ou inévitable n'est imputable à personne. Le diplomate écrit ainsi à plusieurs reprises : « étant donné les problèmes », « étant donné l'inévitable évolution gauchisante... » ; il s'agit là également de mettre en valeur le cours irréversible des choses, montrer que certains rapports de cause à effet sont systématiques et ne laissent que très peu de liberté aux protagonistes du conflit.

Du même regard relèvent les expressions « c'est bien compréhensible » ou « de façon compréhensible » que Francis De Tarr utilise à plusieurs reprises. Ainsi, les militaires, écrit-il, « étant arrivés si loin, (...) répugnent nettement - c'est bien compréhensible - à faire un pas, ou à faire des concessions qui gêneraient ou compromettraient la victoire qu'ils sentent maintenant toute proche ». Un peu plus loin, le diplomate conclut en écrivant que les officiers « répugnent de façon compréhensible à descendre les couleurs françaises », le problème étant en effet devenu celui de savoir quel drapeau flottera sur l'Algérie. Le « malaise » des militaires est « compréhensible » (*understandable*) : le lecteur doit donc

---

[284] Cf. p. 93.
[285] Cf. p. 76.
[286] Cf. p. 141.
[287] Cf. p. 137.

éviter toute simplification abusive et ne pas accabler outre mesure les officiers français.

C'est ainsi que dans sa manière de présenter les faits, le diplomate s'efforce d'être juste avec chacun. Il révèle la complexité des problèmes et montre les conflits d'intérêts tels qu'ils existent, pour conclure qu'il est très difficile d'« apporter une solution acceptable par tous à un problème qui, malheureusement, n'a pas de solution acceptable par tous »[288]. C'est pourquoi les négociations progressent si lentement. Il y a une spécificité de la guerre d'Algérie qui la rend incomparable aux autres conflits : le diplomate est là pour la traduire.

---

[288] Cf. p. 103, dépêche du 2 novembre 1961, « analyse de la scène politique française, automne 1961 ».

Deuxième partie

A L'ATTENTION DU DEPARTEMENT D'ETAT :
LE DIPLOMATE DANS LA GUERRE D'ALGERIE

La lecture de l'ensemble des documents révèle trois facettes du travail de Francis De Tarr : le regard extérieur d'un Américain à Paris, l'analyse des événements par le diplomate et l'atmosphère de cette fin de guerre d'Algérie dans les milieux intellectuels, politiques et journalistiques de Paris. Cette distinction ne correspond pas à une grille de travail qui aurait été celle du diplomate ; bien au contraire, tous ces aspects sont constamment mêlés dans ses rapports, quel que soit le sujet traité : la guerre d'Algérie exclusivement, la politique métropolitaine - toujours, cependant, dépendante de l'Algérie -, ou les conversations avec les hommes politiques. Ces documents sont donc présentés ici selon une typologie fondée sur le traitement des sujets - observations, rencontres, analyses - et non sur la nature des sujets, autre distinction possible mais moins pertinente, puisque les dépêches, et notamment les conversations, ne sont pas toujours consacrées à un sujet unique.

TEMOIGNAGES

Francis De Tarr, avant tout, rend compte. Il présente l'évolution de la guerre d'Algérie et les implications de cette dernière dans la vie politique française, ainsi que ses conséquences sur le régime politique français lui-même. Le ton naturel est celui de la constatation, du rapport neutre - ou presque. Ainsi le diplomate se contente-t-il parfois de rapporter les événements tels qu'il peut les observer lui-même, ou tels que la presse les diffuse. Il lui faut alors mettre l'accent sur un épisode qui semble capital ou révélateur de l'époque.

Ce sont les répercussions en métropole de la guerre d'Algérie qui intéressent Francis De Tarr : il consacre un télégramme aux « violences de rue » et aux grandes manifestations anti-OAS de février 1962 ; deux airgrammes abordent plus directement l'OAS, le 3 février 1962, « Les futurs fossoyeurs du régime français préparent prudemment le terrain », et le 7 mars 1962, « "Les forces de l'ordre, la police et la justice" poursuivent la lutte contre l'OAS en France métropolitaine ». Ces constats sont plutôt négatifs : l'OAS est semble-t-il en pleine expansion. Le diplomate s'exprime avec virulence sur les activités de l'organisation terroriste et de ses partisans qu'il qualifie de « fossoyeurs » (à venir) du régime. A défaut de cadavre, puisque la victime est encore en vie, ils creusent la fosse. Et toujours lucide et éclairé - d'une lumière incisive -, il n'échappe pas à Francis De Tarr que les croque-morts se soucient finalement autant, voire plus, de leur progression dans la hiérarchie des croque-morts que de la "cause" pour laquelle ils se battent : il s'agit avant tout pour eux de « faire avancer les carrières individuelles », écrit-il. Malgré la vague des attentats qui secoue l'hiver 1962, la future victime de ces « fossoyeurs » surnage toujours. Et le diplomate américain, relatant la violence de la manifestation de Charonne, les huit morts[289] et l'immense cortège de funérailles du 13 février, remarque que si le parti communiste sort certes grandi et affermi de ces événements, les manifestants anti-OAS, au bout du compte, renforcent le pouvoir gaulliste, tenu peut-être un peu trop rapidement pour moribond.

En matière de manifestations, de violences de rue et de répression policière, on pourra remarquer que Francis De Tarr ne fait nul cas de la manifestation parisienne des Algériens du 17 octobre 1961, dont le bilan, nié à l'époque, s'élève à plusieurs centaines de morts dans les rangs des manifestants. Il est vrai que l'on en parla peu à l'époque, même si certains journaux comme *France-Observateur* dénoncèrent vivement la répression menée par la police parisienne. Dans sa conférence à Oxford en 1986, le diplomate rappelait cet événement et remarquait que le 17 octobre, entre 16h et 17h45 d'après son agenda, il avait rencontré Pierre Brousse, secrétaire général du parti radical. Il ajoutait également qu'on

---

[289] Il y eut en fait neuf victimes.

avait alors vu là un fait divers, un horrible fait divers certes, mais tel qu'il s'en produisait tous les jours en Algérie, et de bien pires encore.

Francis De Tarr fait également état du remaniement du Gouvernement provisoire de la République algérienne (GPRA) d'août 1961, de la polémique qui oppose en septembre 1961 le chef de l'OAS, Raoul Salan, au directeur du *Monde*, Hubert Beuve-Méry, dans les colonnes du quotidien, ou bien encore des déclarations du maréchal Juin qui semble un temps sur le point de sortir de la « coulisse ». Ces informations "simples" concernent également quelques événements plus purement politiques, tels que la conférence de presse de Pierre Mendès France du 25 septembre 1961, ou les relations de l'ancien président du Conseil et ses compagnons avec le PSU. Un peu plus détaillée est la dépêche consacrée à l'article de Serge Bromberger dans *Le Figaro*, qui sonde l'état d'esprit de l'armée après l'annonce d'un prochain retrait de troupes. Francis De Tarr minimise l'importance des défaites militaires du FLN : il suffit en effet aux forces du FLN de l'intérieur de simplement survivre, pour maintenir vivant le symbole de la rébellion. L'excellente situation militaire de l'armée française risque même au contraire de rendre plus difficile encore pour les officiers l'idée d'un départ d'Algérie.

Dans ces documents, les analyses sont rapides ; ce sont celles qui circulent un peu partout. Les airgrammes, longs d'une page ou deux, se concluent toujours par un paragraphe intitulé « Commentaire ». Ce dernier est bref, assez sobre, quoique souvent sombre ou alarmiste. Le diplomate emploie régulièrement des formules telles que « il est clair » ou « il est évident » qui traduisent simplement des débuts d'explications. Ce n'est pas là que Francis De Tarr s'étend dans de longs développements accompagnés de jugements personnels. Ainsi : « il est clair que la nomination de Ben Khedda fournit un argument supplémentaire aux Français qui se sont farouchement opposés » aux négociations avec le FLN[290] ; « il est maintenant évident que les Français, et surtout la

---

[290] Cf. p. 60, télégramme du 28 août 1961, sur le remaniement du GPRA.

jeunesse, sont de plus en plus disposés à jouer un rôle actif dans le dénouement » de la guerre d'Algérie[291].

Cependant, Francis De Tarr fait parfois entendre sa voix : la dépêche qui fait une grande place aux articles de Salan et de Beuve-Méry laisse apparaître toute l'ironie du diplomate. Les pages du *Monde* deviennent pour lui dignes du "pays des Merveilles" que découvre Alice dans le roman de Lewis Carroll. Le diplomate se permet de sourire - avec une certaine dose d'amertume - de ce petit épisode dramatique, même si l'heure n'est pas vraiment à la légèreté ; il reste sérieux et conclut sa dépêche en affirmant que l'attentat contre « la Grande Zohra » n'était, de l'avis de l'ambassade, « que trop véritable », alors que certains mettaient en doute son authenticité.

Ces analyses ont beau être brèves, Francis De Tarr s'essaye cependant à envisager l'avenir. Ainsi dans ses courts « commentaires », le diplomate écrit en septembre 1961 à propos de la proposition de Mendès France de former un gouvernement de transition : « Il est probable que ce tout nouvel effort aura encore moins d'effet pratique que la plate-forme mort-née de janvier 1956 ». Faisant ici allusion au programme de Mendès France et du parti radical pour les élections législatives du 2 janvier 1956, à la suite desquelles la victoire du Front républicain a conduit Guy Mollet au pouvoir au lieu de l'ancien président du Conseil, le diplomate fait état de son pessimisme et de son scepticisme - tout comme nombre de mendésistes d'ailleurs - quant aux projets de Mendès France. Plus tard, le 3 février 1962, toujours préoccupé, il écrit à propos des « fossoyeurs » du régime qu'« on peut s'attendre » à ce que les opposants fassent de plus en plus entendre leur voix dans les semaines à venir, et que des rapprochements se forment pour vaincre l'ennemi commun, de Gaulle.

Ainsi, telle est la mission première confiée au diplomate. Ouvrir les yeux, écouter, apprendre et informer ses collègues. Faire part, rapporter, relater : l'observation est primordiale. Avant tout, il lui faut faire connaître. Ensuite seulement viennent les analyses et les détails.

---

[291] Cf. p. 146, télégramme du 17 février 1962, sur les violences de rue.

Mais toujours, quelques commentaires émaillent ces rapports ; Francis De Tarr demeure un narrateur à la personnalité affirmée.

RENCONTRES

Le diplomate complète ses observations des tensions de la vie parisienne par les commentaires des hommes politiques qu'il rencontre. Les acteurs se mettent eux-mêmes en scène dans la pièce qu'ils sont en train de jouer et expliquent leur rôle au spectateur. Entendre leur voix revêt un intérêt tout particulier : elle traduit la pensée du moment, entendue quasiment sans intermédiaire, sans le truchement de l'analyse du diplomate. Si tous parlent de l'Algérie, ce n'est pas là leur seul sujet de préoccupation, et ce d'autant plus que l'on progresse dans le cours de l'année 1961 et 1962 et que les négociations approchent d'une conclusion fructueuse. La guerre d'Algérie, si elle demeure une question inquiétante qui pourrait avoir, certains le reconnaissent et le pressentent, des conséquences graves et prolongées, est cependant en passe de prendre fin, d'une manière ou d'une autre. Chacun le sait, en est sûr, et puisque le problème se règlera, il peut donc désormais passer au second plan. Les politiques consacrent ainsi autant, sinon plus, leurs réflexions à la politique française, à leur parti, aux élections futures, qu'à la forme que prendra finalement la paix en Algérie.

L'incertitude algérienne

Pierre Brousse, secrétaire général du parti radical, est le premier des différents interlocuteurs de Francis De Tarr ; il s'exprime en octobre 1961, alors que l'on est encore loin de la conclusion des accords de paix. « Comme presque tous les Français sensés, Brousse est préoccupé par le problème algérien », écrit le diplomate. Il se penche plus que les autres sur la nature du problème et la spécificité du conflit, et non pas seulement sur la façon de le régler. En effet, « il s'est longuement étendu sur le caractère unique de la présence française en Algérie, une présence qui a très peu à voir, a-t-il souligné, avec l'ancienne présence française en Indochine ou la présence britannique en Inde (l'analogie la plus proche que l'on puisse faire étant celle des Boers d'Afrique du Sud). Les Français d'Algérie ont le sentiment de se battre pour leur pays. (...) D'une certaine façon, la guerre d'Algérie est une guerre civile, et en tant que telle, la pire des guerres. »[292] On reconnaît là le radical, membre d'un parti qui a été fortement implanté en Algérie, et qui se veut très au fait du problème algérien, très proche des Français d'Algérie, des petites gens des départements d'outre-Méditerranée. Il s'attache à rappeler la quasi-unicité du problème algérien, mais il avance pour ce faire une analogie qui, par les prolongements qu'elle entraîne, n'est peut-être pas des plus heureuses : Pierre Brousse donne en effet malgré lui une image ambiguë des Européens d'Algérie en les comparant, pour illustrer le problème des deux communautés opposées, aux Boers d'Afrique du Sud, dont le comportement envers l'"autre communauté" n'est pas des plus remarquables. Il veut expliquer qu'aucun accord de paix ne sera véritablement satisfaisant.

C'est sans doute en raison du caractère original du conflit et de la présence des Européens qu'il se déclare en faveur de la « partition de l'Algérie », « la moins mauvaise des solutions », « préférable » au retrait de la France, « malgré le fait qu'elle sera très difficile à mettre en œuvre et que tout le monde s'accorde à dire qu'elle sera très insatisfaisante dans bien des domaines ». Hostile à l'intégration de l'Algérie à la France - solution uniquement « temporaire » - autant qu'au retrait ou au « dégagement » - aux conséquences « désastreuses » -, il se réjouit que de Gaulle n'ait pas opté pour cette première possibilité ; mais c'est là l'une des seules actions qu'il porte au crédit de de Gaulle, qui a, selon lui, « commis de graves erreurs au cours des négociations » : « la situation en Algérie s'est beaucoup détériorée depuis qu'il est au pouvoir »[293]. La partition n'est pourtant pas un projet partagé par le plus grand nombre ;

---

[292] Cf. p. 89.
[293] Cf. p. 90.

elle est au contraire très dangereuse car elle revient à créer des îlots de populations européennes dans le nouvel Etat algérien : « aucun nouvel Etat révolutionnaire algérien ne pourrait tolérer » une partition de l'Algérie, qui constituerait « probablement la plus mauvaise de toutes les "solutions" » et « conduirait sans aucun doute à l'intensification des combats, accompagnée d'une internationalisation militaire du conflit. », écrivait le diplomate en septembre 1961[294]

Chacun des interlocuteurs de Francis De Tarr s'est exprimé sur l'Algérie, un thème parmi d'autres. Jacques Chaban-Delmas, qu'il a rencontré le 24 novembre 1961, envisage davantage les conséquences du conflit algérien, et même les conséquences assez lointaines. Lui qui s'en remet bien entendu à de Gaulle pour mettre un terme à la guerre, avance que même si les négociations connaissent enfin une issue heureuse, « la France sera poursuivie, au moins jusqu'en 1970, par les troubles dus aux transferts de population qui suivront - "transferts qui sont inévitables" ». La prédiction est peu engageante, et le président de l'Assemblée nationale fait état de véritables préoccupations. Comme beaucoup de gens, il se soucie du sort qui attend les Français d'Algérie ; les « garanties » du FLN sur le statut des Européens dans un nouvel Etat indépendant constituent l'un des derniers grands problèmes des négociations. Mais de toute façon, déclare Chaban-Delmas, « la véritable valeur des garanties qui pourront être obtenues restera à vrai dire très discutable »[295].

L'avenir qu'il entrevoit est donc très incertain. Personne, pas même Francis De Tarr, ne parle du long terme comme Chaban-Delmas, qui annonce des événements dramatiques jusqu'en 1970 « au moins ». Les nouveaux venus, débarqués en métropole, formeront une « population très nombreuse et amère », cause d'« une grande agitation et d'importantes difficultés »[296]. Jacques Chaban-Delmas ne se projette certes que de neuf ans dans le futur, mais il s'agit déjà d'une perspective spectaculaire. Gilles Martinet juge lui, le 23 novembre 1961, la veille de

---

[294] Cf. p. 75, dépêche du 19 septembre 1961.
[295] Cf. p. 111.
[296] Cf. p. 110.

la rencontre de Francis De Tarr et Jacques Chaban-Delmas, qu'« il y a une chance sur deux pour que de Gaulle réussisse à conclure cette guerre dans les deux prochains mois »[297] ; il n'envisage pas "l'après-guerre". Mais les prévisions de Chaban-Delmas ne se sont pas révélées inexactes ; les Français de métropole ont ainsi découvert un problème nouveau après les accords d'Evian : les "rapatriés" ont longuement occupé le devant de la scène, rappelant à ceux qui auraient voulu les oublier des souvenirs douloureux.

En matière de passé douloureux, le président de l'Assemblée nationale, toujours lucide, fait preuve d'une grande ouverture d'esprit en attribuant clairement les responsabilités de la situation qui prévaut en Algérie. « Chaban-Delmas a déclaré que les jeunes Français d'Algérie payaient maintenant pour les fautes commises par leurs pères et leurs grands-pères - ceux qui ont refusé de laisser les musulmans participer pleinement à la vie politique et économique de l'Algérie, et qui ont rejeté, jusqu'à ce qu'il soit trop tard, les demandes des musulmans qui souhaitaient être considérés comme des citoyens français à part entière. »[298] Francis De Tarr parlait, lui, de « la longue histoire des erreurs de la France en Algérie »[299], mais de telles explications sont rares, et ne semblent pas concerner les hommes politiques que rencontre le diplomate. Le gaulliste Chaban-Delmas se montre donc fort "libéral" sur la question algérienne, bien plus même que ses collègues de gauche, Guy Mollet et Gilles Martinet.

Charles Hernu, que le diplomate américain a rencontré le 4 avril 1962, n'a quant à lui parlé de l'Algérie qu'à travers la question du référendum du 8 avril ; les accords d'Evian ont en effet été signés en mars et le gros du problème est désormais réglé. Il estime cependant, lors de la « soirée mendésiste » du 13 février 1962, « qu'il y aur[a] encore entre

---

[297] Cf. p. 116.

[298] Cf. p. 110.

[299] Cf. pp. 75-76, dépêche du 19 septembre 1961, et p. 141, dépêche du 9 janvier 1962.

3 000 et 60 000 morts en Algérie »[300] et exprime sa sympathie pour les pieds-noirs obligés de quitter l'Algérie. Gilles Martinet, en revanche, ne se sent pas préoccupé outre mesure par le problème. Francis De Tarr écrit même que « Martinet a fait montre d'un optimisme inattendu à propos du problème algérien »[301]. Le secrétaire adjoint du PSU, parti fermement opposé à de Gaulle, fait toute confiance au président de la République pour mettre un terme à la guerre, et ce d'autant plus que le général de Gaulle se montre selon lui beaucoup plus « positif » depuis qu'il a cédé sur la question du Sahara en septembre 1961. L'OAS fait certes peser une lourde menace sur l'Algérie, mais de Gaulle saura trouver la solution. Le diplomate attribue cet optimisme au respect - et sans doute également à l'admiration - de Martinet pour de Gaulle, respect pour son « réalisme brutal », selon les mots mêmes de Martinet : il qualifie en effet de Gaulle de « roi libéral avec des tendances staliniennes », un « réaliste brutal » comme Staline[302]. La comparaison avec Staline ne semble pas effrayer le membre du PSU, maillon de la gauche non communiste, pourtant opposé aux « tendances staliniennes » bien réelles du parti communiste. Quelques mois plus tard, au PSU, Martinet défend le vote « oui » au référendum du 8 avril 1962 sur les accords d'Evian, alors que le parti décide d'appeler au vote nul, ne voulant pas accorder un blanc-seing au pouvoir gaulliste sur le reste de sa politique. Gilles Martinet estime lui, avec la tendance minoritaire du PSU, qu'il faut d'abord donner toutes ses chances à la paix. Charles Hernu pense de même et regrette le choix fait par Mendès France et le PSU. Au sein de son parti, on reprochera d'ailleurs de plus en plus à Gilles Martinet son admiration et son indulgence pour le général de Gaulle.

Francis De Tarr a rencontré Guy Mollet le 20 février, deux jours après la conclusion des pourparlers des Rousses, qui prévoient l'ouverture de négociations un mois plus tard. La situation est donc plus dégagée, et le secrétaire général du parti socialiste peut se montrer, « d'une manière

---

[300] Cf. p. 150, dépêche du 19 février 1962.
[301] Cf. p. 116, dépêche du 27 novembre 1961.
[302] Cf. p. 115.

générale, optimiste quant à la marche future des événements »[303]. Pourtant, il ne se montre pas aussi enthousiaste que Gilles Martinet l'était trois mois plus tôt. Il y aura encore « de mauvais moments à passer ». Comme Jacques Chaban-Delmas, il insiste sur le problème des « garanties » qui doivent être fournies par le FLN aux Européens d'Algérie ; c'est principalement de leur nature que dépendra l'issue du conflit. Mais en revanche, Guy Mollet, qui par ailleurs ne pense pas que l'OAS puisse s'étendre encore davantage, se montre beaucoup plus préoccupé que le président de l'Assemblée nationale par le comportement de l'armée. Une « minorité active » de l'armée pourrait « prendre l'initiative », et tenter un nouveau coup de force. Chaban-Delmas pensait pour sa part, trois mois auparavant, que « le problème de la loyauté de l'armée s'amenuis[ait] »[304]. Lui qui s'exprimait le lendemain du vigoureux discours de de Gaulle devant les officiers réunis place Broglie à Strasbourg faisait confiance au régime, dans lequel il occupe une place majeure, pour dorénavant bien contrôler les réactions des militaires. Interrogé par Francis De Tarr en novembre 1961, il convenait que les négociations menées par le gouvernement allaient bientôt aboutir. Mais Guy Mollet se montre plus préoccupé que Chaban-Delmas par le rôle du Parlement dans la politique française et dans le règlement du conflit algérien. C'est en effet le dirigeant socialiste, et non pas le président de l'Assemblée nationale, qui regrette que du côté français, les accords entre la France et le FLN n'aient pas à être ratifiés par le Parlement, alors que du côté algérien, ils doivent être approuvés par le Conseil national de la révolution algérienne (CNRA).

Préoccupations politiques

L'Algérie ne demeure pourtant qu'un thème parmi d'autres. Pour les interlocuteurs de Francis De Tarr, le conflit est déjà - presque -

---

[303] Cf. p. 153, dépêche du 23 février 1962.
[304] Cf. p. 111, dépêche du 27 novembre 1961.

derrière eux, et c'est ce dernier qui se montre pessimiste. Les hommes politiques français ne sont pas inconscients ; ils ne se désintéressent pas du sujet, mais l'apprécient différemment. Si pour le diplomate, l'avenir semble « nuageux et incertain »[305], il est au contraire, pour eux, relativement dégagé, et ne peut l'être que davantage.

Les acteurs de la vie politique font part de préoccupations de toutes sortes ; l'Europe revient par exemple à plusieurs reprises au cœur de la conversation avec Pierre Brousse ou Jacques Chaban-Delmas. Mais c'est le jeu politique traditionnel qui l'emporte, les élections à venir ou les problèmes de partis, sujet à l'acuité d'ailleurs particulièrement prononcée dans les rangs de la gauche qui s'interroge sur un possible regroupement de ses composantes non communistes. Le président de l'Assemblée nationale se vante quant à lui de jouer un rôle « efficace, quoique discret » dans la vie politique[306] ; il est particulièrement satisfait du rôle qu'il a joué dans l'arrêt du projet élaboré par certains membres de l'UNR pour réformer le mode de scrutin. Chaban-Delmas craignait en effet qu'un tel projet, qui nécessitait l'alliance de l'UNR et des Indépendants, ne menât les gaullistes trop à droite et ne leur ôtât le soutien des autres partis tels que le MRP ou les radicaux.

Gilles Martinet comme Charles Hernu, et Guy Mollet dans une moindre mesure, passent en revue les questions traditionnelles : Mendès France, le PSU, le regroupement de la gauche. Les informations apportées par Francis De Tarr dans ses dépêches sont vérifiées par les déclarations des acteurs eux-mêmes. Ainsi, comme l'a fait comprendre la direction du PSU, qui a cependant approuvé l'initiative de Mendès France, Martinet se montre fort dubitatif sur la proposition de ce dernier de former un gouvernement de transition de deux mois ; ce n'est pour lui qu'un « truc », nécessaire pour redonner de l'entrain à la vie politique, mais peu significatif. Les proches de Mendès France eux-mêmes, qui comme lui n'entretiennent que des rapports incertains avec le PSU, sont d'ailleurs sceptiques quant au réalisme de ses projets. Francis De Tarr en convient

---

[305] Cf. p. 140, dépêche du 9 janvier 1962, « analyse du problème algérien à l'hiver 1962 ».

[306] Cf. p. 109, dépêche du 27 novembre 1961.

aisément lui aussi. Tous expriment une grande incertitude sur ses chances de retrouver un jour des responsabilités. Charles Hernu ne croit pas à la victoire de Mendès France aux prochaines élections, quelle que soit la circonscription de l'Eure où il se présentera. Il semble même craindre les conséquences qu'une défaite aurait sur Mendès France[307]. Ce dernier fut d'ailleurs bel et bien battu à Evreux, en novembre 1962, par Jean de Broglie, ministre de de Gaulle et membre de la délégation française à Evian.

Les avis divergent en revanche sur le PSU. Martinet, qui en est le secrétaire adjoint, souligne la force et l'originalité de son parti, issu de courants différents, socialistes et chrétiens, et soutenu par de nombreux étudiants. Il essaie d'encourager les tentatives d'élargissement du champ d'action du parti, tentatives qui passent notamment par des discussions avec les socialistes et les communistes de part et d'autre. A cela, Guy Mollet répond que les communistes ne font pas partie de la gauche et qu'ils ne peuvent donc prétendre participer à un quelconque regroupement ; les socialistes constituent la seule véritable grande force de la gauche, puisque selon Mollet, le PSU n'a de poids qu'à Paris. C'est là le point de vue attendu du secrétaire général du parti socialiste. Mais Charles Hernu ne parle de son appartenance au PSU qu'en termes d'« expérience malheureuse », qui doit le conduire à s'en écarter de plus en plus. Ayant fait son entrée au parti socialiste autonome (PSA) fort tardivement, en janvier 1960, il ne reste au PSU que « parce que Mendès France le souhaite »[308] ; c'est dire la minceur du lien qui l'unit encore à son parti. Il souligne que d'autres mendésistes pensent de même et commencent à partir. En février 1962, en dînant avec ses camarades mendésistes, Hernu disait déjà son « manque d'enthousiasme » pour son parti, dont l'une des seules qualités est celle d'être un « parti de transition », en attendant l'unité future[309]. Pour Martinet, le PSU est un parti fort de sa diversité ; pour Hernu, il est en perte de vitesse.

---

[307] Cf. p. 171, mémorandum de conversation du 4 avril 1962.

[308] Cf. p. 172.

[309] Cf. pp. 149-150, dépêche du 19 février 1962.

Hernu ne dit d'ailleurs pas autre chose que Mollet, quand il fait remarquer que l'un des principaux atouts du PSU est sa capacité à réunir 2 000 personnes en quelques coups de téléphone pour descendre dans la rue. Mollet déclare en effet que la force du PSU réside dans le fait que les trois hebdomadaires qui lui sont favorables, *L'Express*, *France-Observateur* et *Témoignage chrétien*, peuvent toucher 200 000 personnes. Mais le PSU n'arrive pas à mobiliser les foules pour aller voter[310]. Hernu affirme même que le parti socialiste ne lui fait pas horreur, à la différence de la plupart des membres du PSU, surtout quand ils en sont issus. Il pourrait y adhérer s'il choisissait, ou était obligé, de quitter le PSU, éventualité qu'il envisage de plus en plus. Le seul obstacle est une question de noms et de personnes : il faudrait en effet que Guy Mollet n'en soit plus le secrétaire général. Mais comme Francis De Tarr lui rappelle qu'il est fort peu probable que Mollet quitte son poste, Hernu nuance immédiatement sa position en déclarant qu'un « geste » ferait l'affaire, comme l'exclusion de Robert Lacoste ou de Max Lejeune, symboles honnis de la politique algérienne de Mollet en 1956-1957[311]. De tels propos feraient à l'évidence s'écrier plus d'un camarade de Hernu militant au PSU.

Ainsi, chacun fait logiquement l'éloge de son parti, hormis Charles Hernu. Pierre Brousse déclare que le parti radical, dont le congrès vient d'avoir lieu à Royan, peut avoir confiance en l'avenir. Il insiste comme Guy Mollet (et comme Charles Hernu d'ailleurs) sur le fait que le PSU, cette nouvelle force de gauche, n'a pas de « racines profondes dans le pays », au contraire du parti radical[312]. Mollet tient quant à lui le même discours en l'adaptant à son parti, qu'il dit promis à un riche avenir, et Gilles Martinet est agréablement surpris par le succès remporté par le PSU, notamment auprès des étudiants.

Francis De Tarr ne manque cependant pas de faire remarquer à ses interlocuteurs qu'ils se trompent, ou de leur rappeler les arguments de

---

310 Cf. p. 155-156, dépêche du 23 février 1962.
311 Cf. p. 173, mémorandum de conversation du 4 avril 1962.
312 Cf. p. 91, dépêche du 19 octobre 1961.

leurs contradicteurs. Aussi Charles Hernu peut-il répondre à Gilles Martinet sur la question très débattue du PSU et des étudiants, et plus généralement de l'ensemble de ses adhérents. Comme le diplomate lui rappelle que Martinet vante les liens du PSU avec les syndicats et les organisations étudiantes, Hernu lui rétorque - et le dit ainsi, en quelque sorte, également à Martinet - que beaucoup d'étudiants de la faculté de Droit de Paris ont quitté le PSU pour une organisation étudiante communiste, et que des adhérents de Lyon se sont inscrits au parti socialiste[313]. Hernu n'entretient pas les mêmes relations avec son parti que Martinet et tient à le faire comprendre. Il reprend d'ailleurs sans le savoir la référence stalinienne que développait Gilles Martinet. Mais pour Charles Hernu, les tendances staliniennes ne sont pas à rechercher chez de Gaulle ; c'est au sein même du PSU qu'on les trouve : certains des membres « de type stalinien » du PSU pourraient bien « remplir le rôle de liquidateurs, tandis que d'autres membres (dont les Jacobins, qui se trouvent, de manière relative, à droite) sont manifestement déjà désignés pour être leurs premières victimes »[314]. Les staliniens ne sont donc pas toujours là où on le croit.

De même que Francis De Tarr suit avec attention l'évolution de la politique de de Gaulle, tous ses interlocuteurs se positionnent par rapport au président de la République. Les sentiments envers de Gaulle sont partagés, de l'intérêt mêlé d'admiration de Martinet au « désaccord sur tout » de Mollet. L'homme du PSU se montre d'ailleurs étonnamment plus indulgent envers le président de la République que ne l'est le secrétaire général du parti socialiste, qui a pourtant été vice-président du Conseil dans le gouvernement de de Gaulle en 1958. Mais Guy Mollet est alors sur la voie d'un anti-gaullisme vindicatif, qui le fait chercher des appuis sur sa gauche plus que sur sa droite. Chaban-Delmas disait à la fin de son entretien avec Francis De Tarr que la plupart des acteurs de la vie politique française « pouvaient être partagés en deux catégories : ceux qui veulent que de Gaulle résolve le problème algérien et s'en aille, et ceux

---

[313] Cf. p. 172.

[314] Cf. p. 150, dépêche du 19 février 1962, « une soirée mendésiste ».

qui veulent simplement qu'il s'en aille »[315]. Seul Pierre Brousse, qui déclare que « de Gaulle n'est plus le mieux placé pour s'occuper du problème algérien »[316], se range dans cette dernière catégorie. Les autres, même les opposants, attendent que de Gaulle mette un terme au conflit. C'est sur la suite qu'ils diffèrent.

ANALYSES

Après avoir rapporté les événements dont il est témoin et les conversations qu'il a pu échanger, le diplomate analyse plus longuement et plus en détail la situation en Algérie ou en métropole, et agrémente de ses commentaires directs et acérés ces dépêches étoffées. En une dizaine de pages, Francis De Tarr prend le temps de rappeler les événements et les évolutions passés. A la description détaillée, à la présentation rigoureuse et précise, s'ajoutent les jugements du diplomate, fin connaisseur de l'objet de son étude ; au détour d'une phrase se détache une pointe d'ironie, un bon mot, une remarque pleine d'esprit. Francis De Tarr regarde également vers l'avenir, vers ce qui va - ou pourrait - se passer. Les Américains veulent être fixés sur le sort qui attend le régime et de Gaulle lui-même. Période trouble, période incertaine : le diplomate essaye de démêler les fils et tire de ce qu'il voit d'éventuelles conséquences ; et c'est un avenir bien sombre qui apparaît tout au long des pages.

Le conflit algérien

Francis De Tarr se penche à deux reprises fort longuement sur le conflit algérien et ses protagonistes. Deux moments-clés donc : en

---

[315] Cf. p. 111, dépêche du 27 novembre 1961.
[316] Cf. p. 90, dépêche du 19 octobre 1961.

septembre 1961, après la conférence de presse du général de Gaulle, qui débloque la situation qui butait sur la question du Sahara, et en janvier 1962, après les déclarations du général prononcées à l'occasion du Nouvel An. Les deux dépêches se complètent en de nombreux points. Le diplomate reprend en janvier nombre de ses réflexions de septembre ; certaines phrases réapparaissent même telles quelles. Le 19 septembre 1961, il croit voir en cette période de "rentrée" politique un « tournant » (*turning point*) dans le conflit algérien ; quatre mois plus tard, il s'interroge : le conflit serait-il « en marche vers le dernier acte » ? Malgré cette évolution, les conclusions du diplomate font surtout état d'un long chemin restant encore à parcourir avant d'arriver au règlement et à la paix. Et dans un cas comme dans l'autre, le président de la République que dépeint Francis De Tarr a encore une tâche immense devant lui.

Septembre 1961

A peine arrivé à Paris, Francis De Tarr est confronté à l'un des principaux événements de la vie politique du début de la Cinquième République, la conférence de presse du général de Gaulle, au cours de laquelle le président se met soigneusement en scène. Et dès la première ligne du télégramme, le jeune diplomate fait entendre son ton léger et piquant en écrivant que « la conférence de presse de de Gaulle (...) a fourni aux étudiants en théologie gaullienne son habituel lot de problèmes et d'obscurités »[317]. La formule est plaisante, et lui qui est devenu spécialiste en « théologie gaullienne » pour avoir notamment suivi les affaires algériennes à Washington, peut facilement expliquer la nouvelle position de de Gaulle. Il se réjouit de l'avancée rendue possible par les concessions françaises ; il écrit en effet que c'est « avec réalisme » que le président a déclaré « être prêt à concéder la souveraineté sur le Sahara au nouvel Etat Algérien ». Pourtant, bien vite dans le cours de ce télégramme, le diplomate laisse transparaître une certaine inquiétude : le FLN préférera attendre une victoire totale plutôt que de négocier, la politique d'autodétermination est impossible à mettre en place. Il est vrai que Francis De Tarr a souvent raison : l'« association » entre la France et une future Algérie indépendante dominée par le FLN était en effet plus qu'improbable.

Le diplomate conclut le télégramme en affirmant que le président de la République reste le plus capable d'apporter la solution attendue ; mais il écrit également, une ligne plus haut, que « tant que le conflit algérien continue, le régime demeure fragile ». L'appréciation est vague, ou bien très pessimiste. En effet, Francis De Tarr a expliqué plus haut que la guerre n'était pas encore terminée ; le régime sera donc toujours fragile. Ou bien faut-il lire cette proposition à l'envers : tant que le régime reste fragile, le conflit algérien continue. La guerre qui a mis à bas une République pour en créer une autre qui se veut forte et puissante, est désormais dans les mains d'un pouvoir menacé, aux prises avec l'incertitude, maître mot de ce temps-là. La situation n'évolue donc pas, semble dire le diplomate, alors que le général de Gaulle vient de faire une importante concession. Du moins Francis De Tarr estime-t-il que même les meilleures avancées sont bloquées par le poids de la menace.

Les analyses se font plus précises dans la dépêche suivante. Le diplomate se penche sur les conséquences des propos de de Gaulle, et, plus largement, sur le conflit algérien pris dans une dimension internationale ; c'est bien là, peut-on supposer, ce qui intéresse les Etats-Unis. C'est pourquoi il passe des « étudiants en théologie gaullienne » aux « diverses franges de l'opinion à travers le monde » qui ont entendu les déclarations du président de la République française, et notamment l'Ouest et l'Est. Si le premier se réjouira de voir de Gaulle chercher avec ardeur une solution, le second est l'objet de l'ironie du diplomate. En effet, « les dirigeants des pays du bloc ont pu entrevoir une nouvelle étape dans la marche inéluctable de l'histoire », car la « prédiction » de de Gaulle du 19 septembre 1959, « selon laquelle la "sécession, où certains croient trouver l'indépendance" apporterait avec elle "une misère épouvantable, un affreux chaos politique, l'égorgement généralisé et, bientôt, la dictature belliqueuse des communistes" », est en passe d'être réalisée. C'est en fait plutôt sur le président de la République que Francis

[317] Cf. p. 67.

De Tarr ironise, car de Gaulle semble s'acheminer vers ce qu'il voulait éviter. Le diplomate ne croit plus ni à l'« association », dont le président ne parle même plus, ni à la « coopération », « nullement nécessaire » si elle ne comporte pas « échange et compréhension » selon de Gaulle. Francis De Tarr assimile donc la naissance désormais certaine du futur Etat à la « sécession », et semble ainsi annoncer l'arrivée des communistes ou de leurs proches au pouvoir. Le GPRA avait d'ailleurs été remanié quelques jours auparavant, et son nouveau président, Ben Khedda, était réputé être très à gauche.

Le diplomate adopte une perspective internationale pour parler de la guerre d'Algérie, ce « problème qui empoisonne depuis longtemps les relations entre les démocraties occidentales et les nations récentes et émergentes d'Afrique et d'Asie ». Le problème colonial fait ici son apparition, et le diplomate historien écrit que « l'avenir de la France reste lourdement hypothéqué par sa présence de plus de 130 ans en Algérie » et par la « longue histoire [de ses] erreurs en Algérie »[318]. Si Francis De Tarr juge sévèrement la France en la tenant pour grande partie responsable de la situation, il insiste également - et le thème revient à plusieurs reprises par la suite - sur le caractère particulier de l'Algérie et la spécificité de son lien avec la France. Il évoque « les problèmes particuliers attachés à une région où se trouve une population européenne profondément enracinée de plus d'un million de personnes » : le conflit algérien n'est donc pas « un simple problème de "décolonisation", mais le problème de deux communautés profondément enracinées et vivant sur le même sol »[319]. Ainsi, malgré les erreurs de la France, le drame des Européens d'Algérie n'en est pas moins véritable ; il est compréhensible qu'ils ne veuillent pas quitter la terre qui, pour eux, est la leur. Francis De Tarr traduit donc ici toutes les ambiguïtés de la situation ; il les révèle, et sa présentation de l'« évolution de la politique algérienne de de Gaulle » participe de ce mouvement, qui ne provoque chez lui que des conclusions fort sombres.

---

[318] Cf. p. 70 et pp. 75-76.
[319] Cf. p. 75 et p. 140.

Le diplomate se fait d'ailleurs l'écho de « prédictions de mauvais augure », qui annoncent la chute du régime au cas où de Gaulle voudrait mettre en œuvre ses projets. Il rappelle les différentes phases de la politique algérienne de de Gaulle depuis 1958, cite les nombreux échecs qui parsèment son chemin (notamment la création de la « troisième force » et la conduite des pourparlers) ; et la dernière concession du président de la République sur le Sahara, qui semble enfin annoncer de fructueuses négociations, n'aboutit qu'à lui faire écrire que « bien qu'elle soit possible, une solution négociée n'est cependant rien moins que probable ». Pourtant, « un retrait négocié d'Algérie appartient au champ des possibles », disait-il. Mais la concession semble surtout annoncer, selon lui, un dégagement unilatéral qui entraînerait le « regroupement » des « Algériens de souche européenne » et de « ceux des musulmans qui voudraient rester avec la France », comme l'a dit le général de Gaulle. Tout semble donc n'être qu'immobilisme et échec futur.

Mais Francis De Tarr penche plus encore du côté de l'inquiétude : « La première et la plus évidente des conclusions que l'on puisse tirer de l'analyse de la nouvelle politique algérienne de de Gaulle, est la triste prévision que cette politique ne marchera probablement pas ». Il ajoute même qu'il est « peu vraisemblable » que le gouvernement français et le FLN acceptent de négocier[320]. Les esprits en sont encore à l'arrêt des négociations de Lugrin en juillet 1961, deux mois plus tôt. Dans tous les cas de figure, l'échec est certain : si les négociations aboutissent, explique le diplomate, l'OAS, aidée par la minorité européenne et l'armée, empêchera l'application de l'accord ; si l'on choisit au contraire le « dégagement », l'armée, aidée par la minorité européenne et l'OAS, refusera de le mettre en œuvre. Ainsi, quelle que soit la solution, ou la non solution, adoptée, l'OAS déclenchera un déchaînement de violence.

Les mois à venir sont donc placés sous le signe d'une catastrophe annoncée. D'ailleurs, après avoir rappelé que la Quatrième République, aux prises avec le problème algérien, s'était effondrée quarante-trois mois après le début du conflit, Francis De Tarr esquisse un parallèle saisissant :

« La Cinquième République aura achevé le quarante-troisième mois de son cauchemar algérien en janvier 1962 »[321]. Le diplomate soigne bien évidemment ici son effet ; l'histoire n'avance bien sûr pas en se répétant, du moins pas de façon aussi régulière, mais il n'en demeure pas moins que la remarque, formulée sur un ton presque anodin, est effrayante. Le diplomate annonce très clairement que le régime gaulliste pourrait bientôt s'écrouler. Ainsi écrit-il : détachement et relative froideur dans l'énoncé. La phrase, simple constat, est brève. Venant conclure la démonstration, elle n'en a que plus de force ; et l'absence de tout autre commentaire - chacun est libre de l'interpréter comme il l'entend - ne la rend que plus pénétrante. On peut aussi ne voir là qu'un sourire du diplomate, se livrant consciemment à une certaine exagération pour prix d'une formule frappante. Et en effet, Francis De Tarr dit aujourd'hui qu'il faut voir là la marque du jeune diplomate qu'il était alors, désireux de se distinguer par des dépêches brillantes, et se laissant aller à quelques instants d'éclat. Cependant, même s'il en rajoute, même s'il cède au plaisir d'impressionner le lecteur, le diplomate américain reste fondamentalement pessimiste. L'incertitude se mue presque en certitude de la catastrophe.

Il serait vain de se demander si le diplomate américain avait tort ou raison, à la lumière des événements qui se sont produits ultérieurement. Simplement, il décrit de manière fort sombre la situation. Et dans l'expectative d'alors, il s'attend à des difficultés et au danger plus qu'à la résolution des problèmes. Il n'était d'ailleurs pas loin de la réalité. Le « chaos » qu'il prédit a eu lieu, qu'il s'agisse des événements dramatiques en Algérie après les accords d'Evian, des attentats de l'OAS ou des luttes sanglantes pour le pouvoir au sein du FLN.

La France laisse ensuite la place aux Etats-Unis pour l'une des seules évocations de la politique étrangère américaine. Les grandes lignes de la diplomatie de Washington ne sont pas l'objet de ces rapports, qui constituent un aspect unilatéral du fonctionnement de la vie diplomatique. Aussi lit-on avec un intérêt particulier les quelques paragraphes consacrés

---

[320] Cf. p. 74.

aux « conséquences pour les Etats-Unis de la nouvelle politique algérienne de de Gaulle ». C'est là que s'illustre l'ardeur du jeune diplomate, qui, selon ses mots mêmes d'aujourd'hui, voulait « pontifier sur tout ». Il examine en effet les intérêts américains dans le conflit algérien et donne son avis sur la marche à suivre des Etats-Unis. « La meilleure solution du point de vue américain serait un règlement négocié, suivi d'une transition ordonnée des pouvoirs »[322] ; le diplomate ajoute que les Etats-Unis seront appelés à jouer un rôle, en s'impliquant davantage, tout en prenant garde de ne pas s'y prendre mal. Ces conseils ne sont peut-être pas essentiels pour la bonne marche de la diplomatie américaine ; ils paraissent en tout cas relativement évidents.

Ces suggestions ne sont cependant pas infondées : ainsi Francis De Tarr rappelle-t-il en passant l'expérience malheureuse de l'intervention américaine en Tunisie en 1958, l'offre des « bons offices » de Robert Murphy. Destinée d'abord à régler le contentieux franco-tunisien à la suite du bombardement de Sakhiet Sidi Youssef le 8 février 1958, la mission a symbolisé un début d'internationalisation du conflit algérien. Très mal accueillie par les partisans de l'Algérie française, elle a été à l'origine de la chute du gouvernement de Félix Gaillard le 15 avril 1958. Aussi faut-il aux Etats-Unis, selon Francis De Tarr, se garder d'agir inconsidérément. Les dangers encourus par la France le sont aussi par ses alliés occidentaux car « les intérêts de ces derniers coïncident avec ceux de la première », dit-il en prenant en compte l'aspect international du problème. Aussi, « dans l'état actuel du monde, pour le meilleur ou pour le pire, il est évident que les alliés de la France sont condamnés à partager ses problèmes et ses dangers ». Si le diplomate insiste sur le fait que la guerre d'Algérie est un problème commun au monde occidental, il n'avance pas pour autant le combat contre le communisme pour justifier la nécessaire préoccupation des alliés de la France, argument soulevé principalement par l'armée et les partisans de l'Algérie française, qui estiment que la lutte menée en Algérie l'est aussi et surtout pour la sauvegarde du "monde libre".

---

[321] Cf. p. 75.

Francis De Tarr se permet même d'appliquer son ironie légère à son propre pays, puisqu'il écrit qu'une « association entre la France et une Algérie indépendante est maintenant aussi probable (...) qu'une association entre les Etats-Unis et Cuba de Castro ». L'image est amusante, claire, mais peut-être pas très diplomatique, au sens courant du terme, c'est-à-dire prudent et réservé. C'est en tout cas ce qu'a dû penser le chef de la section politique, car cette formule, que Francis De Tarr avait déjà voulu placer dans le télégramme du 8 septembre 1961, n'avait pas été acceptée. Le texte définitif mentionnait simplement que l'« association entre la France et une Algérie FLN » allait « au devant des plus grandes difficultés », formulation nettement plus neutre et circonspecte, plus adaptée à la nature du télégramme, document signé par l'ambassadeur ou son chargé d'affaires, qui synthétise la position de l'ambassade. Une dépêche, plus personnelle, était plus appropriée pour ce genre de petites phrases.

Le diplomate reste cependant toujours guidé par son souci de clarté et d'explication. Il expose en effet à plusieurs reprises différents points de vue, en les opposant de façon didactique : ainsi, « on peut avancer » que les objectifs de de Gaulle tels que l'« association » paraissent irréalisables, mais, « d'un autre côté, on peut affirmer que de Gaulle demeure le meilleur espoir ». De même, les Etats-Unis doivent « formuler des politiques nouvelles », car « apporter son soutien de tout cœur à de Gaulle n'est plus assez ». Mais, « d'un autre côté », les Etats-Unis ne doivent pas recourir à un « engagement prématuré ou mal coordonné ». Les avis dont fait part le *young boy diplomat* sont donc au total, malgré un certain goût pour les effets et le ton incisif, empreints d'une grande circonspection et d'une grande mesure, chaque conclusion appelant immédiatement de prudentes nuances.

Quoi qu'il en soit, après ces quelques lignes où il « pontifie » sur la place des Etats-Unis dans le conflit algérien, le diplomate conclut sa dépêche à son habitude, avec pessimisme. Francis De Tarr admet en effet qu'un tournant a été atteint avec les concessions nouvelles sur le Sahara, mais il s'empresse d'ajouter que les grands tournants, ceux qui conduiront

---

322 Cf. p. 76.

l'Algérie et la France vers la stabilité, « ne sont pas en vue ». Malgré les virages déjà franchis, la route demeure sinueuse, et les lignes droites, dans le lointain, invisibles.

Janvier 1962

Un peu moins de quatre mois après cette longue plongée dans la complexité de l'Algérie, Francis De Tarr se livre à une nouvelle analyse de la situation. Des « tournants », il est désormais passé au « dernier acte », qui, peut-être, approche. Mais si l'objet précis de la dépêche a quelque peu changé - il ne s'agit plus de donner une vision internationale du conflit, mais d'en passer en revue les différents « acteurs récalcitrants » -, le bilan reste à peu près le même : le diplomate se montre une nouvelle fois très dubitatif quant à une issue heureuse du conflit.

Comme en septembre 1961, il commence par évoquer les propos du président de la République. Le 29 décembre 1961, le général de Gaulle a annoncé la fin de la guerre d'Algérie pour l'année 1962 ; le diplomate écrit donc : « Son discours semblait familier : douze mois plus tôt (...), il avait lancé l'espoir que 1961 serait "l'année de la paix rétablie" en Algérie ». Il peut ajouter, en français dans le texte : « Plus ça change, plus c'est la même chose ». « La fin imminente de la guerre d'Algérie a été annoncée avec une régularité frappante depuis qu'elle a commencé, il y a plus de sept ans »[323]. Là encore, le diplomate se fait sarcastique et incisif. Sans plus d'explications, l'ironie naît du simple rapprochement des deux discours du général de Gaulle, de la confrontation de la promesse et du résultat. La juxtaposition de termes qui se contredisent de manière évidente, tels que cette « fin imminente » annoncée régulièrement depuis « plus de sept ans », est plus parlante que d'amples commentaires. Au lecteur de tirer les conclusions.

De même, après avoir reconnu que l'année qui commençait était plus prometteuse que les précédentes, Francis De Tarr écrit que « bien que certains aient pu penser que la paix était au coin de la rue, elle n'est

---

[323] Cf. p. 126.

certainement pas très visible »[324]. Derrière cette légèreté plaisante, et si le sentiment général fait un peu plus de place qu'avant à l'espoir, le diplomate ne se départit pas pour autant de son inquiétude. La violence semble promettre l'échec de toute recherche d'accord de paix. « On se trouve dans une impasse », écrit le diplomate, comme l'illustre la comparaison qu'auraient faite certains observateurs entre les rumeurs de négociations et la vente d'un veau. L'analogie est un peu mystérieuse, mais elle a dû intéresser l'un des lecteurs de Washington qui a souligné ces lignes : « Certains ont comparé les bruits actuels de négociations secrètes à la vente d'un veau. Le gouvernement français est prêt à vendre le veau et le FLN est prêt à l'acheter, mais le gouvernement n'a pas de veau et le FLN n'a pas d'argent ». Ainsi les parties font-elles preuve de bonne volonté, mais n'ont pas les moyens de la mettre en œuvre ; ou bien la bonne volonté n'est que de façade et l'on ne se donne pas les moyens d'agir.

Les négociations sont en effet d'actualité. Francis De Tarr fait part d'un « "calendrier" supposé des étapes à venir » qui circule alors, et qui semble très prometteur et encourageant[325] : un cessez-le-feu serait conclu à la fin janvier, permettant ainsi l'ouverture de négociations qui aboutiraient en avril ; un référendum d'autodétermination aurait alors lieu quelques mois plus tard, tandis que l'on voterait en France pour ratifier le changement de statut de l'Algérie. On envisage même déjà une révision constitutionnelle qui instituerait l'élection du président de la République au suffrage universel. Il est frappant de constater qu'au tout début du mois de janvier, mis à part quelques erreurs de date et l'inversion du cessez-le-feu et des négociations, on prévoyait déjà avec une certaine exactitude le déroulement des événements.

Francis De Tarr a beau rapporter les rumeurs optimistes, il continue cependant de privilégier l'analyse pessimiste et annonce qu'« une confrontation finale est inévitable »[326]. En utilisant le terme de

---

[324] Cf. p. 138.
[325] Cf. p. 128.
[326] Cf. p. 139.

« confrontation finale » ou « grand déballage final » (*showdown*), le diplomate promet une fin de guerre dramatique. Le risque de guerre civile, et surtout l'inconnu qui règne quant au comportement de l'armée, lui font dire que « pour l'Algérie, l'horizon demeure donc nuageux et incertain »[327]. Il ne voit que le déchaînement de violence qui attend la fin de la guerre et ne fait pas grand cas des négociations. Les atouts de de Gaulle, « que lui procurent sa personnalité et sa grande popularité », ne lui paraissent pas suffisants - en tout cas, n'oublie-t-il pas de dire, ils ne lui ont pas permis d'atteindre ses objectifs « généreux » : « l'ampleur de sa tâche demeure formidable ». A quelques semaines du début des négociations, Francis De Tarr présente plus que jamais la situation comme une confrontation entre un homme menacé et des adversaires particulièrement « récalcitrants », au pouvoir de nuisance effrayant. La suite des événements, pour dramatique qu'elle ait été, a cependant infirmé ces prévisions : les négociateurs parvenaient à un accord un peu plus de deux mois après l'envoi de cette dépêche.

La classe politique française

Membre de la section politique de l'ambassade américaine, Francis De Tarr a tout naturellement consacré une longue analyse à la scène politique française, en prenant pour point de départ le discours du président de la République du 2 octobre 1961, dans lequel ce dernier fustigeait le « tracassin » nuisant à la bonne marche des affaires[328]. Depuis le mois de septembre 1961, la classe politique s'est montrée très critique envers de Gaulle et son usage des institutions. L'opposition parlementaire a multiplié les occasions de se faire entendre. Francis De Tarr passe en revue les différents groupes politiques et se montre dans l'ensemble critique à leur égard. C'est en effet dans cette dépêche que le diplomate laisse le plus aller son penchant pour les bons mots ; son ton se

---

[327] Cf. p. 140.
[328] Cf. p. 92, dépêche du 2 novembre 1961.

fait très souvent railleur, voire quelque peu goguenard, à l'encontre des hommes politiques, qui certes s'opposent, mais qui savent bien, selon lui, que de Gaulle est le seul à pouvoir sortir vainqueur de la situation.

Après avoir tenté de donner une traduction du terme « tracassin » utilisé par de Gaulle et qui ne figure pas dans les dictionnaires, et n'avoir trouvé que le mot « *busybodies* », c'est-à-dire « trublions » ou « fâcheux », Francis De Tarr se penche d'abord sur les socialistes pour lesquels il réserve ses traits les plus durs, en intitulant la partie qui leur est consacrée : « Les socialistes de Guy Mollet : la girouette tourne »[329]. Suit alors plus d'une page retraçant l'évolution des socialistes et de leur chef depuis 1956, lorsque ce dernier était président du Conseil. Le diplomate rappelle que Guy Mollet avait « poursuivi une vigoureuse politique nationaliste » et intensifié la guerre en Algérie, avant de soutenir ardemment le retour au pouvoir du général de Gaulle et participer à son gouvernement, pour finalement rejoindre le camp des opposants en janvier 1959. Francis De Tarr révèle les hypocrisies et précise ainsi, incidemment, que ce n'est que « loin du pouvoir », « alors qu'il se trouvait en sécurité », que Guy Mollet a appelé en 1959 à la mise en œuvre d'une politique libérale en Algérie. Le jugement est classique de la part d'un proche des mendésistes, dont beaucoup sont alors membres du PSU, et tous très hostiles au secrétaire général de la SFIO, honni dans les mémoires pour sa politique algérienne de 1956-1957. Formé à la politique française dans les bureaux d'un parti radical devenu mendésiste pour un temps, au moment des élections de janvier 1956 et de la distance grandissante entre Mollet et Mendès France, Francis De Tarr dresse logiquement un portait guère flatteur des socialistes : leur unité retrouvée n'est que le fruit de l'opposition à de Gaulle et ils sont bien incapables d'élaborer un projet véritable.

Les membres des partis politiques qui participent au gouvernement ne peuvent pour leur part exprimer leur mécontentement de la même façon que leurs « joyeux et débridés collègues socialistes » - dernière pique dirigée contre Guy Mollet et ses amis. Les qualificatifs sarcastiques sont plus discrets lorsque Francis De Tarr traite du MRP et des Indépendants. Il décrit l'embarras du premier qui se montre de plus en plus hostile au président de la République mais compte néanmoins trois ministres au gouvernement ; le diplomate ne peut cependant s'empêcher de sourire en précisant que le parti affirme « noblement » dans une motion récente qu'il « s'abstiendra sur toute décision susceptible, en des heures périlleuses, d'amoindrir (...) "ce qui reste de l'autorité de l'Etat" »[330]. La « noblesse » de la déclaration du MRP révèle surtout son impuissance. Quant aux Indépendants, Francis De Tarr souligne également qu'ils n'ont fait qu'exprimer leur hostilité à la politique du président de la République, et qu'ils « se sont contentés (...) de constater qu'ils étaient convaincus que de Gaulle devait changer de méthode de gouvernement »[331]. L'opposition semble donc, pour la plupart de ses composantes, peu caractérisée par sa force de proposition. Enfin, la doctrine de l'UNR peut se résumer « à proclamer "Vive de Gaulle !" ». Plus encore que leurs collègues, les membres de l'UNR sont obligés de se faire très discrets pour critiquer la politique du gouvernement[332]. Francis De Tarr lance donc ses piques en direction de tous les mécontents de la politique française, dont il juge avec ironie les déclarations qui ne sont que des prises de position vaines.

Après un « rapide regard à l'extérieur de l'enclos »[333], c'est-à-dire hors du gouvernement, sur le parti radical et le PSU, regard qui épargne davantage ces deux partis dont le deuxième peut même s'honorer de « dater [son] anti-gaullisme de la fondation de la Cinquième République », Francis De Tarr analyse d'un ton moqueur les « cogitations » des dirigeants politiques désireux de regrouper leurs forces. Il en vient tout naturellement à parler de Pierre Mendès France et c'est l'occasion pour lui de répéter son scepticisme quant à sa proposition de former un gouvernement de transition : « dans le contexte politique

---

[329] Cf. p. 94.
[330] Cf. p. 97.
[331] Cf. p. 98.
[332] Cf. p. 98.
[333] Cf. p. 99.

français actuel, le plus dynamique des présidents du Conseil de la Quatrième République ne constitue qu'une force isolée, errant dans le désert d'un monde peu amène »[334]. L'image est presque poétique ; elle est surtout fortement teintée de pessimisme. Elle est également très proche de la formule choisie par un autre Américain, Henry Giniger, journaliste au *New York Times*, qui, dans un article du 26 septembre 1961 sur le même sujet, écrivait qu'« une fois de plus », Mendès France ressemblait à « une espèce de loup solitaire ».

Francis De Tarr peut ainsi tirer les conclusions de cette montée du mécontentement dans deux brefs paragraphes intitulés « De Gaulle sera toujours de Gaulle » (« *De Gaulle remains de Gaulle* » ; littéralement : « De Gaulle reste de Gaulle »)[335] : le diplomate rapporte que si le général a effectivement reçu et écouté ses « détracteurs discoureurs, procéduriers et manœuvriers », il n'en a pas pour autant modifié l'opinion qu'il avait d'eux, « politiciens chamailleurs et grognards de Paris ». En qualifiant ainsi les contradicteurs de de Gaulle et en donnant l'impression de partager les idées du président de la République, Francis De Tarr n'illustre que mieux, et avec plus de force, le fossé qui se creuse entre le président et les parlementaires. Toutefois, la situation est préoccupante et le diplomate américain, qui connaît bien le jeu politique français, ne fait pas que railler les occupants du palais Bourbon ; il critique certes le comportement des parlementaires, mais affirme aussi très nettement que « le parlementarisme et les partis politiques, et même les politiciens, sont des éléments vitaux pour la survie de toute forme démocratique de gouvernement »[336] ; déclaration claire et nette.

L'analyse par Francis De Tarr du rôle et de la place des partis politiques depuis le début de la Cinquième République ne manque pas de verve. Le diplomate note que le récent déclin des partis politiques dans le nouveau régime « n'a pas été la cause d'un déchirement général »,

---

[334] Cf. p. 101.
[335] Cf. p. 102.
[336] Cf. p. 106.

d'autant plus - légère contradiction - que « la Cinquième République avait la bénédiction et le soutien de la plupart des occupants des écuries politiques que le nouveau régime devait nettoyer »[337]. Francis De Tarr fait donc du président de la République un Hercule moderne - image puissante, forte des fleuves au cours détourné qu'elle évoque, et qui traduit une vision de la classe politique alors très répandue. Il ajoute : « L'ancien régime était mort ; ses partisans, qui étaient aussi ses exécuteurs, attendaient de renaître avec le nouveau ». Le diplomate accuse ainsi les politiciens d'hypocrisie, ou du moins de double jeu, conscient ou involontaire, qui les rend contradictoires en apparence et machiavéliques en réalité. A moins qu'ils ne soient, plus simplement, de grands naïfs, ingénus, croyant à leur invulnérabilité et leur pérennité. Francis De Tarr s'amuse d'ailleurs à penser que certains aient pu croire que le général de Gaulle changerait : « Il était irréaliste de s'attendre à ce que de Gaulle, dans ses attitudes et ses inclinations fondamentales, ne demeurât pas de Gaulle ». Il ajoute que « les politiciens français, comme on pouvait le prévoir, sont évidemment demeurés des politiciens », pour conclure enfin : « L'Histoire a progressé, mais la majeure partie des acteurs, aux prises avec les mêmes problèmes et préoccupations, est restée la même ». Le spécialiste de la vie politique française, l'historien du parti le plus symbolique des jeux parlementaires, peut bien sourire des travers de la classe politique. Pour que rien ne change, il faut que tout change...

Le discernement du « tracassin » français paraît bien mince : les détracteurs de de Gaulle lui intentent de faux procès, ou du moins des procès qui ne sont pas d'actualité. « Les censeurs de de Gaulle se sont plaints du fait que ce dernier n'était pas délicat dans son application de la Constitution de la Cinquième République. Etant donné les conditions exceptionnelles qui ont prévalu en France depuis (et même, d'ailleurs, avant) la promulgation de la Constitution, le contraire eût été surprenant. » Dans ces lignes, Francis De Tarr semble surtout constater l'aveuglement de beaucoup d'hommes politiques ; il lui faut rappeler des évidences. Ainsi fait-il la leçon : « Les guerres et les menaces de guerre

---

[337] Cf. p. 103.

civile ne conduisent pas à l'application stricte des procédures constitutionnelles »[338]. La Constitution, remarque-t-il, même appliquée convenablement, n'a pas été écrite pour favoriser le rôle des partis ; et d'autre part, le succès du référendum de 1958 a surtout été celui de de Gaulle lui-même. Au bout du compte, les hommes politiques n'ont pas de marge de manœuvre, en raison de la mauvaise image - modernes palefreniers des écuries d'Augias - qui leur est accolée dans une opinion publique à l'antiparlementarisme affirmé. Ils se trouvent dans une impasse et leur opposition - ils le savent bien eux-mêmes - ne peut être traduite en actes, contraints qu'ils sont de tout faire pour ne pas donner l'impression de vouloir un retour en arrière.

L'analyse de Francis De Tarr se fait cependant parfois moins emportée, pour revenir à la gravité qui le caractérise. Le régime est en effet en danger ; et « dans la balance », « l'OAS et le FLN pèsent bien plus, par exemple, que l'UNR et le MRP ». Les états d'âme des opposants à de Gaulle ne sont donc qu'un détail, dit en substance le diplomate. « L'inévitable déballage final, qui décidera du destin immédiat du régime de de Gaulle, n'aura pas lieu au Parlement. »[339] Mais le « tracassin » a tout de même un rôle à jouer : la démocratie réclame que le peuple soit « associé à l'action du gouvernement » et a besoin d'« organisations intermédiaires entre le peuple et le pouvoir exécutif ». Le diplomate, toujours pessimiste, va donc à contre-courant. Si les partis politiques et leurs membres ne s'y prennent pas bien, s'ils sont, au mieux naïfs, au pire hypocrites, ils mettent cependant en évidence des problèmes réels. Le portrait de ces parlementaires qu'il connaît bien et dont il se moque assez gentiment en fin de compte, derrière des dehors plutôt mordants, est en fait l'occasion pour Francis De Tarr d'attirer l'attention sur des questions préoccupantes.

---

[338] Cf. p. 103-104. Le général de Gaulle avait d'ailleurs déclaré le 19 mai 1958 que lorsque « les événements parlent très forts les procédures comportent une flexibilité considérable » (Bernard Droz et Evelyne Lever, *Histoire de la guerre d'Algérie*, p. 176).

[339] Cf. p. 105.

Le procès Salan

La dernière analyse imposante de Francis De Tarr est consacrée au procès Salan et au verdict prononcé le 23 mai 1962 par le haut tribunal militaire à la stupéfaction générale : on s'attendait en effet à la condamnation à mort du chef de l'OAS, organisation terroriste, et non pas, comme ce fut le cas, à la "simple" condamnation à la réclusion à perpétuité en raison de « circonstances atténuantes ». D'un ton toujours assez sec, Francis De Tarr essaie de comprendre ce qui a pu pousser les juges à accorder des « circonstances atténuantes » à l'ex-général Salan, alors même que son second, l'ex-général Jouhaud avait quelques semaines auparavant été condamné à mort. Le diplomate rapporte ainsi les différentes hypothèses avancées pour justifier la sentence et retrace les grandes lignes du procès, qui a vu le régime, et de Gaulle lui-même, accusés autant, sinon plus, que Salan.

La première préoccupation du diplomate américain porte sur la question des « circonstances atténuantes » qui lui paraissent, à lui comme aux autres, fort surprenantes, alors que tout appelait à une condamnation à mort du chef de l'OAS qui revendiquait même sa responsabilité. Francis De Tarr ne peut que demander « Pourquoi ? ». Il ne se prive pas de son ton grinçant pour dire de certaines explications qu'elle sont «"faciles"» et ne se situent qu'«« en marge du sujet »[340]. Les menaces pesant sur les juges les auraient empêchés de condamner Salan à la peine capitale ? « Explication facile et peu flatteuse », répond le diplomate. « Il est pour le moins probable qu'il faille chercher l'explication plus loin. » Liens maçonniques ? « Explication toujours facile », même si elle n'est « pas aussi évidente », et « peu suffisante ». Le juge Louis Pasteur Valléry-Radot est opposé à la peine de mort et a donc « fait pencher la balance du côté de la clémence » ? Mais, répond Francis De Tarr, il n'était de toute façon pas tout seul : « le vote d'un seul des juges peut certes avoir fait, à la fin, toute la différence, mais seulement si on l'ajoute aux votes d'au moins quatre des autres juges ». D'autres explications, plus satisfaisantes, sont cependant avancées sous le titre « L'affaire se corse » : les

« circonstances atténuantes » pourraient être dues à la volonté d'épargner Jouhaud - il fallait donc pour cela que les juges "gracient" le supérieur de Jouhaud, pour que de Gaulle fasse de même avec ce dernier -, à la dégradation de la situation en Algérie depuis le procès du "numéro deux" de l'OAS, au sort douloureux de la population européenne ou enfin à la proposition de loi d'amnistie générale déposée à l'Assemblée nationale.

Mais Francis De Tarr s'attarde davantage sur les thèmes soulevés lors du procès, souvent éloignés de Salan et ses crimes : « des questions plus fondamentales étaient en jeu »[341]. Le diplomate rapporte en effet que l'on s'est longuement attardé sur la personne du général de Gaulle auquel Salan s'est comparé : il aurait agi de la même façon que de Gaulle en 1958. Mais Francis De Tarr réserve ses formules les plus incisives pour démonter l'argument selon lequel Salan serait un « général républicain ». Ce dernier se vante d'avoir été en contact avec les gaullistes en 1958 et considère qu'il leur a apporté son aide. Il était certes en bonne place en mai 1958, au moment de l'insurrection d'Alger qui a donné le coup de grâce à la Quatrième République, même s'il n'était pas à l'origine du complot. Francis De Tarr écrit donc : « Salan était un "général républicain", mais par ailleurs, il a fait s'effondrer une République ». La contradiction n'est pas mince et le diplomate la révèle, non sans ironie, en écrivant : « On aurait pu penser qu'il est pourtant difficile d'avoir le beurre et l'argent du beurre »[342]. En feignant de prendre de grandes précautions oratoires (« On aurait pu penser » ; en anglais, il s'agit d'une incise, placée entre parenthèses : *« Some may have thought »*), le diplomate n'en accentue que plus l'aspect mordant de son commentaire. De même raille-t-il les justifications avancées en faveur de Salan : « c'est mû par de nobles motifs » qu'il a fait s'effondrer une République. « Ses actes (...) ont toujours relevé des plus nobles causes ».

Regrettant que le général de Gaulle et son régime aient davantage été mis en accusation que Salan lui-même, Francis De Tarr remarque également que « plus que les crimes eux-mêmes, ce sont (...) les

---

[340] Cf. pp. 177.
[341] Cf. p. 180.

motivations que l'on a jugées». Le diplomate livre ainsi ses commentaires personnels, non sans virulence : accorder des « circonstances atténuantes » à Salan, c'est aussi les accorder « implicitement aux Européens d'Algérie, dans la mesure où l'OAS les "représente", aussi bien qu'aux "soldats perdus" qui ont rejoint l'OAS par désespoir » ; il en arrive ainsi à la conclusion sévère qu'« en accordant les "circonstances atténuantes" à Salan (...), les juges ne se sont pas simplement abstenus d'ôter la vie de celui qui serait devenu une victime de plus du "drame national" de la France : ils ont également pris part à la responsabilité de ces crimes »[343]. Ainsi, d'après Francis De Tarr, le verdict des juges ne revient pas simplement - ce qui serait déjà contestable - à partager la responsabilité des crimes entre l'OAS et de Gaulle, dont les "promesses" non tenues auraient justifié la révolte des militaires ; il signifie que les juges eux-mêmes sont associés à ces actes criminels, ce qui est une accusation autrement plus grave. L'avocat général André Gavalda, qui s'est dit impressionné par le sort des Européens d'Algérie, n'a-t-il pas « "sous réserve d'une grâce", appelé à une peine "irréversible" pour Salan sans utiliser le mot "mort" »[344], comme s'il voulait laisser la place à la clémence envers le chef de l'OAS ? Le diplomate traduit ici le grand mouvement de surprise des Français et de tous les observateurs, dont nul n'avait pensé que Salan pût avoir la vie sauve. L'incompréhension fait prononcer à Francis De Tarr des mots très durs, dépassant sans doute dans l'indignation nombre d'analyses.

C'est dans la dernière partie, intitulée « Le corps politique français », que Francis De Tarr reprend son ton ironique. Après avoir remarqué que « le procès a[vait] été bien plus politique que judiciaire » et que la nature politique du mobile des crimes de Salan expliquait sans doute les « circonstances atténuantes », il écrit qu'« il est manifestement plus difficile d'exécuter quelqu'un qui est prêt à mourir pour un idéal

---

[342] Cf. p. 183.
[343] Cf. p. 185.
[344] Cf. p. 188.

(quelque perverti qu'il soit) qu'un criminel ordinaire »[345]. En effet, tuer quelqu'un qui veut bien l'être et qui considère que cela s'inscrit logiquement dans sa lutte revient quasiment à lui donner raison et à légitimer son combat. L'un des arguments en faveur de la non condamnation à mort d'un tel criminel pourrait ainsi être la crainte d'"entrer dans son jeu" ; à quoi l'on répondra qu'auquel cas, il gagne toujours. Dans sa surprise au ton faussement naïf et étonné, que l'on remarque aux mots « il est manifestement plus difficile... », le diplomate ajoute qu'« après tout, de nombreux terroristes du FLN condamnés n'ont jamais été exécutés, et sont maintenant sortis de prison » ; cette dernière phrase, qui pourrait de prime abord justifier la décision des juges, semble surtout être une fausse concession faite à l'argumentation du tribunal. Comme souvent dans ses dépêches, Francis De Tarr rapporte sans guillemets et sans les introduire ou les attribuer à quelqu'un des arguments ou des propos qui ne sont, selon toute vraisemblance, pas les siens. L'effet obtenu n'en est que plus fort : ces arguments, subitement isolés, perdent beaucoup de leur poids.

Le diplomate prend donc parti, plus que d'habitude. La dépêche se conclut sur la constatation que « le procès Salan a été avant tout une affaire entre Français » et qu'ils sont nombreux, en fin de compte, à être opposés à la condamnation à mort du chef de l'OAS. Francis De Tarr rapporte en effet les propos ironiques du journaliste Bernard Frank, qui dans *France-Observateur* s'étonnait de voir toute la gauche française, normalement hostile à la peine capitale et partisane des droits de l'homme, réclamer la tête de Salan, pour notamment témoigner de son amitié aux Algériens, et écrivait : « Heureux Algériens, on vous aura gâtés jusqu'à la gauche : les routes, les hôpitaux, les chemins de fer, les écoles et des têtes de généraux français »[346]. Il faut cependant se garder de faire un rapprochement trop rapide entre tous les opposants à la condamnation à mort, entre des hommes de gauche, fondamentalement opposés à Salan et à l'OAS, des partisans de l'Algérie française et des

---

[345] Cf. p. 187-188.
[346] Cf. p. 189.

juges aux motivations mal connues : tous s'y montrent certes hostiles, mais c'est là leur unique point commun. Bernard Frank lui non plus n'y est pas favorable - du moins ne fait-il que railler ceux qui, à gauche, le sont -, mais ses raisons ne sont pas les mêmes que celles des partisans de l'OAS. Les adversaires peuvent aboutir à des conclusions proches, voire semblables ; ils n'en sont pas réconciliés pour autant. Les propos de Francis De Tarr ne sont peut-être pas très clairs sur ce point. Mais il voulait avant tout, semble-t-il, mettre en relief les dissensions qui opposent non seulement les Français, mais également l'intérieur même de certains camps.

La dépêche consacrée au procès Salan est la dernière de ces quelques grandes analyses dans lesquelles Francis De Tarr dresse de vastes tableaux pour illustrer des situations complexes aux acteurs multiples. L'analyse du procès Salan, ainsi que celle qu'il a consacrée à la classe politique française quelques mois plus tôt, ont valu à Francis De Tarr de recevoir deux *commendations*, lettres de félicitation, de la part du Département d'Etat : les collègues (et les supérieurs) de Washington étaient donc très enthousiastes à la lecture de ce plongeon au cœur des problèmes français. Le chef de la section des affaires politiques intérieures françaises a de plus joint à la dépêche de Francis De Tarr du 9 janvier 1962, dressant le bilan de la guerre d'Algérie à l'hiver 1962, un airgramme dans lequel il recommande tout particulièrement la lecture de ce document[347]. Les collègues parisiens de Francis De Tarr se montraient donc tout aussi favorables à son égard que les diplomates de Washington.

---

[347] Cf. p. 142, airgramme du 17 janvier 1962.

Troisième partie

ENTOURAGE ET ENVIRONNEMENT :
LE DIPLOMATE FACE AU MONDE

Le diplomate américain Francis de Tarr rapporte les événements d'une année à Paris. Il est resté plus longtemps en France, fort longtemps même par rapport aux habitudes en vigueur dans la diplomatie, puisqu'il n'a quitté Paris qu'en 1966, pour y être d'ailleurs de retour en 1968, jusqu'en 1970. Et il y reviendra encore plus tard, de 1980 à 1983. Mais sa première année parisienne est plus que majeure puisqu'elle correspond aux derniers mois de la guerre d'Algérie. Sept mois de guerre, suivis encore de plusieurs mois de développements tragiques, essentiellement en Algérie, jusqu'à l'été. Le diplomate, dans ses rapports écrits tout au long de l'année, s'est penché sur des événements précis, a rapporté les propos d'hommes politiques en vue, a brossé le portrait de certains acteurs de ces jours agités ; il a donc fait comprendre à ses collègues quelle était la situation en France et a tenté de leur en expliquer les causes.

Mais la lecture de l'ensemble de ces documents suscite une impression palpable : au fil des dépêches successives, le diplomate dépeint l'atmosphère qui règne alors en France. Il donne à voir une année particulière de la vie du pays à travers des questions qui demeurent essentiellement politiques, mais qui sont liées à la guerre d'Algérie, qui domine largement le cours pas si tranquille des jours de 1961 et de 1962. L'Algérie pèse sur Paris et c'est cette ambiance pesante de la capitale que fait ressentir le diplomate à ses lecteurs, une atmosphère bien réelle, alourdie par la répétition des attentats, les "nuits bleues" successives, les manifestations dramatiques et parfois sanglantes qui se déroulent dans les rues parisiennes. Les déclarations du président de la République et, dans une bien moindre mesure, celles de ses opposants, rythment la vie politique, toute tendue vers les négociations qui ont finalement lieu, en février, puis en mars. C'est la fin d'une période que relate ici Francis De Tarr ; une année commencée par la petite bruine provoquée par le

« tracassin » politique et par le coup de tonnerre beaucoup plus conséquent de la conférence de presse de de Gaulle, prolongée par de violents orages et des tornades effrayantes au moment des grandes manifestations d'octobre 1961 et de février 1962, et terminée sous un soleil retrouvé, certes encore pâle, notamment outre-Méditerranée, mais cependant suffisamment vif pour permettre de dégager l'horizon et se tourner vers de nouvelles préoccupations.

Cette année parisienne, placée sous le signe de la guerre d'Algérie, reste l'année particulière vécue par Francis De Tarr, avec ses choix et ses préférences. Les rapports du diplomate américain mettent en lumière le monde, un certain monde, qu'il côtoie. Francis De Tarr donne à voir les milieux politiques, journalistiques, intellectuels de la gauche parisienne, dans lesquels il est introduit et compte un certain nombre d'amis. Aussi fait-il part d'un grand intérêt pour les activités de la gauche mendésiste, et de façon (un peu) plus large de la gauche non communiste, et particulièrement du PSU. Paris 1961-1962, impressions et atmosphère ; tel est donc l'un des traits non négligeable des rapports rédigés par Francis De Tarr.

ATMOSPHERES

Alger

La dépêche du 16 février 1960 du consulat américain de Florence, où Francis De Tarr était vice-consul, doit être mise à part, puisqu'elle n'a pas été écrite durant la même période que les autres. Parti à Alger "se faire une idée" de la situation en janvier 1960, le jeune diplomate se vit par hasard plongé en pleine Semaine des barricades. De retour en Italie, il se devait de tirer parti du hasard, et plus particulièrement des notes qu'il avait prises au fil des heures et de ses pérégrinations sur le théâtre des opérations.

Les pages rapportant les nombreux comptes rendus du diplomate à ses collègues du consulat général d'Alger couvrent l'ensemble de la "semaine" - il s'agit en fait de neuf jours -, depuis les heures qui ont suivi la fusillade du dimanche 24 janvier jusqu'à la reddition des insurgés, le lundi 1er février. Durant toutes ces journées, Francis De Tarr a passé son temps autour des barricades, a observé et écouté, s'informant au fil des rencontres, discutant avec les divers acteurs de ce spectacle particulier. C'est ainsi que se dessinent le boulevard Laferrière, le Plateau des Glières, la rue Charles Péguy avec la barricade principale, le balcon du « PC Ortiz », ou bien encore la rue d'Isly et les marches de la grande poste. Le diplomate, par ses simples rapports, nets et précis, donne une image plus que vivante de l'activité débordante du centre d'Alger, plongé dans l'insurrection. Il rend compte de l'atmosphère qui régnait là, n'ayant qu'à sortir sur le balcon de sa chambre d'hôtel pour la ressentir.

La Semaine des barricades, comme beaucoup - mais pas tous - des événements ensuite analysés par Francis De Tarr, en 1961 et 1962, est bien connue. Les différentes étapes, de la fusillade sanglante jusqu'au discours de Delouvrier, et celui de de Gaulle, décisif dans l'échec de l'insurrection, sont bien délimitées. Les causes sont expliquées et les conséquences établies. La dépêche n'apporte pas de révélations éclatantes sur cette dernière semaine de janvier 1960 à Alger. Mais elle donne à voir les événements dans leur plus stricte réalité, non pas analysés par la suite, mais décrits au fur et à mesure de leur déroulement. Il s'agit d'un témoignage, celui d'un observateur qui n'était pas partie prenante dans cette action, si ce n'est qu'il côtoyait les acteurs de cette semaine particulière en se rendant sur leur terrain, et qui ne pouvait pas faire mieux que de glaner des informations, assouvissant une curiosité peut-être naturelle, et sans aucun doute professionnelle. Francis De Tarr quitte donc sa chambre de l'hôtel Albert Ier, et surtout son balcon surplombant la scène principale, pour se plonger dans la foule, cette foule d'Algérois mi-manifestants, mi-badauds, qui donnent l'impression, à lire les comptes rendus du diplomate, de ne pas trop savoir quoi faire, ni la raison de leur présence. Francis De Tarr rapporte les propos d'insurgés ou de parachutistes et révèle le sentiment alors dominant : la Semaine des barricades n'a été qu'hésitation et indétermination - une longue semaine d'expectative avant un discours de de Gaulle venu détruire toutes les illusions.

Fait intéressant, l'incertitude règne autour des barricades sur l'identité des soldats qui montent la garde. Les parachutistes encerclent en effet toute la semaine les insurgés. Il apparaît que certains – les hommes du 1er régiment étranger de parachutistes (REP) en général - sont favorables aux insurgés et sont prêts à fraterniser, tandis que d'autres semblent mépriser ces Algérois qui ne connaissent pas, comme eux, les véritables champs de bataille de la « pacification ». Tantôt les premiers sont sur le terrain, autour des barricades, tantôt ce sont les autres. De façon générale, le mouvement est à un remplacement progressif des hommes du 1er REP, arrivés après la fusillade du dimanche 24 janvier sans être intervenus auprès des gendarmes, par d'autres soldats moins liés à la population algérienne. Ainsi, le mardi 26, Francis De Tarr a-t-il rencontré des hommes d'un régiment de chasseurs parachutistes qui tiennent le secteur des barricades ; ceux-là se montrent prêts à intervenir et à tirer sur les insurgés si nécessaire. Ils répondent par un grand scepticisme aux cris de la foule, « les paras avec nous »[348]. Mais deux jours plus tard, il interroge un parachutiste de la Légion proche des hommes des barricades, qui traite de Gaulle de « Charlot »[349]. Cependant, à partir du vendredi 29, la situation semble être entre les mains de parachutistes bien plus fermes et opposés aux insurgés. Pourtant, des officiers de la Légion ont ordonné le samedi 30 de laisser les manifestants se rendre jusqu'aux barricades. La situation n'est donc pas contrôlée et l'armée paraît bien changeante. Peut-être peut-on dater de ce moment l'inquiétude de Francis De Tarr à l'égard du comportement de l'armée française, que l'on voit poindre dans ses dépêches ultérieures, en septembre 1961 et en janvier 1962. Mais il est vrai qu'entre-temps, l'armée a montré, de façon plus radicale encore, que l'on pouvait tout à fait légitimement craindre son action.

Le flottement entre les différentes unités autour des barricades révèle les différences qui séparent la Légion Etrangère (le 1er REP surtout) du reste de l'armée. Francis De Tarr parle à plusieurs reprises des

---

[348] Cf. p. 47.
[349] Cf. p. 50.

parachutistes « français », qu'il oppose aux parachutistes « étrangers » de la Légion. Ce sont les « Français » qui sont le plus hostiles aux insurgés et qui préféreraient les voir se battre à leurs côtés contre les fellaghas, plutôt que de manifester vainement à Alger. Le diplomate ne fait que répéter ce qu'il a entendu et traduire les sentiments de la foule qui s'enthousiasme pour les légionnaires. L'inconnu gagne également les soldats qui, le mardi 26, disent ne pas connaître l'identité de leurs officiers supérieurs. C'est Francis De Tarr qui doit leur apprendre que le général Gracieux, commandant la 10ᵉ division parachutiste, est désormais responsable de l'ordre à Alger.

Cette semaine n'est que la longue attente d'un événement mal défini, alors que les insurgés peuvent constater d'heure en heure que les objectifs s'éloignent un peu plus, chaque jour passé étant lui-même le signe de l'essoufflement et l'annonce de l'échec. Francis De Tarr retransmet cette atmosphère où règne l'absence de véritable information, traduisant par là même une certaine désorganisation. Les rumeurs se succèdent ; ainsi, le lundi 25, le diplomate écrit : « une rumeur : un policier (gendarme mobile) aurait été capturé dimanche et serait retenu prisonnier » ; puis il ajoute : « autre rumeur : Debré arrivera ce soir à Alger » ; puis enfin : « encore une autre rumeur : les barricades seront prises d'assaut ce soir »[350]. Finalement, Debré est bien venu dans la nuit du lundi au mardi, mais les barricades n'ont pas été prises d'assaut. La ville, son centre en tout cas, semble donc arrêtée, ne vivant plus que de bruits divers, parfois contradictoires : samedi 30 en fin d'après-midi, après que la foule eut rompu les barrages que formaient les parachutistes, un homme déclare du haut du balcon du « PC Ortiz » : « c'est l'heure décisive » ; le lendemain, vingt-quatre heures plus tard, le porte-parole des insurgés répète que « la nuit [va] être décisive »[351]. Le dénouement, souvent annoncé mais toujours reporté, se fait donc attendre.

C'est dans cette confusion qu'a lieu le dernier acte, confusion qui ne fait que croître les deux derniers jours, samedi et dimanche : la foule

---

[350] Cf. p. 45.
[351] Cf. p. 54 et p. 57.

« enflammée » s'engouffre sur le boulevard Laferrière pourtant bloqué, les appels au calme succèdent aux appels à la résistance et vice-versa, et personne n'a encore réussi à savoir si l'armée obéissait ou désobéissait aux ordres. Francis De Tarr se fait le témoin de ces impressions divergentes, à la fois légères lorsqu'il raconte comment l'homme au micro transmet des messages personnels depuis le balcon (« Mademoiselle X. ne retrouve pas sa mère. » « Elle est rentrée chez elle. » « Merci. »[352]), et sombres lorsqu'il précise que la pluie « a fait disparaître le sang qui tachait le drapeau de la barricade principale »[353].

Désordre, mélange des sentiments, incertitude, expectative : Francis De Tarr retrace ces instants qui oscillent entre drame et farce, en faisant part des nombreuses discussions qui s'instaurent dans la rue entre les passants, les manifestants et les militaires - et lui-même -, et éclaire d'une façon différente ces jours chaotiques.

Paris

Francis De Tarr arrive à Paris en août 1961, alors que la guerre d'Algérie, dont on sait pourtant désormais qu'elle doit, selon les vœux de de Gaulle, conduire à l'indépendance du pays, ne paraît pas encore terminée. Pire, après l'échec des pourparlers de Lugrin et la nomination du "pro-chinois" Ben Khedda, l'avenir semble même une nouvelle fois compromis. Paris n'est pas Alger, et l'ambiance va y être bien sûr différente pour le diplomate, d'autant plus qu'il s'était trouvé à Alger à un moment bien particulier et menaçant. Mais la France métropolitaine vit elle aussi dans la guerre d'Algérie et Francis De Tarr décrit une capitale saturée de violence et d'actes criminels.

L'atmosphère de cette année 1961-1962, c'est également la politique, l'opposition à de Gaulle, les bruits d'élections et de modification de la Constitution, la préparation d'un après-de Gaulle. Mais

---

[352] Cf. p. 54.
[353] Cf. p. 52.

c'est avant tout la traduction bien réelle de la guerre dans la capitale. L'année, commencée le 5 septembre par un coup d'éclat de de Gaulle, qui cède sur la question du Sahara, se poursuit le 8 septembre par une déflagration, celle de l'attentat perpétré contre le président de la République sur la route de Colombey. Et toute l'année demeure placée sous la menace d'une explosion prochaine.

Gilles Martinet parle des risques que fait peser l'OAS et Guy Mollet, trois mois plus tard, mentionne également, et dans les mêmes termes, l'OAS : les deux hommes font en effet remarquer que l'organisation terroriste pourrait s'emparer d'Oran et d'Alger. Mais ils estiment que la situation n'est pas désespérée : l'OAS ne devrait pas trouver de bases suffisantes pour s'emparer du pouvoir. Martinet fait par ailleurs référence aux « plasticages » commis (par la police, selon l'un de ses amis) contre des « figures de la gauche ». Mais ce sont surtout le télégramme et les deux airgrammes de février et mars 1962 qui plongent le lecteur dans un Paris marqué par la guerre d'Algérie et dépeignent le climat tendu par la violence. La menace est explicite dans le titre de l'airgramme du 3 février 1962 : « les futurs fossoyeurs du régime français préparent prudemment le terrain »[354]. L'OAS, assistée de ses nombreux soutiens qui sont semble-t-il de plus en plus nombreux, a donc réussi à pousser la France jusqu'au bord de la tombe. Les attentats se répètent en effet, et le diplomate américain en cite deux, particulièrement marquants : le 7 février 1962, une bombe qui visait le domicile d'André Malraux a atteint et défiguré une petite fille, Delphine Renard, et le 18 février, l'OAS a tenté d'achever à l'hôpital du Val-de-Grâce Yves Le Tac, un dirigeant gaulliste, déjà blessé, causant ainsi la mort d'un policier. Guy Mollet mentionne également ces attentats. Si pour le dirigeant socialiste, ils marquent l'action "de trop" de l'OAS qui va dresser contre elle la grande majorité des Français, « peuple sentimental »[355], ces attentats, vus par Francis De Tarr, témoignent surtout de l'un des aspects les plus sombres des premiers mois de la vie parisienne du diplomate. Dans la

---

[354] Cf. p. 143.
[355] Cf. p. 154.

conférence qu'il a tenue à l'Institut d'histoire du temps présent en 1996, Francis De Tarr a rappelé que la période qui va de septembre 1961 à février 1962 a correspondu à l'« offensive principale de l'OAS en France » : « Nous habitions à Montparnasse, en face de la Coupole. Beuve-Méry n'habitait pas loin... Il y avait aussi les "nuits bleues". Par exemple, la nuit du 24 janvier, l'anniversaire des "barricades", 18 explosions. Le 22, à notre ambassade, avenue Gabriel, j'ai noté dans mon agenda : "16h30. Entendu explosion Quai d'Orsay (un tué)" ». La violence de l'OAS semble avoir particulièrement marqué Francis De Tarr, expliquant peut-être sa grande indignation, sensible dans la dépêche consacrée au verdict du procès Salan. Il y rapporte la surprise et la déception générales face à la décision du tribunal, mais son propre étonnement et son incompréhension sont également visibles ; sans doute sont-ils ceux de quelqu'un qui a vécu, parmi beaucoup d'autres, la situation dramatique de cette fin de guerre.

L'obscurité s'épaissit encore à la lecture du télégramme du 17 février 1962. Il est certes en partie consacré à la très grande démonstration de force des opposants à de Gaulle et à l'OAS (qui en dénonçant l'OAS, se rallient d'une certaine façon à de Gaulle) du 13 février 1962. Mais ce sont aussi et avant tout les funérailles des victimes de la manifestation du 8 février, les morts du métro Charonne. « Durant la première moitié du mois de février 1962, Paris a vécu sous le signe des violences de rue, qui rappellent février 1934 »[356], écrit le diplomate américain. Les manifestations de 1934 et 1962 n'ont de comparable que la violence dans laquelle elles ont baigné : des morts dans les deux cas, mais des manifestants aux idées très opposées. Evoquant un régime menacé et des forces de l'ordre qui répriment sévèrement ses adversaires, la comparaison est cependant lourde de sous-entendus ; elle est surtout frappante par les références qu'elle appelle et les images qu'elle soulève. C'est un Paris plongé dans les ténèbres qui apparaît là, triste et noir, pris en tenailles entre les attentats de l'OAS et la brutalité policière.

Ce sont encore des images caractéristiques de la menace ambiante que soulève le compte rendu de la lutte menée contre l'OAS par les forces de l'ordre. Les réseaux terroristes métropolitains sont nombreux, et la police s'attache à les démanteler : elle connaît même quelques succès. Mais, alors que par ailleurs les pourparlers des Rousses ont été fructueux et ont fixé la date de nouvelles négociations, ces victoires remportées contre l'OAS ne suffisent pas à rassurer Francis De Tarr. Il rappelle avant tout que les personnes arrêtées ne sont pas de grands responsables de l'organisation, et les succès ne font que révéler l'ampleur des réseaux terroristes. Le diplomate fait part des bruits annonçant un cessez-le-feu imminent, mais continue de développer le thème du danger. Quelle aurait donc été l'attitude du diplomate, si la police n'avait rencontré que des échecs dans sa lutte contre l'OAS, car il écrit : « la plupart des enquêtes anti-OAS, bien qu'elles portent leurs fruits, servent aussi à illustrer l'étendue des ramifications des activités subversives de l'OAS »[357] ? Cette première année du séjour parisien de Francis De Tarr le plonge donc dans une France dévorée par l'incertitude et les attentats, quasi rongée de l'intérieur par ces « ramifications » aux connotations effrayantes.

D'Alger à Paris, Francis De Tarr continue ainsi d'envoyer au Département d'Etat, outre ses informations, ses analyses et ses commentaires, des impressions relevées au fil des jours, témoignage sombre d'un observateur des heures pénibles d'alors. Des deux côtés de la Méditerranée, la situation n'est pas comparable ; dans les deux cas cependant, l'attente prédomine. Attente d'une possible victoire, et surtout d'un dénouement incertain, à Alger ; attente de l'annonce de la conclusion des accords à Paris. Mais l'on avance dans deux directions opposées : à Alger, les jours qui passent promettent chaque fois un échec plus certain, tandis qu'à Paris, l'avenir ne peut être qu'à la réussite des négociations. Chacun le sait, mais la lenteur de la marche vers la paix, pourtant assurée par les déclarations du président de la République, inquiète. Et Francis De Tarr, traduisant l'atmosphère pesante de la guerre

356 Cf. p. 145.
357 Cf. p. 163, airgramme du 7 mars 1962.

d'Algérie, paraît plus inquiet que beaucoup d'autres comme si le poids lui était plus lourd à supporter.

UN CERTAIN MONDE

Malgré la violence et la menace d'un avenir dangereux et incertain, cette année n'est pas faite que de crimes et d'explosions. Elle est essentiellement politique, puisque telle est la préoccupation première du diplomate, et c'est donc l'atmosphère qui règne dans le milieu politique que Francis De Tarr fréquente qui transparaît également à la lecture des dépêches. Si celui-ci consacre une longue dépêche à la scène politique française dans son ensemble en novembre 1961, la plupart de ses analyses politiques portent cependant sur la gauche, la gauche non communiste principalement, alors que ni Mendès France ni le PSU ne sont présents au Parlement. La vie, les débats et les remous de ce petit monde retiennent tout particulièrement l'attention de Francis De Tarr, un monde politique élargi à la gauche journalistique et intellectuelle. Tous ces groupes sont en effet mêlés, comme le montrent Gilles Martinet, membre important du PSU et co-directeur de *France-Observateur*, ou Claude Nicolet, proche de Mendès France et historien renommé - et « ministre des Beaux-Arts » dans le gouvernement rêvé de Charles Hernu.

La "gauche non communiste" : les socialistes unifiés et les autres

Les esprits semblent souvent bien éloignés des événements menaçants et tragiques liés à la guerre d'Algérie. Venant d'arriver à Paris, le diplomate se tourne naturellement vers ses connaissances et ses amis rencontrés place de Valois lors de son séjour de 1955-1956, lorsque l'historien n'était pas encore diplomate mais travaillait à sa thèse sur le parti radical. Amitiés décisives, donc. Claude Nicolet, Pierre Avril, Charles Hernu, Paul Martinet, tous deviennent des proches du futur diplomate. Et en attendant, Pierre Mendès France signe la préface de cette thèse consacrée au parti radical depuis la Libération, dont il est l'une des figures majeures ; du parti et de la thèse. Plus tard, en 1960, de passage à Tunis pour obtenir un visa pour l'Algérie, Francis De Tarr, vice-consul à Florence, retrouve Claude Nicolet, alors enseignant en Tunisie. C'est ce dernier qui lui donne quelques adresses à Alger et lui permet de rencontrer de jeunes hauts fonctionnaires de la délégation générale. Mais en 1961, la situation a changé. Les mendésistes, qui n'avaient en 1955 qu'un pouvoir relatif, cantonné à leur parti, n'en ont plus guère. Ayant quitté le parti radical, ils sont pour la plupart, comme le « président » lui-même, membres du PSU. On les appelle toujours « mendésistes », mais ils sont en minorité au sein de ce parti, et leurs relations avec sa direction vont en se détériorant. Pierre Mendès France est certes l'un des principaux opposants à de Gaulle, son seul véritable rival même, mais les perspectives ne sont pas encourageantes, et les amis de Francis De Tarr semblent essentiellement habités par le doute et le pessimisme.

Plongé dans ce monde, le diplomate va principalement rendre compte des activités de cette gauche, qui tournent beaucoup autour du PSU, tirant parfois vers le parti radical ou le parti socialiste. Il est à noter qu'il est fait très peu mention du parti communiste, que ce soit par Francis De Tarr ou par ses interlocuteurs. Le diplomate souligne que la question de la collaboration du PSU avec le parti communiste est un « sujet brûlant »[358], qui indispose et divise les deux formations. Les communistes apparaissent surtout dans la dépêche consacrée aux manifestations de février 1962, puisque ce sont eux qui avaient appelé à la manifestations du 8 février et aux funérailles du 13. Mis à part ces deux mentions principales, ils sont quasiment absents, si ce n'est dans les propos des partisans de l'Algérie française qui craignent de les voir arriver en Algérie et menacer le "monde libre". L'absence de cette force importante de la vie politique française s'explique par le fait qu'un diplomate de l'ambassade américaine était plus particulièrement chargé de suivre les questions relatives au parti communiste.

Dans le petit monde qui mêle hommes politiques et journalistes, les discussions tournent autour du PSU, de *France-Observateur* et de ses directeurs Gilles Martinet et Claude Bourdet, de *L'Express*, de son directeur Jean-Jacques Servan-Schreiber et d'un de ses journalistes Jean Daniel, des socialistes Guy Mollet et Vincent Auriol - ce dernier n'étant plus membre de la SFIO - et bien sûr des mendésistes, dont le plus bruyant est Charles Hernu. Ainsi, les dépêches se répondent les unes aux autres, reprenant les mêmes sujets, poursuivant les réflexions déjà engagées, chaque interlocuteur de Francis De Tarr prolongeant les propos du précédent. Les relations des mendésistes et du PSU sont empreintes de déception et d'aigreur croissantes. Le succès de la minorité mendésiste au Conseil national du PSU en novembre 1961, qui approuve l'action de Mendès France, ne tient qu'au prestige que ce dernier apporte au PSU et dont le parti ne veut pas se défaire. Lorsque Francis De Tarr rencontre Gilles Martinet, de quoi parle ce dernier ? Du président de la République et de l'Algérie bien sûr, mais également, et assez longuement, de Mendès France, du PSU, de Jean-Jacques Servan-Schreiber et de *France-Observateur*. Suite et prolongements : comme Martinet, qui avait mentionné les discussions entre le PSU et les socialistes, Guy Mollet, quelques mois plus tard, parle bien sûr du regroupement de la gauche, qui doit se faire selon lui derrière le parti socialiste, dont l'avenir lui semble radieux.

De même, le FLN est au cœur du débat : Gilles Martinet raconte que le directeur de *L'Express* ne veut absolument pas que l'on émette une critique quelconque à l'égard du FLN, car ce serait l'affaiblir et lui ôter de sa légitimité, au profit de son ennemi, le général de Gaulle, à qui Servan-Schreiber voue une véritable détestation. Jean Daniel, journaliste de renom à *L'Express* et spécialiste des questions touchant à l'Afrique du Nord, n'a pu même faire paraître un article dans lequel il écrivait que les divergences internes au FLN étaient inévitables. Ce n'était pas là critiquer le FLN, au contraire. Mais Jean-Jacques Servan-Schreiber trouvait que c'était déjà en dire trop. Aussi Martinet le traite-t-il de « fou »[359]. Celui-ci évoque également la polémique de l'insoumission qu'il qualifie de « truc » sans beaucoup de sens. Il semble donc, d'après ses propos, se

---

[358] Cf. p. 108, télégramme du 15 novembre 1961.

ranger parmi les "modérés" de son camp, mais il ne l'est pas assez pour Hernu. Ce dernier rapporte que « certains éléments pro-FLN » du PSU avaient voulu publier un communiqué commun avec le FLN, initiative beaucoup trop radicale à son goût. Il "doubla" alors Martinet, parti en Tunisie rencontrer les dirigeants algériens, en demandant au président Bourguiba, auprès de qui il fit jouer son amitié avec Mendès France, de « faire capoter l'affaire ». Quand il eut appris que l'ancien président du Conseil « n'approuvait pas l'initiative du PSU », Bourguiba accepta d'aider Hernu à « saboter » Martinet[360]. Telles sont les relations de Martinet et Hernu. Et lorsque le second rencontre le premier dans une manifestation, il se moque de lui et de son chapeau « de gangster ».

Ainsi apparaît donc ce milieu : rivalités (*France-Observateur* et *L'Express*), légères marques d'insolence (Jean-Jacques Servan-Schreiber, « vraiment fou » selon Gilles Martinet), concurrence discrète (« sabotage » de Gilles Martinet par Charles Hernu), déception mutuelle (les mendésistes et le PSU), bons mots (Charles Hernu toujours) ; un certain monde politique, occupé à des activités parfois un peu vaines, mais sans doute caractéristiques des batailles politiques. Et le véritable adversaire n'est pas toujours le plus éloigné politiquement. Ces personnalités semblent parfois tourner en rond : Pierre Brousse, du parti radical, parle du PSU, en soulignant son absence de racines dans le pays ; Gilles Martinet, du PSU, défend son parti et n'est pas d'accord avec les mendésistes ; Charles Hernu, mendésiste, déplore sa « malheureuse expérience » au PSU et regarde du côté du parti socialiste ; Guy Mollet, du parti socialiste, estime que le PSU ne peut compter sur personne en dehors de Paris et que le parti radical devient un « parti régional ». *Et cætera*. De plus, chacun a sa "cible" préférée : Jean-Jacques Servan-Schreiber pour Martinet, Martinet pour Hernu, Mollet pour les mendésistes en général, Auriol pour Mollet...

---

[359] Cf. p. 117, dépêche du 27 novembre 1961.
[360] Cf. p. 172, mémorandum de conversation du 4 avril 1962.

« Une soirée mendésiste »

Par la suite, Francis De Tarr élargira le champ de ses fréquentations ; c'est déjà le cas dans une certaine mesure : il rencontre Jacques Chaban-Delmas, en privé, dans le bureau de ce dernier, puisqu'ils se connaissent depuis que le diplomate a guidé le président de l'Assemblée nationale lors d'un voyage aux Etats-Unis. Mais pour le moment, ses amis se situent avant tout dans les rangs mendésistes. Aussi faut-il évoquer un peu plus longuement le dîner relaté dans la dépêche intitulée « Une soirée mendésiste », qui met en scène le monde familier de Francis De Tarr, en bonne place dans la hiérarchie de ses préoccupations.

Ainsi la soirée du 13 février voit-elle se réunir quelques-uns des plus fidèles mendésistes au domicile de l'un d'entre eux, Paul Martinet. L'atmosphère est légère et enjouée, et Francis De Tarr fait de cette dépêche un moment de détente parmi le flot de nouvelles dramatiques. Cet agréable dîner vient d'ailleurs clore une journée autrement plus sombre, marquée par la grande manifestation de funérailles des victimes du métro Charonne. Deux jours plus tôt, le diplomate rendait compte dans un télégramme des manifestations et des affrontements avec la police. L'impression qui s'en dégageait était bien différente de la gaieté de la soirée du 13 février.

Chez Paul Martinet, on « évoque » certes la manifestation et l'on se montre notamment « très satisfait de l'ampleur de la participation »[361] ; on se félicite surtout du succès remporté par l'apparition de Pierre Mendès France dans le cortège. Les proches du « président » se préoccupent d'abord de tactique et de stratégie : à leur grand contentement, ils ont pu éviter que Mendès France et le communiste Jacques Duclos se rencontrent pendant la manifestation ; ils n'ont donc pas eu à se serrer la main, ce qui aurait provoqué une « publicité regrettable ». Cependant, les convives écartent vite ce triste sujet, du moins à ce qu'en dit Francis De Tarr. Les questions politiques douloureuses sont elles aussi mises de côté, et la soirée apparaît avant tout comme une réunion entre amis des plus plaisantes. Le diplomate rapporte ainsi les différentes plaisanteries des uns et des autres : Vincent Auriol ne renouvelle pas son abonnement aux *Cahiers de la République* car il fait des économies ; Charles Hernu a fait Nicolet « ministre des Beaux-Arts » ; Charles Hernu est protégé par un garde du corps qui lui sert également de chauffeur ; Charles Hernu a acheté des chaussures « claires » (« *light tan shoes* ») pour marcher *incognito* dans Alger, car c'est sans doute à ses souliers jaunes ou crèmes que l'on reconnaît le vrai pied-noir ; et le clou de la soirée, sur le coup d'une heure et demie du matin, le canular téléphonique de Charles Hernu et de sa femme à l'un de leurs amis. Quant à Guy Mollet, il a trop servi de cible pour que tous les bons mots puissent être cités. Entre deux astuces, on parle tout de même du PSU, sujet inévitable, mais surtout pour permettre à Charles Hernu, retrouvant son sérieux, de s'en plaindre. La mésentente entre le parti et les mendésistes est visible, et Francis De Tarr, qui n'est pas lui non plus avare de jeux de mots, peut écrire que « le parti socialiste unifié manque singulièrement d'unité »[362].

On pourrait s'étonner de trouver parmi les dépêches envoyées au Département d'Etat par l'ambassade des Etats-Unis à Paris le compte rendu d'un moment certes agréable et plaisant, mais peu capital pour les relations internationales, ni même pour la connaissance de la vie politique française. Mais c'est là, avec la description d'une soirée caractéristique du milieu qu'il fréquente, l'occasion pour le diplomate de donner à voir de l'intérieur la France, et plus particulièrement un certain aspect de la vie parisienne. Le Département d'Etat partage-t-il pour autant l'intérêt de Francis De Tarr pour ces personnalités ? Pierre Mendès France est certes bien connu et fort respecté aux Etats-Unis, où l'on se souvient des quelques mois qu'il a passés à la présidence du Conseil en 1954-1955, pendant lesquels il a mis fin à la guerre d'Indochine. Mais cela justifie-t-il que l'on suive de si près les faits et gestes de ses partisans, à un moment où l'on peut peut-être estimer qu'ils arriveront un jour au pouvoir, notamment si de Gaulle venait à disparaître, mais où les événements

---

[361] Cf. p. 148.

semblent bien ne pas dépendre d'eux et ne pas attendre leurs déclarations et leurs propositions pour se produire ? Les mendésistes ne paraissent d'ailleurs pas avoir grande confiance en eux-mêmes ; et le plus flamboyant d'entre eux, Charles Hernu, recherche déjà une nouvelle formation politique susceptible de l'accueillir. Le régime est menacé, le président de la République est la cible des attentats de l'OAS, l'armée française peut se révolter et renverser le régime, l'incertitude règne sur le fait de savoir comment les Européens d'Algérie vont accueillir les accords qui ne vont pas manquer d'être conclus... Les prises de position de Mendès France, et dans une moindre mesure celles du PSU, peuvent susciter la curiosité des Américains. Il est plus douteux qu'il en soit de même des états d'âme des fidèles de Mendès France.

Il semble donc qu'il faille simplement y voir la marque personnelle de Francis De Tarr, libre de raconter les dîners auxquels il participe. Petite touche amusante à destination des collègues de Washington, clin d'œil de Francis De Tarr pour ses amis du Département d'Etat. Et même s'ils ne constituent pas des informations capitales, de tels moments appartiennent eux aussi à la vie politique que le diplomate est chargé d'observer. Il s'agissait après tout d'« une conversation assez typique d'un dîner chez un intellectuel et leader politique français de gauche », comme le diplomate l'avait dit de la soirée passée quelques temps plus tôt chez Gilles Martinet[363]. La définition vaut aussi pour ce dîner organisé par l'homonyme du secrétaire adjoint du PSU. Compagnie bien joyeuse en comparaison de l'actualité du jour, intermède insouciant au milieu du flot de nouvelles inquiétantes et d'analyses fort sombres auxquels Francis De Tarr est plus habitué.

Charles Hernu

L'acteur le plus visible et le plus bruyant de la scène politique française vue par Francis De Tarr est incontestablement Charles Hernu.

---

[362] Cf. p. 149.

Celui-ci ne fait l'objet que d'une dépêche accompagnée d'un mémorandum de conversation et constitue l'une des figures majeures de la « soirée mendésiste ». Son nom n'est cité nulle part ailleurs. Mais il représente parfaitement l'environnement choisi de Francis De Tarr.

Le diplomate le présente comme « l'ancien député Charles Hernu, qui est président du Club des Jacobins et qui est depuis longtemps l'un des partisans les plus enthousiastes et les plus fidèles de Mendès France »[364]. Hernu est le plus politique des mendésistes cités par Francis De Tarr ; c'est lui qui exprime leur opinion sur le PSU, en s'opposant à plusieurs reprises à Gilles Martinet. Il est ainsi l'homme politique que Francis De Tarr approche le plus près, comme un ami et non comme un diplomate. Alors qu'il n'apparaît que dans des dépêches de février et avril 1962, Charles Hernu révèle l'un des traits caractéristiques des documents rédigés par Francis De Tarr : la proximité entre l'observateur et la scène observée. En participant au dîner organisé chez Paul Martinet, le diplomate se fait acteur ; avec les mendésistes, et plus particulièrement avec Charles Hernu, il n'est plus seulement un diplomate chargé d'observer et d'analyser ; il participe à ce dont il rend compte. Lors des rencontres avec Gilles Martinet ou Guy Mollet, Francis De Tarr est un diplomate parmi d'autres, qui écoute et pose des questions. Avec ses amis mendésistes, il devient l'un des leurs.

Charles Hernu est le personnage le plus exubérant du petit monde que dépeint Francis De Tarr. Il est l'auteur ou l'objet de la plupart des plaisanteries et bons mots de la soirée mendésiste, paraissant ainsi mener à lui seul le cours du dîner, d'après ce qu'en rapporte le diplomate. Hernu "se déguise" en pied-noir en portant des « chaussures claires », téléphone en pleine nuit à l'un de ses amis en lui faisant croire qu'un nouveau putsch a éclaté, et semble être un grand amateur des « jeu[x] de salon très prisé[s] des hommes politiques français »[365]. Francis De Tarr renvoie une image du Jacobin fidèle à ce que l'on imagine traditionnellement de lui : personnage plein d'esprit, emporté et plaisant.

---

[363] Cf. p. 112, dépêche du 27 novembre 1961.

[364] Cf. p. 147, dépêche du 19 février 1962, « une soirée mendésiste ».

Mais c'est un homme assez différent qui apparaît au travers du mémorandum de conversation du 4 avril 1962. Après avoir parlé du succès du cinquième Colloque juridique dont il est l'organisateur, rassemblement de personnalités politiques, syndicales et intellectuelles de toutes tendances, qui s'est traduit par le vote d'une motion au ton très mendésiste, prônant un rapprochement avec les socialistes et les communistes derrière Mendès France, il s'étend longuement sur sa position au sein du PSU, qualifiant son adhésion d'« expérience malheureuse »[366]. Hernu n'est pas à l'aise avec le parti qui est encore le sien ; il ne partage pas certaines opinions de la direction du parti, trop à "gauche" - relativement - pour lui, et ne fait pas de la politique de la même manière que beaucoup de membres du PSU. « L'humour n'a jamais été le fort » du parti des socialistes unifiés[367] qui paraît par là même bien éloigné du Jacobin, de ses méthodes parfois brusques et de ses propos souvent enlevés. Mais même ses liens avec les mendésistes, ou du moins avec Mendès France et ses prises de position, ne sont peut-être plus aussi solides qu'auparavant : Hernu est en désaccord avec la consigne de vote donnée par Mendès France et le PSU, réunis sur ce sujet, pour le référendum du 8 avril 1962 portant sur les accords d'Evian. Pour lui, comme pour Gilles Martinet d'ailleurs qu'il retrouve sur ce point alors qu'il semble en général tenir à le critiquer, il faut voter « oui » à la paix, sans autres considérations. Et il déclare qu'au sortir du PSU, « le parti socialiste serait la meilleure destination »[368], amorçant un virage important par rapport à sa position d'alors.

Charles Hernu demeure néanmoins un homme politique actif et plein d'entrain, tel qu'il est connu. Il raconte ainsi à Francis De Tarr son « escapade hongroise » de 1957, voyage clandestin assez extravagant, typique du personnage. Grand organisateur de manière générale, il est à l'origine des Colloques juridiques. Ainsi que le rapporte Francis De Tarr,

---

[365] Cf. p. 149.
[366] Cf. p. 171.
[367] Cf. Marc Heurgon, *op. cit.*, p. 229.
[368] Cf. p. 173.

il a précisé à ce sujet qu'il lui manquait 100 000 francs sur les 500 000 qu'avait coûtés l'organisation du colloque. Un article du *Nouvel-Observateur*, daté du 3-9 avril 1997, était précisément consacré à Charles Hernu vu par les diplomates américains des années 1950 et 1960. Le journaliste Vincent Jauvert a pu voir, aux Etats-Unis, certains des documents ici présentés, dont le mémorandum de conversation du 4 avril 1962 ; il suggérait que Hernu, en mentionnant cette somme de 100 000 francs, avait en fait demandé de l'argent à Francis De Tarr. La déduction est hâtive. Francis De Tarr a déclaré qu'il n'avait pas compris cela : l'idée ne lui était même pas venue. Il faut d'ailleurs ajouter que les 500 000 francs ne pouvaient qu'être des anciens francs. Une pareille somme en nouveaux francs aurait été énorme pour la simple mise en place du colloque. Converti en nouveaux francs, le prix devient beaucoup plus raisonnable, même pour l'époque. Quoi qu'il en soit, quoi qu'ait compris Francis De Tarr, son texte ne permet en rien de penser que Hernu demandait cette somme.

Charles Hernu apparaît donc comme un acteur caractéristique de l'année politique que suit Francis De Tarr. L'atmosphère est dominée par la guerre d'Algérie, mais les questions plus purement politiques ont toujours cours, d'autant plus que l'on travaille déjà à "l'après-guerre" et à l'après-de Gaulle. Charles Hernu est de ceux-là, et c'est sans doute lui que le diplomate connaît le mieux. De son environnement choisi, Francis De Tarr tire un tableau révélateur des événements ; l'explication et l'analyse ne doivent pas conduire à négliger le contexte ni la personnalité des acteurs.

Francis De Tarr circule ainsi dans un monde politique élargi à ses franges intellectuelles, littéraires et journalistiques, qui appellerait facilement le qualificatif de « typique ». La peinture est souvent enlevée, sûrement plaisante, mais peut-être aussi parfois peu flatteuse. Alors que les explosions se succèdent dans un Paris en proie aux débordements métropolitains de la guerre d'Algérie, la gauche non communiste, socialistes dits unifiés en tête, semble se soucier avant tout d'elle-même et de ses luttes internes. Cette forme de nombrilisme ne lui est sans doute pas propre, mais le PSU et sa mouvance, à ce qu'en montre Francis De Tarr, donnent parfois l'impression d'évoluer hors du monde d'alors. C'est dire.

A une époque où cette gauche s'enfonçait dans l'opposition radicale à de Gaulle, ses leaders ne paraissent pas avoir fait preuve de beaucoup de discernement. Guy Mollet estime que la France ne pourra plus être de nouveau dirigée par un président socialiste, et Pierre Mendès France dira à Francis De Tarr en 1966 que la gauche devra se débarrasser de la génération des Mollet et des Mitterrand avant de revenir au pouvoir[369]. Le discernement était sans doute difficile à trouver, et il est vain de vouloir évaluer les capacités de chacun à prévoir l'avenir. Mais il est intéressant de remarquer que seul celui qui se montrait le moins hostile à de Gaulle, du moins dans sa conduite de la politique algérienne, celui qui s'éloignait progressivement des mendésistes et de Mendès France lui-même, seul celui-là donc est revenu sur le devant de la scène quelques années plus tard, comme ministre de la Défense de François Mitterrand. Fut-il le plus sage ? Ou seulement le plus habile ?

Quoi qu'il en soit, la vision de Francis De Tarr, en 1962, reste surtout empreinte d'un fort pessimisme. Lui qui a fréquenté le parti radical de Mendès France en 1955 et 1956 a-t-il poussé le mimétisme jusqu'à adopter le ton de Cassandre du président, comme l'avait alors qualifié Claude Nicolet ? Le diplomate américain est bien négatif. Mais lui aussi, tel son ami Charles Hernu, approuvait *in petto* les choix gaulliens. Comme les Etats-Unis d'ailleurs qui, dans l'ensemble, se fiaient à de Gaulle pour mettre un terme à la guerre d'Algérie. Ce qu'il fit. Francis De Tarr était-il vraiment pessimiste, ou faut-il simplement toujours envisager le pire, au cas où ?

---

[369] Cf. Francis De Tarr, *Pierre Mendès France. Un témoignage*, p.40.

CONCLUSION

Tel David Mountolive, membre du *Foreign Office* et spécialiste des questions égyptiennes, qui dans le *Quatuor d'Alexandrie* de Lawrence Durrell revient en Egypte, sur cette terre qu'il connaît si bien, quelques années après y avoir fait son apprentissage, Francis De Tarr est revenu à Paris quelques années après y avoir une première fois travaillé. Certes n'était-il pas encore diplomate lors de son premier séjour. Mais son étude du parti radical lui aura été fort utile pour être par la suite le plus à même de comprendre les subtilités du système politique français. Ainsi, en quatre ans, Francis De Tarr passe de la place de Valois à l'avenue Gabriel, du siège du parti radical à l'ambassade des Etats-Unis. Mais il s'occupe toujours de politique française, le monde politique étant plongé dans les difficultés dues à la guerre d'Algérie.

La vision du diplomate a avant tout été une vision personnelle. Il ne s'agissait pas de celle des Etats-Unis ni de son jugement officiel sur la France. De même, il n'était que rarement question de la position de l'ambassade des Etats-Unis elle-même. Il semble bien que ce soit Francis De Tarr et lui seul qui apparaisse dans ses dépêches. Lui seul et ceux qu'il connaît, ses camarades et ses amis, avec lesquels il passe d'agréables soirées dont il ne manque pas de rendre compte au Département d'Etat. Il s'exprime tel qu'il le souhaite, et en bon « *young boy diplomat* » qu'il est, plein d'ardeur et d'emportement, il juge, sévèrement parfois, avec ironie souvent, le comportement des hommes politiques français et des acteurs du conflit algérien, et n'hésite pas à raconter ses soirées, lorsqu'elles l'ont plongé dans la vie politique française, ou lorsqu'elles illustrent la vie parisienne.

Francis De Tarr, diplomate atypique ? Certainement, si l'on en juge par l'originalité de son parcours antérieur, ainsi que par sa connaissance du milieu qu'il étudie. Il n'est pas partie prenante dans la vie politique dont il rapporte les événements majeurs, mais il y prend part d'une certaine manière, en fréquentant de près certains de ses acteurs. Il n'est pas très banal qu'un membre de l'ambassade des Etats-Unis se voit remettre la carte du Club des Jacobins, en tant que membre d'honneur, par son président en personne. Les diplomates étrangers, s'ils suivent les réunions des mouvements politiques et les congrès des partis, ne sont cependant pas habitués à en être adhérents. Cette inscription dans les registres du club comme membre d'honneur était bien sûr et avant tout un geste amical de la part de Charles Hernu envers Francis De Tarr. Cela ne prêtait guère à conséquence ; mais le diplomate demeure ainsi tout de même lié à ses amis rencontrés au temps de ses recherches dans les bureaux de la place de Valois.

Ces dépêches et télégrammes diplomatiques laissent apparaître une personnalité. En janvier 1960, à Alger, le jeune vice-consul qu'était encore Francis De Tarr s'était déjà retrouvé dans la position de l'observateur attentif, situé aux avants postes de l'événement, sur son balcon dominant les barricades. Plus tard, à Paris, Francis De Tarr poursuit l'étude de ses contemporains, une étude rendue possible par ses nombreuses connaissances et son environnement choisi. Il est certes alors un diplomate, mais il est également et avant tout un homme plongé dans un pays en guerre, même si ce dernier ne le dit pas, pays dont il observe d'un œil juste, rigoureux et parfois sévère, la scène politique et la destinée de ses acteurs.

Enfin, le diplomate américain est un observateur élégant, qui cite dans ses dépêches Lewis Caroll et T. S. Eliot sur un ton détaché. Ces allusions vont de soi semble-t-il, puisqu'il n'en précise pas les références ; les amateurs auront reconnu Eliot, tant pis pour les autres. Francis De Tarr a esquissé à plusieurs reprises des comparaisons entre sa position à Alger et celle de Fabrice à Waterloo, ou de Candide jeté dans le monde. La diplomatie semble se marier harmonieusement avec la littérature. La littérature est riche de personnages de diplomates, figures souvent utiles à l'introduction d'un jugement original sous couvert d'extériorité. Les écrivains usent de l'artifice du regard étranger pour ne pas compromettre le leur ; ici, l'œil est véritablement celui d'un étranger, mais cependant familier du monde qu'il étudie. La guerre d'Algérie en métropole vue par un Américain à Paris : un diplomate regarde la France et la juge - et il n'est pas resté longtemps dans le rôle de Candide.

SOURCES

Documents du Département d'Etat des Etats-Unis d'Amérique

Les copies des documents ont été fournies par Francis De Tarr, qui possède depuis 1988 des copies des documents qu'il a rédigés. Vingt-cinq de ces documents, rédigés en janvier et février 1960 pour l'un, et entre août 1961 et juillet 1962 pour les autres, ont été traduits :
. Trois télégrammes,
. Six airgrammes,
. Quatorze dépêches,
. Deux mémorandums de conversations.

Entretiens

La plupart des informations autres que celles contenues dans les documents eux-mêmes, proviennent de rencontres et d'entretiens avec Francis De Tarr, qui a répondu à toutes les questions concernant son travail de diplomate ou le fonctionnement de l'ambassade des Etats-Unis, et qui s'est replongé dans cette année 1961-1962 pour éclairer certains documents et expliquer quelles étaient alors ses analyses.

Textes manuscrits des conférences données par Francis De Tarr

Copies des textes manuscrits rédigés par Francis De Tarr à l'occasion de deux conférences portant sur son travail de diplomate à Paris :
. Conférence à l'Université d'Oxford, novembre 1986 (en anglais)
. Conférence à l'Institut d'histoire du temps présent, octobre 1996 (en français).

Presse

Quotidiens	*L'Aurore*	*Le Monde*
	Combat	*The New York Times*
	Le Figaro	*Le Populaire*
Hebdomadaires	*L'Express*	*Time magazine*
	France-Observateur	*Tribune socialiste*
	Newsweek	

Documents

. Beuve-Méry (Hubert), *Onze ans de règne, 1958-1969*, Paris, Flammarion, 1974, 412 p.

. Council on Foreign Relations, *Documents on American Foreign Relations, 1961*, New York, Harper Brothers, 1962, xx-555 p.

. Council on Foreign Relations, *Documents on American Foreign Relations, 1962*, New York and Evanston, Harper and Row, 1963, xxiv-550 p.

. Gaulle (Charles de), *Discours et Messages, t. III, Avec le Renouveau, Mai 1958-Juillet 1962*, Paris, Plon, 1970, xxxiii-443 p.

. Mendès France (Pierre), *Œuvres complètes, t. IV, Pour une République moderne, 1955-1962*, Paris, Gallimard, 1987, 969 p.

. *Le procès de Raoul Salan*, Compte rendu sténographique, Paris, Albin Michel, 1962, 557 p.

Mémoires, témoignages

. Bourdet (Claude), *Mes batailles. Récit,* Ozoir-la-Ferrière, éditions *In fine,* 1993, 256 p.

. Gaulle (Charles de), *Mémoires d'espoir,* t. I, *Le Renouveau, 1958-1962,* Paris, Plon, 1970, 320 p.

. Martinet (Gilles), *Cassandre et les tueurs : cinquante ans d'une histoire française,* Paris, Grasset, 1986, 269 p.

BIBLIOGRAPHIE

. **Alleg (Henri)** (sous la direction de), *La guerre d'Algérie*, t. III, *Des complots du 13 mai à l'indépendance*, Paris, Temps Actuels, 1981, 613 p.

. **Aron (Raymond)**, *Immuable et changeante, de la IVème à la Vème République*, Paris, Calmann-Lévy, 1959, 265 p.

. **Bromberger (Merry et Serge), Elgey (Georgette) et Chauvel (J.-F.)**, *Barricades et colonels, 24 janvier 1960*, Paris, Fayard, 1960.

. **Club Jean Moulin**, *L'Etat et le citoyen*, Paris, Le Seuil, 1961, 415 p.

. **Courrière (Yves)**, *La guerre d'Algérie*, t. III, *L'heure des colonels*, Paris, Fayard, 1970, 512 p.

. **Daniel (Jean)**, *De Gaulle et l'Algérie*, Paris, Le Seuil, 1986, 279 p.

. **De Tarr (Francis)**, *The French Radical Party, from Herriot to Mendès France*, Oxford University Press, 1961, xxii-265 p. ; Greenwood Press, 1980.

. **De Tarr (Francis)**, *Henri Queuille en son temps, 1884-1970*, Paris, La Table ronde, 1995, 822 p.

. **De Tarr (Francis)**, *Pierre Mendès France. Un témoignage*, Tulle, Mille Sources, 2001.

. **Droz (Bernard) et Lever (Evelyne)**, *Histoire de la guerre d'Algérie*, Paris, Le Seuil, 1982, 383 p.

. **El Machat (Samya)**, *Les Etats-Unis et l'Algérie. De la méconnaissance à la reconnaissance, 1945-1962*, Paris, L'Harmattan, 1996, 247 p.

. **Grosser (Alfred)**, *Les Occidentaux. Les pays d'Europe et les Etats-Unis depuis la guerre*, Paris, Fayard, 1978 ; Le Seuil, «Points Histoire», 1981, 437 p.

. **Grosser (Alfred)**, *Affaires extérieures. La politique de la France, 1944-1989*, Paris, Flammarion, 1989, 375 p.

. **Guisnel (Jean)**, *Charles Hernu ou la République au cœur*, Paris, Fayard, 1993, 567 p.

. **Hamon (Hervé) et Rotman (Patrick)**, *Les Porteurs de valises. La résistance française à la guerre d'Algérie*, Paris, Albin Michel, 1979 ; Le Seuil, « Points Histoire », 1982, 436 p.

. **Harbi (Mohammed)**, *Le FLN, mirage et réalité, des origines à la prise du pouvoir (1945-1962)*, Paris, éditions Jeune Afrique, viii-446 p.

. **Heurgon (Marc)**, *Histoire du P.S.U.*, t. I, *La fondation et la guerre d'Algérie (1958-1962)*, Paris, La Découverte, 1994, 444 p.

. **Horne (Alistair)**, *Histoire de la guerre d'Algérie*, Paris, Albin Michel, 1980, 608 p.

. **Lacouture (Jean)**, *Algérie, la guerre est finie*, Bruxelles, Complexe, 1985, 207 p.

. **Lacouture (Jean)**, *De Gaulle*, t. III, *Le souverain, 1959-1970*, Paris, Le Seuil, 1986 ; « Points Histoire », 1990, 865 p.

. **Lacouture (Jean)**, *Pierre Mendès France*, Paris, Le Seuil, 1981, 547 p.

. **Pujo (Bernard)**, *Juin, maréchal de France*, Paris, Albin Michel, 1988, 407 p.

. **Reclus (Philippe)**, *La République impatiente : le Club des Jacobins, 1951-1958*, Paris, Publications de la Sorbonne, 1987, 200 p.

. **Rioux (Jean-Pierre)** (sous la direction de), *La guerre d'Algérie et les Français*, Paris, Fayard, 1990, 700 p.

. **Rioux (Jean-Pierre) et Sirinelli (Jean-François)** (sous la direction de), *La guerre d'Algérie et les intellectuels français*, Bruxelles, Complexe, 1991, 405 p.

. **Viansson-Ponté (Pierre)**, *Histoire de la République gaullienne*, t. I, *La fin d'une époque, mai 1958-juillet 1962*, Paris, Fayard, 1970 ; « Pluriel », 1994, 576 p.

INDEX

Abbas, Ferhat, 59, 180.
Adenauer, Konrad, 111, 159, 160.
Ailleret, général Charles, 134.
Anxionnaz, Paul, 171, 172.
Aron, Raymond, 140, 281.
Auriol, Vincent, 94, 121, 143, 150, 152, 155, 260, 261, 263.
Avril, Pierre, 16, 258.

Barreau, Xavier, 162.
Baudet, conseiller municipal d'Alger, 49, 50.
Baure, Marie-Louise, 147, 151, 200.
Bayet, Albert, 188.
Belkacem, Krim, 59, 60.
Ben Bella, Ahmed, 128.
Ben Khedda, Ben Youssef, 59, 60, 74, 137, 198, 215, 230, 254.
Ben Tobbal, Lakhdar, 128.
Beuve-Méry, Hubert, 28, 35, 78, 79, 82-85, 88, 117, 196, 215, 216, 256, 276.
Biaggi, Jean-Baptiste, 182.
Bidault, Georges, 144, 188, 197.
Blignières, colonel de, 84, 85.
Boisanger, capitaine Pierre de, 120.
Boulanger, général Georges, 102.
Boumendjel, Ahmed, 59, 71.
Bourdet, Claude, 112, 116, 149, 172, 260, 277.
Bourguiba, Habib, 136, 172, 261.
Bouyer, Marcel, 162.
Bovey, Jr., John A., 20, 21, 77, 86, 91, 106, 111, 118, 125, 167.
Broglie, Jean de, 170, 224.

Bromberger, Serge, 59, 61-65, 196, 215, 281.
Brousse, Pierre, 89-91, 199, 214, 217, 218, 223, 225, 227, 261.
Brutelle, Georges, 115, 169.

Call, Georges, 162.
Canat, Edme, 184.
Caroll, Lewis, 270.
Carvallo, Laurence, 147, 200.
Castille, Philippe, 162.
Castro, Fidel, 76, 234.
Chaban-Delmas, Jacques, 31, 109-111, 199, 200, 219, 220, 222, 223, 226, 262.
Challe, général Maurice, 45, 48-50, 133, 183.
Chanderli, Abdelkader, 172.
Churchill, Winston, 115.
Cootes, Merritt N., 41.
Coty, René, 155.
Crépin, général Jean, 47, 56.
Crèvecœur, général Jean-Marie Charles Boucher de, 82.

Dahlab, Saad, 59, 128.
Daniel, Jean, 117, 260, 281.
Debré, Michel, 45-47, 59, 94-97, 110, 158, 186, 187, 253.
Delbecque, Léon, 182.
Delouvrier, Paul, 45, 48-50, 251.
De Tarr, Francis, *passim.*
Djebbour, Ahmed, 131.
Ducournau, colonel, 46.
Duchet, Roger, 97.
Duclos, Jacques, 149, 262.
Dufour, colonel, 43.

Lattre, général de, 183.
Lecourt, Robert, 96.
Leenhardt, Francis, 169.
Legatte, Paul, 88, 147.
Legros, Claude, 154.
Lejeune, Max, 173, 225.
Léotard, Pierre de, 174.
Le Pen, Jean-Marie, 97.
Le Tac, Yves, 135, 141, 193.
Long, Richard G., 49, 52, 56.
Lyon, Cecil B., 20, 68, 165.
Lyon, Frederick B., 52, 57, 58.

Malraux, André, 154, 161, 255.
Mao ZeDong, 130.
Martinaud-Déplat, Léon, 91.
Martinet, Gilles, 29, 31, 112-118, 148, 149, 172, 194, 198, 199, 219-226, 255, 258, 260, 261, 264-266, 277.
Martinet, Laurence, voir Carvallo, Laurence.
Martinet, Madame, voir Carvallo, Laurence.
Martinet, Paul, 16, 32, 147-151, 200, 258, 262, 265.
Massu, général Jacques, 44, 47, 48, 133.
Mauriac, François, 197.
Mayer, René, 91.
Mendès France, Pierre, 9, 10, 16, 17, 19, 31, 32, 48, 87, 88, 91, 92, 100, 101, 107, 108, 112, 113, 115, 122, 147-149, 166-172, 200, 215, 216, 221, 223, 224, 238-240, 258-266, 268, 276, 281, 282.
Messmer, Pierre, 119, 128.
Mitterrand, François, 32, 169, 268.
Miquel, général Roger, 181.

Mollet, Guy, 28, 31, 92, 94, 95, 101, 115, 143, 150, 152-160, 167, 168, 173, 182, 198, 199, 202, 216, 220-226, 238, 255, 260, 261, 263, 265, 268.
Monnerville, Gaston, 83, 169.
Montagne, Rémy, 171.
Murphy, Robert, 233.

Neuwirth, Lucien, 168.
Nicolet, Claude, 12, 16, 32, 48, 147-149, 200, 258, 259, 263, 268.

Ortiz, Joseph, 18, 42-47, 52, 251, 253.

Palmier, Serge, 162.
Pascal, Blaise, 188.
Pasquini, Pierre, 130.
Pasteur, Louis, 178.
Péju, Marcel, 117.
Pétain, maréchal Philippe, 81, 134.
Pflimlin, Pierre, 97.
Pinay, Antoine, 97, 152, 154.
Ploix, vice-amiral, 184.
Pompidou, Georges, 71, 158, 186.
Poperen, Jean, 114, 173.
Portolano, Pierre, 184, 185.
Pouilly, général de, 183.
Poujade, Pierre, 92, 166, 174.

Queuille, Henri, 10, 17, 281.
Quin, Frederick S., 45, 53, 58.

Ratiani, George, 190.
Renard, Delphine, 154, 255.
Robespierre, Maximilien, 151.
Rochet, Waldeck, 156.

TABLE DES MATIERES

Achevé d'imprimer sur rotative numérique par Book It !
dans les ateliers de l'Imprimerie Nouvelle Firmin Didot
Le Mesnil sur l'Estrée

Dépôt légal : Juin 2003
N° d'impression : 1.1.5637

A•LV

MGG - GX